Светлана
КЛИМОВА

ГОЛОДНЫЙ ДЕМОН

ИЗДАТЕЛЬСТВО
Москва
2000

ББК 84 (2Рос-Рус)6
К49

Серия основана в 1999 году

Серийное оформление А.А. Кудрявцева

В оформлении книги использованы фотоматериалы агентства Василия Ватагина

Климова С.

К49 Голодный демон: Роман. – М.: ООО «Издательство АСТ»; 2000. – 400 с. – (Пантера).

ISBN 5-237-06075-7

На виновность человека, подозревавшегося в тройном убийстве, указывало все. И самое странное — он решительно отказывался объяснить, где был в момент совершения убийства. Но значит ли это, что он убийца? Милиция и прокуратура уверены — ДА. Однако молодой московский адвокат, случайно оказавшийся в этом маленьком городке, считает по-другому. Он намерен доказать невиновность подозреваемого и берется за защиту — берется, еще не подозревая, в какое сложное, опасное и бесконечно запутанное дело втягивается. Не подозревая, что из адвоката может превратиться в следующую жертву...

ОТ ПОЛУНОЧИ ДО ЧАСА

Нужный мне дом отыскался не без труда. Еще утром, когда я впервые взглянул сверху на этот шахтерский городишко через выпуклое стекло кабины четырехместного «L-200», он показался мне похожим на запыленный подгоревший сухарь, и к вечеру это ощущение только усилилось; я брел по пустым улицам, как по старому пепелищу.

Возле пятиэтажки, задвинутой в глубину двора, также было безлюдно. Я посмотрел на часы — стрелка приближалась к восьми. При мне был небольшой потертый портфель с парой носовых платков, зубной щеткой, мылом, чистой тайваньской футболкой и книжкой рассказов Хулио Кортасара. Бумажник находился во внутреннем кармане пиджака, а блокнот и ручку я час назад запер в сейфе вместе с документацией, сдав ключ от кабинета насупленному брыластому господину в чине майора внутренних войск. Он же встречал нас на аэродроме, с ходу сообщив как нечто само собой разумеющееся, что в единственной гостинице города места забронированы только для двоих моих спутников.

Как недавний выпускник юрфака, я досиживал год стажировки в прокуратуре, постигая непредсказуемую реальность, а следовательно, являлся существом подневольным и бессловесным. И уж, конечно, в эту командировку не рвался. Начальство двинуло меня на подмогу коллегам из областного управления, занимавшимся борьбой с экономической преступностью. Предстояло разбираться с чрезвычайно запутанной документацией, а где придется скоротать ночь, мне было совершенно безразлично.

Само собой, среди груды папок строгой отчетности половина документов оказалась чистой липой. Во второй половине дня я затребовал нотариуса и бухгалтера-консультанта, пообещав к завтрашнему вечеру представить докладную о положении дел; а в восемнадцать тридцать к нам, очумевшим от праведных трудов и бумажной пыли, заглянул все тот же майор и сунул мне бумажку с адресом.

— Это наш бывший сотрудник, пенсионер. Живет один в двухкомнатной квартире. Тебе там будет удобно. Мы уже созвонились, обо всем договорено. Садись на третий автобус и дуй до конечной. Оттуда — через дворы... На сегодня все. — Он брезгливо окинул взглядом криминальную документацию и, не прощаясь, испарился.

Вопреки майорским указаниям я отправился на ночлег пешком через весь город, окутанный запахом терриконовой гари. Мне хотелось напрочь стереть из памяти и майора, и то, что я вычитал в пыльных папках. Так сказать, сменить мертвый казенный интерьер на оживленную суету вечерних улиц... Странное дело, но на протяжении всего пути я почти никого не встретил, только на остановке замученный работяга, дыша застарелым перегаром, ответил на мой вопрос: «Чеши по ходу автобуса», — и неопределенно махнул рукой.

И я почесал.

Четвертый подъезд зиял, как темная щербатая пасть; я поднялся на второй этаж и нажал кнопку звонка, отступив на шаг. Однако квартира, указанная в бумажке, безмолвствовала.

Я закурил, ткнул в звонок еще раз и начал спускаться, испытывая безотчетное облегчение и раздумывая, как бы побыстрее отыскать гостиницу...

Глуховатый мужской голос заставил меня остановиться на половине марша:

— Егор Николаевич! Башкирцев!.. Погодите!

Бросив окурок в пролет лестницы, я вернулся к двери. Мучнистое лицо пожилого человека наклонилось ко мне. С некоторой досадой он произнес:

— Я ждал вас к девятнадцати ноль-ноль. Мне звонил Зуев. — В его потухшем взгляде что-то затрепетало. — Проходите же! Меня зовут Дмитрий Ильич. Фамилия — Скалдин.

Я молча переступил порог квартиры, и дверь за мной мгновенно была заблокирована тройным поворотом ключа и щелчком стопора на автоматическом сейфовом замке. Меня провели в комнату, где горела матовая чешская люстра и был накрыт к ужину круглый стол на двоих. Бархатная темно-синяя скатерть, блюдо с закусками, белизна фарфора. Как в провинциальном ресторане в Прибалтике в прежние времена. Все дело портили только бумажные салфетки да засохшие цветы в хрустальном сосуде, изумительно напоминающем формой армейский сапог с укороченным голенищем.

Однако несмотря на то, что в течение дня я питался исключительно жидким чаем и гранитной твердости кексом из ведомственного буфета, мой аппетит упал до нуля. Крепкая спина хозяина дома показалась мне мучительно-напряженной, а короткая, неровно загоревшая шея в потертом вороте голубоватой сорочки поблескивала бисеринками пота.

— Где можно вымыть руки? — спросил я Дмитрия Ильича, вызвав этим невинным вопросом такой бурный всплеск деятельности, что мне стало поневоле стыдно за себя. Что за паршивый снобизм? Этот человек совершенно искренне счастлив оттого, что я остаюсь ночевать в его доме.

Мне показали квартиру; при этом Скалдин вдруг снова возбудился и заговорил неестественно громко и просительно. Его гладко выбритое круглое лицо ожило, задвигалось и порозовело, а бледные губы горько изогнулись, сделав его похожим на старого лагерного педераста. «Там мой кабинет, а заодно и спальня, — услышал я. — Вам будет постелено здесь, на диване. Я, знаете ли, привык жить один», — зачем-то добавил он, поведя указательным пальцем в сторону плотно закрытой двери «кабинета».

Я терпеливо слушал, озираясь без особого интереса. Комната, где мы продолжали топтаться у накрытого в честь моего появления стола, была просторной, совершенно квадратной, с большим балконным окном во всю стену, наглухо задраенным на все шпингалеты. Окно было без форточки, прикрытое до полу прозрачным тюлем. Отодвинув гардину, я выглянул — слева от балкона мне померещились в сумерках ржавые перекладины наружной пожарной лестницы.

Свежий воздух поступал из распахнутого окна в небольшой кухне; квартира была спланирована так, что в гостиную сходились все двери: прихожей, «кабинета» хозяина и кухни. Именно через прихожую оказалось необходимо пройти, чтобы умыться, тогда как сам Дмитрий Ильич суетливо посеменил в противоположном направлении — поставить чайник.

Следов женщины в доме я нигде не обнаружил, из чего заключил, что Скалдин — службист старой закалки, а ныне нищий пенсионер — относится к числу закоренелых холостяков. Отсюда и все его странности...

Умывшись, я возвратился на кухню и спросил разрешения закурить. Со двора не доносилось ни звука, не слышно было даже шелеста пропыленной акации под окном. Случайно столкнувшись взглядом с блеклыми глазками Дмитрия Ильича, я вздрогнул: там металось все что угодно, только не умиротворенность. Он неловко склонился над закипающим чайником и пробормотал вполголоса:

— Послушайте... Вы хорошо знаете Зуева?

— А кто это? — еще тише спросил я.

— Тот, кто сообщил мне о вас.

— Нет.

— Если Зуев позвонит, подойдите к аппарату в гостиной и велите ему немедленно прибыть сюда...

— Зачем? — Я произнес это так громко, что Скалдин замер.

Радуга в его глазах, вспыхнув, истаяла.

Сумасшедший, подумал я. Сунули на ночь к отставнику, последние мозги растрясшему на службе.

— Хорошо, — согласился я уже потише. — Будет исполнено. Давайте я отнесу чайник.

— Там подставка на столе, — сказал он мне в спину без всякой интонации. — Я уже заварил.

С чайником в руках я отправился в квадратную гостиную и сел за стол лицом к темному балкону. Обмотанная синей изолентой телефонная трубка безмолвно покоилась на пыльном аппарате, стоявшем на тумбочке рядом с телевизором, который при ближайшем рассмотрении оказался «Панасоником» девяносто шестого года выпуска. Я пошарил глазами в окрестностях и обнаружил на столе «Коммерсантъ» за позавчерашнее число. Поверх газеты лежали золотые швейцарские часы с тяжелым, как кастет, браслетом.

Мне остро захотелось, чтобы наше чаепитие оказалось как можно более кратким, однако Дмитрий Ильич уже бодро выдвигался из кухни, держа перед собой поднос, на котором имели место заварной чайник, сахарница, две расписанные кровавыми маками чашки и серебряная плетеная конфетница с сухарями и плиткой шоколада «Пулен». Еще там лежал настоящий «паркер» и небольшой блокнот в кожаном переплете. Лицо Скалдина казалось несколько просветлевшим.

Вместе со стулом я придвинулся к столешнице.

— Вам покрепче, Егор Николаевич? — спросил он в полный голос. — Люблю крепкий... Не звонили? — Это было произнесено одними губами.

Я отрицательно дернул головой и уткнулся носом в чашку, вдыхая аромат стопроцентного «Липтона». Через секунду передо мной возникла тарелка с салатами, ветчиной, ломтиками розового балыка и еще бог знает чем.

— Ешьте, — равнодушно обронил хозяин дома и, с неприязнью покосившись на телефон, добавил: — Хороший вечер, тихий. Я вообще к ночи себя лучше чувствую.

— А меня в сон клонит, — проговорил я. — Работы до черта, Дмитрий Ильич.

— Понимаю, — кивнул Скалдин. — Я постелю вам, Егор...

— Не нужно, — сказал я. — Не беспокойтесь.

— Ешьте, — повторил он.

— Я не голоден.

— Как угодно. — Дмитрий Ильич, как бы колеблясь, поднялся. — Тогда я, пожалуй, уберу со стола.

Однако вместо этого он что-то стремительно начертал на листке, бесшумно отделенном от блокнота, и протянул мне.

«У вас есть оружие? Мне срочно необходимо какое-нибудь огнестрельное оружие. Поверьте, причинять вам вред не в моих интересах!» — прочитал я и быстро взглянул на его предельно сосредоточенное лицо. Там застыла сумасшедшая тоска.

— Нет. — Я осторожно возвратил листок. — Мне по штату не положено.

Он тут же скомкал бумажку, молча собрал посуду и неспешно прошагал на кухню.

Я вышел следом покурить, захватив забытую сахарницу, и увидел, как он сжигает листок из блокнота, сбрасывает пепел в раковину, а затем моет и аккуратно расставляет по местам посуду. Еще минут пять, пока сигарета тлела, я имел возможность разглядывать его мягкие сутуловатые плечи — Дмитрий Ильич стоял перед распахнутым кухонным окном, глядя на чернеющие сучья акации. Казалось, ко мне он утратил всякий интерес.

— Спокойной ночи, Егор Николаевич, — наконец произнес он оборачиваясь. — Постельное белье на подушке. Не забудьте, укладываясь, закрыть дверь на кухню и в прихожую. Утром — чай, в холодильнике найдете еду. Телефон я отключу...

С каким-то печальным превосходством он окинул взглядом убогую кухоньку, сфокусировался на моей переносице и, услышав, что я мямлю неуклюжие слова благодарности, махнул рукой.

— Да ладно уж, — снисходительно заметил Дмитрий Ильич. — Видал я их всех в гробу... Не могли кого посолиднее прислать...

Он скрылся в гостиной, а еще минуту спустя в наступившей тишине раздался резкий щелчок захлопнувшегося замка в двери его «кабинета».

Я взглянул на часы — восемнадцать минут десятого. После второй сигареты подряд, явно лишней, на меня навалилась свинцовая усталость. Я доплелся до ванной, почистил зубы, погасил везде электричество и приготовил себе постель на диване.

Прежде чем улечься, я закрыл обе двери — на кухню и в прихожую, как велел Скалдин, и осмотрел комнату при свете ночника. Газета и часы лежали на прежнем месте; я осторожно выдвинул ящик тумбочки — там обнаружились «паркер», блокнот, пенсионное удостоверение, пара чистых конвертов и потертый бумажник. Я скинул туда же часы и распахнул дверь на кухню — оттуда сразу повеяло прохладой. Спать в душном помещении было выше моих сил.

Вполне машинально я осмотрел балконное окно — оно было закупорено наглухо, как в суровые холода, не стоило и пытаться его открыть.

Едва я приземлился на диване, сон обрушился на меня, будто незримая рука стерла с лица земли одним движением и мою особу, и весь этот город со всеми его обитателями.

В полночь, мокрый как мышь от липкого ужаса, я так же мгновенно проснулся. Такое со мной происходило впервые. На мгновение показалось, что из проема кухонной двери в гостиную проникает медный свет огромной полной луны, хотя еще накануне вечером она пребывала в первой четверти... Не в силах повернуть голову, я покосился на балкон. Там, слева над перилами, отчетливо чернел скелет пожарной лестницы; дверь была все так же мертво задраена.

Тишина стояла оглушительная, если не считать сумасшедшего стука моего собственного сердца. Я лежал, вцепившись скользкими от пота пальцами в колючее солдатское одеяло, и боялся пошевелиться.

Наконец я собрался с духом и повернул голову в сторону хозяйского «кабинета». Между полом и кромкой двери желтела полоска света — Дмитрий Ильич не спал, но я подавил в зародыше желание постучать к нему, резко рванул шнур ночника — это движение вернуло мне ощущение реальности — и сразу же зафиксировал время: пять минут первого. Толчком вздернув непослушное тело с дивана, я, как был, в футболке, трусах и чужих шлепанцах, отправился курить на кухню.

Никакой луны за окном не было — темнота, едва уловимое шевеление ночного воздуха и полное безмолвие. Но меня все еще не отпускало: прожорливое нечеловеческое существо, казалось, наблюдает за моими бессмысленными движениями из мрака... «Идиот!» — мысленно воззвал я к собственному рассудку, вцепляясь в смятую пачку «Ротманс».

Щелчок зажигалки немного привел меня в чувство. Я как бы увидел себя со стороны глазами незримого монстра и посоветовал ему подыскать когонибудь поаппетитнее: от меня разило кислым потом, мышцы обмякли и подрагивали, от страха я был близок к оргазму. Докурив сигарету до фильтра, я вроде бы почувствовал себя поспокойнее. В шестнадцать минут первого, прихватив из ящика кухонного стола хлебный нож, я возвратился на свой диван, погасил ночник, сунул нож под подушку и натянул одеяло на плечи.

Свет в комнате Скалдина уже не горел. Однако заснуть сразу я не смог, испытывая двойственное чувство: с одной стороны, я казался себе полным мистическим кретином, с другой — меня по-прежнему что-то тревожило и не отпускало; нервы мои были натянуты — только тронь... Наконец, глубоко и ритмично дыша, я убедил себя, что все это — следствие многодневного переутомления, и ухнул в объятия Морфея.

В семь утра я был на ногах. Солнце освещало гостиную, из кухонного окна гремел воробьиный щебет, в животе у меня урчало от голода — но в этом доме я не собирался задерживаться. Ни на секунду.

К месту работы я добрался автобусом — в чистой футболке, умытый, не забыв водворить хлебный нож на место и захлопнуть дверь квартиры заслуженного пенсионера органов. Сам Дмитрий Ильич из своего «кабинета», слава Богу, не показывался.

Прежде чем покинуть место моего бурного ночлега, я все-таки его тщательно осмотрел. Обойдя дом вокруг, ничего особенного я не обнаружил. Пожарная лестница и впрямь проходила по фасадной стене в полуметре от скалдинского балкона. Она была довольно широкой и, несмотря на отсутствие нескольких перекладин, с виду крепкой. Справа от нее, на расстоянии чуть более метра, располагалось следующее окно, по моим вычислениям — «кабинет» Дмитрия Ильича. При желании до жестяного отлива окна можно было дотянуться рукой или, при определенной сноровке, перебраться на балкон. Створка окна «кабинета» была открыта ровно наполовину. В утреннем освещении пятиэтажка показалась мне еще более обшарпанной, чем вчера вечером. Легкий ветерок гонял по пустому двору обрывки бумаги, вдалеке визгливо брехала дворняга — в общем, дыра, гиблое место, и не мудрено, что в полночь мне привиделась несусветная чушь.

Кое-как перекусив в служебном буфете, я приступил к работе. День покатился с такой скоростью, что я напрочь забыл о существовании Дмитрия Ильича.

Тем же вечером поезд увозил меня и моих коллег. Я лежал на верхней полке, вполглаза почитывая Кортасара, пока мои спутники шумно ужинали внизу, и в течение получаса из моей памяти успел улетучиться и сам шахтерский городок, мелькнувший и пропавший за мутным вагонным стеклом, и все, что произошло со мной минувшей ночью...

Через пару дней, в субботу, я был срочным звонком вызван в прокуратуру. День был нерабочий, и меня по чистой случайности застали дома. Недоумевая, я сунулся было в свой отдел, но дежурный переадресовал меня к высокому начальству. Там меня усадили в кресло и представили уже знакомому мне по недавней командировке брыластому майору.

— Зуев, — сквозь зубы назвался он, и в голове у меня что-то щелкнуло, но не окончательно; этого майора я не видел ни разу с того момента, как он всучил мне бумажку с адресом хозяина квартиры.

Я вопросительно уставился в его мрачно-сосредоточенное, несколько обрюзгшее лицо.

— Егор Николаевич, — сказало начальство, — когда вы ночевали у Скалдина, вы ничего подозрительного там не заметили?

— Нет, — ответил я. — А в чем дело?

— Вы когда к нему явились?

— Около восьми вечера. — У меня засвербило в носу. Майор не сводил недоверчивого взгляда с моей переносицы.

— А когда ушли от Скалдина?

— В семь пятнадцать на следующее утро.

— В то время, как вы там находились, Дмитрию Ильичу никто не звонил? Посетителей не было?

— Нет, — удивился я. — Мы были вдвоем, а уходя спать, где-то около полвины десятого, он сказал, что на ночь обычно отключает телефон.

Тут-то меня и осенило, что Скалдин ожидал звонка именно от майора Зуева, но я предпочел об этом факте начальству не сообщать.

— Мы попили чайку и разошлись по комнатам, — невинно продолжил я. — День у меня был тяжелый, так что спал я крепко. Поднялся в семь, собрался и, решив не беспокоить хозяина, уехал.

Начальство кивнуло.

— Каким он вам показался? — подал голос Зуев. — Нервничал? Может быть, что-то в его поведении показалось вам странным?

Я пожал плечами.

— Обычный пожилой гражданин пенсионного возраста. И виделись-то мы от силы пару часов, — сказал я. — А что?

— Дело в том, молодой человек, — раздражаясь, раздельно произнес майор, — что в ту ночь, когда вы находились у него в доме, Скалдина убили. Перерезали глотку кухонным ножом... По данному факту и ведется следствие.

Когда меня называют молодым человеком, я слегка зверею. Еще больше я не люблю, когда темнят.

— А какое отношение это имеет ко мне? — Я вперился в начальство наглым взглядом.

Боевому майору мой тон сильно не понравился.

— Там везде ваши «пальчики», — сказал Зуев.

— И на месте преступления?

— А откуда тебе известно, где именно совершено преступление? — прорычал майор, переходя на ты.

— В котором часу наступила смерть? — парировал я. — Данные экспертизы у вас имеются?

— Погодите, — скривившись, проговорило начальство. — Егор Николаевич, мы пригласили вас помочь следствию. Смерть Скалдина, по предварительному заключению, с учетом того, что тело обнаружено лишь сутки спустя, наступила в промежутке между двенадцатью и часом ночи. Не исключено, что немного позже, так как окно в спальне оставалось открытым, что могло повлиять на экспертную оценку. Но не раньше полуночи. На кухонном ноже отпечатки ваших пальцев, Егор...

— Я помогал Скалдину накрывать на стол.

Тут меня прервали, потому что Зуева вызвали в приемную. Начальство вполголоса произнесло:

— Соседи показали, что к Скалдину кто-то звонил в дверь. Незадолго до вашего прихода.

— И он открыл?

— Да.

— То есть пока я с ним там беседовал, пил чай и спал, гость Скалдина находился в доме?

— Выходит, так.

— И что все это может означать?

— Вы везучий человек, Егор Николаевич, — усмехнулось начальство. — И знаете почему? Потому что дверь спальни убитого была заперта изнутри на ключ, который не удалось обнаружить. Убийца ушел через окно по пожарной лестнице. Иначе числиться бы вам подозреваемым номер один...

— И на кой мне убивать незнакомого пенсионера?

— Ну, мало ли. Допустим, с целью ограбления... Скалдин, оказывается, был очень обеспеченным человеком.

— Так его ограбили?

Начальство уклончиво промолчало.

— Хоть вы и все проспали, Егор Николаевич, должны же были у вас остаться какие-то впечатления? Вы ведь профессионал и провели целый вечер в доме Скалдина.

— Увы, — проговорил я, — ничего существенного. Мне нечем помочь следствию и лично товарищу Зуеву. Никаких особенных впечатлений у меня в памяти не сохранилось.

Я был твердо уверен, что Зуев с удовольствием повесил бы на меня это дело — и только потому, что сам в нем каким-то образом замешан. Но топить майора я не стал.

Когда он вновь появился в кабинете начальства, я снова занудно перечислил все, чем мы с Дмитрием Ильичом занимались в течение полутора вечерних часов. По минутам. Пока убийца беззвучно поджидал его в спальне.

Не мог же я в самом деле знать, покидая утром тот дом, что Скалдин уже давным-давно мертв — лежит за дверью своего «кабинета», оскалившись и неотрывно глядя белыми, как крутые яйца, глазами сквозь эту самую дверь?..

Глава 1

Старший следователь Гаврюшенко встретил меня стоя.

Это было что-то новенькое. Мы не виделись несколько месяцев, но обычно он предпочитал вести беседу полулежа в расшатанном офисном кресле. При этом одна его нога была перекинута через подлокотник, а вторая упиралась в тумбу заваленного бумажками письменного стола, где в пепельнице чадила груда окурков его излюбленного «Соверена».

Сейчас стол был стерильно чист, по кабинету гулял сквозняк, а лоб Алексея Валерьевича пересекала скорбная морщина.

— Садись, Егор, — проговорил он с такой интонацией, что я немедленно почувствовал себя близким родственником безвременно ушедшей от нас очень важной персоны. — Побеседуем.

— Ага, — сказал я, плюхаясь на стул, расстегивая куртку и нащупывая в кармане пачку сигарет. — Самое время. Так по ком тут у нас звонит колокол?

— Можешь не сомневаться, — кисло отреагировал Гаврюшенко, — по тебе. Только я тут ни при чем.

— Естественно, — кивнул я и рассмеялся, но старший следователь не был расположен, как обычно, потрепаться, перед тем как перейти к делу.

Это-то и настораживало. Я знал его целую вечность — еще со времен охоты на серийного убийцу Бурцева, когда на последнем курсе проходил практику в прокуратуре. Уже с дипломом в кармане мне пришлось еще почти год проболтаться под началом Гаврюшенко в качестве стажера, но таким мне не доводилось его видеть.

С минуту я наблюдал эту сухую, отчетливо прочерченную складку на челе моего бывшего начальника, размышляя о том, зачем моим коллегам по корпорации понадобилось подставить именно меня. Не спорю, все четверо адвокатов, работавших вместе со мной в консультационно-правовой фирме «Щит», были матерыми зубрами, настоящими закаленными «крючками», съевшими по собаке на финансово-хозяйственных делах. Я же всего несколько месяцев назад, да еще и не без помощи отца, откопавшего старые связи, сдал экзамен на право заниматься адвокатской деятельностью. К тому же моя персона почему-то их раздражала, что и послужило причиной того, что всю весну и лето мне пришлось заниматься мелкими квартирными тяжбами да бракоразводной мутью. Когда же в фирму позвонили из прокуратуры, ссылаясь на какое-то неведомое распоряжение управления юстиции, устанавливающее новый порядок предоставления защитников обвиняемым по уголовным делам, выбор пал на меня. Так сказать, в результате молчаливого консенсуса.

Между прочим, как выяснилось позже, клиент в ходе следствия по неизвестным причинам от услуг адвоката категорически отказался. И только начав знакомиться с собственным делом, буквально пару дней назад, внезапно потребовал предоставить ему защитника. Тут-то и пробил мой час.

Краем уха об этом преступлении я уже слышал. И хотя подробности следствия не разглашались, примерно представлял, с чем придется столкнуться.

Гаврюшенко я знал как облупленного, и в том, как он держался — покровительственно, формально-небрежно, — ясно читалась позиция его начальства. Дело было готово для передачи в суд, а поскольку в нем фигурировали три трупа, то и результат его был фактически предрешен. Несмотря на то что в качестве обвиняемого выступал сын одного из самых заметных в городе людей, профессора-экономиста, к тому же баллотирующегося в Думу на место выбывшего депутата. Или как раз благодаря этому.

В своих показаниях обвиняемый вины не признал, категорически отрицал причастность к убийству; в то же время эти показания существенно расходились со словами свидетелей. «Поработав» с обвиняемым и убедившись, что парень твердо стоит на своем и заполучить «царицу доказательств», то бишь обыкновенную «сознанку», не получится, прокуратура заторопилась. Уложившись со следственными действиями в месяц с небольшим, группа Гаврюшенко установила в этом виде спорта своего рода рекорд. Мне, во всяком случае, ни о чем подобном слышать не приходилось, не считая случаев работы «по горячему следу».

Несмотря на это, мой бывший руководитель практики больше всего походил сейчас на обладателя золотой медали, которого вот-вот засекут на примитивном допинге.

Почему бы и нет, подумал я, попутно отмечая для себя тот факт, что в ходе следствия обвиняемый в резкой форме отказывался от свиданий с собственным отцом, который настойчиво добивался их, используя деловые связи на самом верху министерской пирамиды. Почему бы и нет?

Существовал только один способ заглянуть за кулисы этого дела — вывести Гаврюшенко из равновесия. Слишком уж аккуратно выглядело то, что он мне тут грузил. Мы с ним находились по разные стороны баррикады — именно поэтому я твердо решил качать права до последней запятой и хамить. При всей моей симпатии к старшему следователю терять мне было нечего.

В любом случае на моем подзащитном был поставлен жирный крест. Если Гаврюшенко хватило материала, чтобы слепить обвинительное заключение, не содержащее явных противоречий, можно не терять времени даром. Ни логических ошибок, ни фальшивых улик, ни притянутых за уши фактов там попросту нет. Остается наглеть, валять дурака и блефовать в надежде выведать хоть что-нибудь стоящее. Такое, с чего можно было бы начать строить защиту. Если ее вообще можно построить.

Пока Гаврюшенко раскачивался, я курил и глазел в окно, выходящее во двор здания прокуратуры. Там ни черта не было, кроме двух полуголых кленов да ржавых гаражных боксов. Знакомая картинка. Все окна третьего этажа были зарешечены, покрытые множеством слоев цинковых белил прутья в два пальца толщиной, схваченные в узлах коваными кольцами, сохранились еще со времен, когда здесь помещалось учреждение, именовавшееся «Пересыльно-питательный пункт НКВД».

Старший следователь наконец сел, выдвинул ящик стола и извлек из него пухлый нумерованный том уголовного дела, за ним еще один и сложил их перед собой. Со своего места я мог прочесть только номер — 66.949.88 — и слова: «...по обвинению Варшавина Владимира Александровича, 1969 года рождения, по статье...»

Та еще была статья.

Возложив руку на папку, будто присягая на Библии, Гаврюшенко проговорил:

— В общем, давай. Знакомься. Но предупреждаю — подзащитный у тебя не сахар. В ходе следствия голову он нам поморочил — врагу не пожелаешь. Он и сейчас запирается, хотя уже и доказывать нечего. Все ясно как день.

— Это у вас-то запирается, Алексей Валерьевич? Не верю! — Я скабрезно ухмыльнулся, но Гаврюшенко не пожелал обидеться.

— Поверишь, — посулил он, щурясь в мою сторону и коротко посапывая. — Ты уже с ним виделся?

— Нет.

— Тогда вся любовь у вас еще впереди.

— Надеюсь, — сказал я. — А как их обнаружили, этих троих?

Гаврюшенко ткнул пальцем в сторону папок.

— Читай. Там все сказано. В подробностях.

— Да ладно, Алексей Валерьевич, — примирительно заметил я. —С этой научной фантастикой всегда успеется. Вы же знаете, что меня интересует.

— Допустим. — Гаврюшенко пожал плечами. — Ну и что? Ты парень молодой, но неглупый. У тебя первое серьезное дело. Хочешь сразу сломать себе шею?

— С какой это стати? Что такого особенного я спросил?

— Мой тебе совет, Егор. Будь осторожен. Не при на рожон. Максимум, на что здесь может рассчитывать защита, — непреднамеренное убийство в состоянии аффекта.

— Троих? Одного за другим? Да надо мной даже вороны будут смеяться! Так как все-таки было дело, Алексей Валерьевич?

Гаврюшенко мотнул головой, будто отгоняя муху. Он явно начинал раздражаться. Похоже, образ Владимира Варшавина в двух томах за номером 66.949.88 дался ему нелегко.

— Эта самая Блох позвонила в райотдел третьего, где-то без четверти десять...

— Какая еще Блох?

— Вероника Иосифовна. Соседка по площадке.

— Чего это ей приспичило?

— Кудимовы были ей должны. Довольно крупную сумму. Обещали вернуть до девяти утра. Она стучала, звонила в дверь и по телефону. Никто не откликался, телефон был все время занят.

— А при чем тут райотдел?

— При том, что Блох была уверена, что из квартиры соседей никто не выходил со вчерашнего дня.

— Как это? Она что, всю ночь их пасла?

— Не она... — Гаврюшенко брезгливо поморщился. — У нее собака, которая подает голос всякий раз, когда слышит шаги на площадке. Я проверял. Мопс. Идиот редкостный, но свое дело знает.

— Хорошо. — Я вздохнул. — Пусть мопс. Но какие имелись объективные основания для вскрытия квартиры?

— Соседка звонила в райотдел трижды, пока не приехала ПМГ. Где-то в полдень. К этому времени Блох была уже в истерике.

— Из-за денег?

— Разумеется. Она решила, что Кудимовы каким-то образом ее кинули. Остальное ее не волновало. Если помнишь, в те дни стояла духота...

Я-то помнил. Начало сентября выдалось похожим на конец июля. Жара стояла сумасшедшая, горели свалки за городом, и солнце сквозь удушливое марево казалось похожим на лужицу расплавленного, быстро испаряющегося свинца.

— ...Стояла духота. Окна в квартире Кудимовых остались открытыми настежь. Это пятый этаж, хрущевка, и старший наряда послал одного своего парня на крышу пятиэтажки напротив — глянуть. В кухне были наполовину опущены жалюзи, комната поменьше плотно зашторена, а в большой — занавески болтались на сквозняке. Сначала парень увидел только кусок ковра и угол журнального столика, а затем — ноги мужчины в спортивных штанах «Найк». Мужчина не двигался, и тогда старший принял решение ломать дверь.

— Не могли слесаря позвать?

— Тебя там не было. Ну позвали, а толку? Ты же знаешь эти нынешние замки. Только тронь — клинит. Короче, все равно пришлось ломать, тем более что она открывается внутрь. Блох что-то почуяла и заходить отказалась, пришлось искать понятых во дворе. Дальше — понятно. В квартире три трупа. Младшая женщина в кухне, старшая — в ванной. Мужчина в гостиной рядом с телефоном, сброшенным со стола. Причина смерти — тяжкие телесные повреждения, причиненные колющим орудием. Младшая, кроме того, получила тяжелую черепно-мозговую травму при ударе о выступающую часть батареи парового отопления. У всех в крови алкоголь в дозах, превышающих среднюю степень опьянения. Особенно у старшей. Чего тебе еще?.. Да — девушка скончалась почти на час позже остальных, не приходя в сознание после травмы. Экспертиза дает приблизительное время событий между восемнадцатью и двадцатью часами второго сентября.

— Значит, пока он их там резал одного за другим, никто ничего не слышал? Те же соседи? Я правильно понимаю?

Гаврюшенко надул щеки и резко выдохнул. Вся его доказательная база была построена на вещдоках и показаниях второстепенных свидетелей. Это мне уже было известно. Поэтому он зашел сразу со старшего козыря:

— Все трое убиты одним орудием — разделочным ножом из дешевого японского кухонного набора фирмы «Кенран». Нож остался на месте преступления. На нем «пальчики» Варшавина, большой и средний, они же на раковине в ванной, на бокале с минералкой и еще в двух десятках мест... И кровь на подкладке рукава его пиджака.

— Чья?

— Младшей Кудимовой. Ангелины.

— Кто они были, все трое?

— То есть? — удивился Гаврюшенко. — Как это кто?

— Ну, там, работа, бизнес, одним словом — род занятий.

— Никто. — Старший следователь будто откусил конец слова. — Мать и дочь не работали. Лунц вроде бы фотограф, но этим ремеслом сейчас никто не зарабатывает. Бизнес!.. — Он криво усмехнулся. — Пили они много... У меня эта картинка до сих пор перед глазами. Из Лунца хлестало так, будто по коридору протащили зарезанную свинью. Все в кровище — панели, пол, затеки под плинтусами, в ванной, на зеркалах... С ума сойти.

Я открыл верхний том дела и по диагонали пробежал опись включенных в него документов.

— О следственном эксперименте, понятно, и речи быть не могло?

Тут я наступил на больное. Старший следователь слыл асом по этой части. Как опытный режиссер, он, случалось, «колол» в ходе своих постановок матерых бандитов, вышибая у них едкую слезу раскаяния.

Гаврюшенко безнадежно махнул рукой.

— Какое там... Твой Варшавин ведет себя как последний олигофрен. Можно подумать, это ему поможет. А ему уже ни хрена не поможет.

— Ну уж и мой! — ухмыльнулся я. — Может, мне все-таки отказаться? В конце концов, я же специалист по гражданскому праву... На фиг мне этот Джек Потрошитель?

— Давай-давай, — печально проговорил Гаврюшенко. — Отказчик... Никуда ты, парень, не денешься.

Это я и без него знал, но все еще пытался выкатывать грудь и ерошить перья. Моя небогатая адвокатская практика кое-чему меня уже научила. И прежде всего тому, что, отказавшись от дела, я попаду в еще более дурацкое положение, чем если с треском его проиграю. И корпоративная этика тут ни при чем. Мои партнеры все еще ко мне присматривались. Было, наверное, что-то во мне, настораживающее старых крючков. Пахло от меня, что ли, по-другому? Во всяком случае, внешне я уже практически не отличался от своих коллег: серенький пиджачишко, шелковый галстук, итальянские полуботинки, желтый кейс свиной кожи — не то что во времена стажерства и практики в прокуратуре. В ту пору я вваливался в кабинет руководства в омоновских шипованных сапогах, с бритой башкой, со свисающей на затылке косицей и серьгой в ухе, а машинистки и секретарши в коридорах учреждения шарахались, обнаружив, что со мной нет конвоя.

— Значит, с восемнадцати до двадцати... — протянул я, захлопывая нумерованную папку. — А до того?

— Блох показала, что около половины шестого в дверь Кудимовых позвонили. Собака залаяла, она выглянула на площадку и увидела незнакомого ей мужчину лет тридцати, который входил в квартиру напротив.

— Чего это она такая любопытная? Деньги-то ей обещали только на следующее утро... Кстати, сколько?

— Полторы тысячи. Зелеными. В мужчине в ходе следствия Блох опознала Варшавина. Когда он вышел оттуда — никто не видел, но имеется показание, что еще в половине восьмого его машина стояла у подъезда.

— Какая машина?

— «Судзуки-витара». Небольшой такой джип. Белый.

Я кивнул. Об этом наверняка все подробно сказано в деле. На всякий случай я спросил:

— Кто в это время находился в квартире?

— Обе женщины. Лунц пришел позже, когда Варшавин уже находился там.

— Опять собака? — ехидно поинтересовался я.

Гаврюшенко кивнул.

— Блох снова выглянула и удостоверилась. В девятнадцать ноль-ноль все участники событий были на сцене, хотя Варшавин и утверждает, что уже в шесть покинул квартиру. Подтверждений этому у него нет. Третьего вечером он был арестован, обвинение предъявлено через сутки. Его опознала не только Блох, но и соседи по двору, которые видели, как он подъехал и вошел в подъезд.

— Вошел, вышел... — Я начал заводиться. — Алексей Валерьевич, я так понимаю, что следствие опирается главным образом на показания мопса, которого вы сами же и назвали идиотом. Все эти отпечатки, кровь — улики, но оценка их сильно зависит от того, с какой стороны смотреть. Какого дьявола этому Варшавину загорелось отправить на тот свет трех человек? Где мотив?

— А не пошел бы ты вместе с этим мопсом! — рыкнул Гаврюшенко. — Ты что, за дурака меня держишь? А то я без тебя, умника, не знаю, что у меня на руках... Допустим, и в самом деле Варшавин ушел в шесть. В восемь ноль-ноль он появился у себя в ресторане. Это зафиксировано. Но до этого? До этого в течение двух часов он где, по-твоему, ошивался? Любовался индустриальным пейзажем в лучах заката? Между прочим, на этот счет он ничего сказать не может. Или не хочет. Якобы все это время он катался по городу. Он, видите ли, катался! Кровь на пиджаке, кстати, совпадает с кровью девушки не только по группе, но и по всем белковым показателям. Там, — он прихлопнул тома дела широкой ладонью, — на странице восемьдесят шестой бумажка с данными медико-биологической экспертизы. Познакомься, вместо того чтобы языком молоть. Мопс! — Он свирепо фыркнул. — И кончай меня доставать... Этот парень — убийца. Он вполне хладнокровно разделал троих, и честно говоря, я очень сомневаюсь, что тебе удастся доказать хотя бы то, что проделал он все это без предварительного умысла...

— Где же мотив? — невинно поинтересовался я. — Он что, маньяк?

— Хорошо. — Старший следователь уже снова владел собой. — В ходе следствия стало известно, что Варшавин был неплохо знаком с обеими женщинами. Особенно с младшей, Ангелиной. Больше того, довольно длительное время он находился с ней в интимной связи. Связь эта оборвалась около двух лет назад...

— По чьей инициативе?

— Это ты сам у Варшавина спроси. Может, тебе он скажет. А несколько месяцев назад место при этой девочке — довольно сексапильной, между прочим, — занял Лунц. Варшавин сам показывает, что разговор в квартире Кудимовых шел о деньгах. Дескать, мать Ангелины просила у него две тысячи. Еще до прихода Лунца. Долг гражданке Блох был далеко не единственным, как выяснилось.

— И что Варшавин?

— Отказал. Во всяком случае, так он утверждает.

— Почему? Он же довольно состоятельный человек. Для него это не сумма.

— Откуда я знаю? Твой подзащитный не желает излагать причину. Отказал — и все. Потом появился Лунц. Не исключено, что Варшавина неуклюже попытались шантажировать, вспыхнула ссора...

— Очень тихая, если, конечно, Варшавин с первого слова не схватился за нож. Сужу по составу свидетелей. О звукоизоляции в пятиэтажках предоставляю судить следствию.

— Восемьдесят процентов убийств, — мрачно заявил Гаврюшенко, — происходят из-за денег.

Остальные двадцать — из-за «чувств». Но и из этих двадцати половина связана с деньгами и недвижимостью.

— Тогда, — сказал я, — если следовать этой логике, жертвой должен был стать Варшавин. А не наоборот. Или я ошибаюсь?

— Говорю тебе, — старший следователь смял пустую пачку из-под «Соверена» и метнул ее в окно, угодив точно между прутьями решетки, — я не знаю в точности, что там произошло. Те, кто мог бы прояснить ситуацию, мертвы. Варшавин темнит и запирается. Его версия событий этого вечера не выдерживает никакой критики. Чистейшее вранье. Ну, на то и существуют адвокаты. Я допускаю, что первая жертва — а ею, как доказано, стала мать Ангелины, Лариса Борисовна, — следствие аффекта, внезапной вспышки эмоций. Младшая бросилась на защиту матери, но напоролась на нож. Варшавин уже ни черта не соображал — обычный шок от первой крови... После этого ему ничего не оставалось, как убирать Лунца — единственного свидетеля.

— Да, — пробормотал я, — убедительная картинка. Прямо тебе «Апофеоз войны» художника Верещагина. Чего ж она тогда оказалась в ванной? В момент внезапной вспышки эмоций, как вы изволили выразиться?

— Кто? — тупо спросил Гаврюшенко.

— Старшая, — сказал я, — само собой.

Зрачки моего бывшего руководителя практики сузились до размеров булавочной головки. Сейчас он мне врежет, подумал я и на всякий случай добавил, слегка отодвигаясь:

— К тому же у него было полно времени, чтобы уничтожить «пальчики». Не говорю уже о том, чтобы прихватить с собой орудие убийства. А? Пьян он был, что ли?

— Не исключено. Во всяком случае, они там выпивали. Стол на кухне был накрыт. Но я тебе, Егор, другое скажу. Мне вообще плевать, по какой причине он что-то там сделал или не сделал. Меня это не колышет. И знаешь почему?

— Ну? — сказал я.

— Потому что твой Варшавин, как мясник, завалил двух женщин и мужика, кем бы они там ни были. И кроме него, сделать это было некому...

«Странная какая-то оговорка», — успел подумать я, но Гаврюшенко продолжал, поматывая своей крупной, хорошо вылепленной блондинистой головой:

— Присмотрись к нему, присмотрись как следует — и поймешь, почему я так считаю. Я этих чистеньких за последние годы навидался... А пока — давай получай материалы, распишись и выкатывайся отсюда. Откопаешь что-нибудь — тебе плюс. Но на твоем месте я бы не давал воли воображению. Тут одних косвенных хватит, чтобы пять раз твоего подзащитного «закрыть» пожизненно. Выбери для защиты самую спокойную линию и держись за нее.

— Яволь, герр оберст! — Я прищелкнул под стулом каблуками. — Где бы мне тут у вас устроиться? Чтоб по голове не ходили?

— Топай на второй, — сказал старший следователь. — Я тебе дам ключ от двести семнадцатой. Сегодня и завтра там никого не будет. Народ в разгоне. Правила обращения с документами следствия тебе известны?

— А то! — ухмыльнулся я. — Пронумеровано, прошнуровано и скреплено печатью... Проходили.

— Именно. Из здания прокуратуры не выносить. Ксерокопирование материалов уголовного дела до суда запрещается. Разглашение сведений является нарушением тайны следствия, что, как тебе известно, закон не одобряет.

— Само собой, — сказал я, вставая и запихивая обе папки под мышку. — А что он у нас одобряет? Где ключ?

— Я спущусь с тобой, — сказал Гаврюшенко и секунду помедлил, разглядывая мою вытянутую физиономию, будто хотел добавить что-то еще. Но не добавил.

Я расплющил сигарету в чугунной пепельнице, подхватил кейс и куртку — другую руку мне оттягивало уголовное дело № 66.949.88, — и мы поплелись по коридору к лестнице, потому что лифт в прокуратуре не работал еще с весны.

Чувствовал я себя преотвратно. Я понятия не имел, что собой представляет мой подзащитный, а в разговоре с Гаврюшенко зацепиться было совершенно не за что. Банальная бытовая уголовщина, в которой предстоит долго и нудно разбираться.

Единственное, о чем я узнал накануне, — практически все адвокаты города, специализировавшиеся по уголовным делам, один за другим отказались взяться за дело Варшавина. И это несмотря на то, что его отец побывал везде. У всех нашелся повод уклониться. И только ваш покорный слуга оказался крайним в этой цепочке.

Глава 2

Пять часов спустя я окончательно убедился в том, что уголовное произведение по обвинению Варшавина Владимира Александровича представляет собой все что угодно, только не халтуру. Сработано было на совесть. С душой.

Первым делом я познакомился с моим подзащитным. Еще не читая преамбулу, отыскал во втором томе протоколы предъявления фотоснимков для опознания — их оказалось три — и изучил вклеенные в них фото.

Варшавин мне скорее понравился. Снимок оказался обычный, черно-белый, но и на нем было заметно, что он слегка рыжеват. Крепкая шея, твердо очерченный подбородок с трехгранной ямкой, суховатый рот с короткой верхней губой, прямой, с легкой горбинкой нос. Светлые глаза смотрели прямо, доброжелательно, слегка насмешливо. Я не бог весть какой физиономист, но не похоже, чтобы этого парня легко было вывести из равновесия.

Остальное только подтверждало этот вывод. Семь лет назад Варшавин закончил экономический, после чего занялся рекламным бизнесом, зарегистрировав собственное маленькое агентство. Со временем его интересы переместились в сферу шоу-бизнеса, где, очевидно, он сделал неплохие деньги, но два года назад резко порвал с этим, приобрел на одной из боковых улочек старого центра ветхий особнячок, отремонтировал и открыл мексиканский ресторан. Заведение было экзотическое; я сам, проезжая мимо, не раз глазел на чернокожего швейцара в сомбреро и шитых серебром широких штанах, лениво околачивающегося у входа.

Похоже, и здесь дело у него пошло. Я неплохо знал этот тип тридцатилетних, пришедших в бизнес лет пять назад, — грамотных, аккуратных, умеющих считать, подбирать людей и не ссориться с «крышей». Большинство из них обладали отточенным нюхом на конъюнктуру и преуспевали, ухитряясь вести здоровый образ жизни и жениться на девочках из хороших семей с законченным гуманитарным образованием.

И тут же под руку мне попались фотоматериалы, сработанные «по горячему» на месте происшествия. Снято было цифровой камерой и распечатано на хорошем принтере — не иначе у прокуратуры завелся солидный спонсор. Снимки до жути походили на обложки криминальных серий с лотка на углу. Наверное, потому, что это были не обычные фото, а крупные оттиски в четвертом формате, без глянца. И так же как на обложках покетбуков, на всех доминировали женские тела с отчетливыми следами насилия.

Но одно дело — «корочки» дешевых книжонок или слепые машинописные строчки постановления о возбуждении уголовного дела и другое — пронзительно-точные, в натуральном насыщенном колорите, убедительные, как кислотная галлюцинация, три свеженьких трупа в тех позах, в каких их застала смерть.

Сорокачетырехлетняя Лариса Борисовна Кудимова, полтора десятилетия проработавшая гримершей в оперном театре и три года назад потерявшая эту работу, находилась, как уже было сказано выше, в ванной собственной двухкомнатной квартиры на пятом этаже обычной «хрущевки» в проезде Слепцова.

Она была одета, сообщал протокол визуального осмотра, в длиннополый, запахивающийся спереди халат из плотного шелка — синие птицы по кремовому полю. Тонкий пояс халата был разрезан на две неравные части. Одна, подлиннее, отчетливо просматривалась на снимке на темном кафеле пола, вторая была зажата в кулаке женщины. Под халатом на ней ничего не было.

Проникающее ранение в печень Лариса Борисовна получила, находясь в вертикальном положении, по всей вероятности стоя спиной к двери ванной перед зеркалом. Двадцатитрехсантиметровое лезвие разделочного тесака вошло сзади в подреберье практически полностью — удар был невероятно силен сам по себе, вдобавок женщину еще и рванули сзади за пояс, в который она судорожно вцепилась, насаживая на клинок, как насекомое на булавку.

Лезвие рассекло воротную вену, а затем вспороло вдоль на протяжении семи сантиметров печеночную артерию. Это не считая необратимых повреждений тканей. Одномоментный выброс такого количества крови в брюшину должен был сопровождаться сильнейшим шоком. Что и произошло.

Кудимова-старшая успела повернуться влево и вцепиться свободной рукой в пластиковую душевую занавеску. Халат соскользнул с ее плеч. Затем, потеряв равновесие, она рухнула лицом вниз в пустую ванну, сорвав занавеску вместе с креплением и кусками штукатурки. Тело ее изогнулось, отверстие раны открылось, и оттуда струей хлынула кровь, на фотографии выглядевшая многочисленными потеками и шлепками смородинового желе. Уже в агонии она, очевидно, изменила позу, перекатившись на бок и откинув голову так, что почти не поврежденное при падении лицо открылось полностью.

У Ларисы Борисовны были крупные, цвета незрелого винограда, радужки, под которыми светились серповидные лунки чистых, слегка синеватых белков. Яркие припухшие губы и все треугольное, с кошачьими скулами и маленьким решительным подбородком лицо, казалось, принадлежат женщине не старше тридцати. Выкрашенные в цвет черного дерева кудряшки намертво впаялись в кляксу свернувшейся на дне ванны крови. Грудь и живот — по крайней мере то, что не было закрыто сбившимся халатом и рухнувшей занавеской, — были гладкими и покрытыми легким загаром; нога, перекинутая через борт ванны, — хорошей формы, без венозных вздутий и лопнувших сосудов; лобок выбрит, и только вдоль долевой линии оставалась узкая полоска жестких курчавых волосков, как делают девчонки, насмотревшиеся эротических журналов.

На открытых участках кожи трупные пятна не просматривались, что всего лишь означало, что положение тела с момента наступления смерти не менялось.

Дальше крупно были даны участок правого подреберья сзади с клиновидным устьем раны, окаймленным синюшным валиком, и второй общий план, где был виден профиль Ларисы Борисовны с коротким, насмешливо вздернутым носом и глубоко вырезанными чувственными ноздрями.

Ее дочь Геля, она же Ангелина Станиславовна, двадцати пяти лет от роду, выпускница хореографического училища, оставившая балетные перспективы ради работы в наспех сколоченной танцевальной группе, которая, как водится, вскоре распалась, лежала в тесном закутке между косо сдвинутым накрытым кухонным столом, опрокинутым табуретом и заклеенной старыми обоями стеной, на которой лепилась дополнительно наваренная батарея парового отопления.

Батарея была из новых, с острыми П-образными ребрами, и располагалась примерно в метре над уровнем пола. От ее угла по обоям тянулся темный след — будто кто-то второпях мазнул по стене промасленной тряпочкой.

Рука девушки, одетой в свободные старые джинсы и пестрый, плотно облегающий грудь топик, оставляющий на виду пупок и молочно-белый живот, была неестественно вывернута, острый локоть торчал, как сломанный циркуль, а кисть и предплечье были заведены за спину.

Геля лежала навзничь, откинув голову, крепко зажмурившись и сцепив зубы. Короткая струйка крови, выбившаяся из левой ноздри, как углем, прочертила одинокий усик на верхней губе. Джинсы девушки, по данным протокола, были, как губка, пропитаны кровью, продолжавшей сочиться из небольшой колотой ранки, расположенной в четырех сантиметрах от бедренной кости. Нож увяз в двух слоях плотной джинсовой ткани, едва проникнув в брюшину, но широкое лезвие повредило сразу несколько крупных сосудов в паховой области. После того как девушка, получив при падении сильнейший удар затылком о ребро батареи, потеряла сознание, в течение часа, пока ее парализованный травмой мозг угасал, остаток жизни вытекал вместе с кровью через эту узкую, туго пульсирующую ранку. Еще вопрос, от чего на самом деле остановилось ее сердце.

На другом фрагменте были сняты сверху лицо и часть головы девушки. Распущенные волосы цвета овсяной соломы покрывала бурая короста. Кожа была нежной, губы обесцвечены, как папиросная бумага. Сквозь боль и каменную судорогу мышц проступало какое-то бесконечно трогательное, как у слепого щенка, выражение, смысл которого я не мог разгадать, как ни всматривался.

Зато все, что касалось Сергея Лунца, фотографа-репортера, существовавшего на редкие заказы второсортных рекламных агентств, читалось как дважды два. Это был приметный парень — лет тридцати пяти, с волевым, но несколько помятым лицом, с широко расставленными светло-карими глазами, трехдневной щетиной на подбородке и вьющимися каштановыми волосами, заплетенными на затылке в тугую косицу. Из того, что я знал, вытекало, что за внешностью «мачо», в потертой джинсе, с кофром на плече, скрывался слабак и выпивоха, ничего не имевший за душой, кроме долгов.

Лунц получил свое в коротком коридорчике, ведущем из прихожей в кухню. Сюда выходили двери ванной и туалета. Проход был таким тесным, что не было возможности уклониться ни вправо, ни влево. Да и удар был мастерским — лезвие на всю длину вошло в надключичную ямку, не задев ни единой кости, рассекло хрящи гортани, пищевод, большую артерию, а затем было повернуто на девяносто градусов и извлечено под совершенно другим углом, что окончательно сделало нанесенные повреждения «несовместимыми с жизнью», как принято говорить в прозекторской среде.

Трахеи и бронхи фотографа в одно мгновение до отказа заполнились, и кровь устремилась наружу. Хрипя и брызгая, цепляясь за все, что попадалось под руку, Лунц пополз в гостиную. В этом ему никто не чинил препятствий. В считанные секунды прихожая стала похожа на внутренность взорванного террористами автобуса.

Оказавшись в гостиной, он опрокинул журнальный столик вместе со старомодным телефонным аппаратом, вцепился в трубку, попытался подняться на четвереньки, но тут, очевидно, потерял сознание. Минут через десять, не приходя в себя, он умер, сбив в агонии каблуками ботинок в сторону старый узбекский ковер, прожженный во множестве мест сигаретными окурками и заляпанный кровью и слизью.

На последнем снимке белел оголенный торс Лунца. На покрытой гусиной коже худой кадыкастой шее рана смотрелась как кривая ухмылка кого-то постороннего, не имеющего отношения к мертвому телу фотографа. Лицо вздулось, приобрело сине-фиолетовый, с металлическим блеском, оттенок, резко контрастируя с поджарым, костлявым, но с чистой кожей телом, покрытым обильной растительностью на плоской груди и даже плечах.

Я пока не вполне отчетливо представлял их жилище, но еще до знакомства с протоколами у меня возникло странное ощущение. Эти трое лежали, каждый в своем углу, как брошенные ребенком в разгар буйной игры куклы. Но провалиться мне на этом месте, если я мог представить, в какую такую игру они там сыграли. Трое взрослых людей, и они, по словам Гаврюшенко, были заодно, а против них — только тот, кто числился теперь моим подзащитным. С одним ножом, пусть и отточенным, как бритвенное жало, справиться с тремя так, чтобы они не подняли шума и не оказали ни малейшего сопротивления, можно только в плохом кино. Или будучи хладнокровным и абсолютно точно просчитавшим каждый шаг профессионалом, каковым Варшавин наверняка не был.

Болтовню об аффекте тоже можно было спустить в унитаз. Судмедэксперт констатировал: никаких повреждений, характерных для борьбы и самообороны, ни на одном из трупов не выявлено. В свою очередь, и мой клиент не получил ни малейших травм, которые могли бы иметь отношение к событиям в квартире номер 27. Он вообще был чист, даже под ногтями, если не считать пятнышка крови Ангелины размером с мелкую монету на светлой шелковой подкладке его трехсотдолларового пиджака.

И только после этого я дважды перечитал протоколы осмотра места происшествия и визуального освидетельствования жертв, не обнаружив там ничего такого, чего не видел бы уже на снимках. Несколько прояснилась планировка квартиры, детали обстановки, расстояния между телами жертв.

Малогабаритная «двушка» была обставлена скудно и бестолково. Мебель, очевидно, попадала туда по случаю и в разное время, так что с дрянной «стенкой» в гостиной соседствовал антикварный секретер красного дерева, а в комнате, которую занимали Ангелина и Лунц, не считая арабской двуспальной кровати, из обстановки имелись только фанерная тумбочка да стенной шкаф, забитый тряпьем — большей частью сирийского и греческого производства. Остальное — мягкие игрушки, к которым девушка, видимо, питала особое пристрастие: слоны, розовые зайцы, медведи в половину натуральной величины, сувениры да развешанные по стенам несколько работ Лунца — посредственные «ню», моделью для которых послужила сама Ангелина.

Кухня выглядела еще более аскетично — раскладывающийся обеденный столик, несколько табуретов, стул с высокой прямой спинкой, старый холодильник и микроволновка, одна из самых ранних моделей. Здесь, судя по сохранившимся остаткам сервировки, неплохо сидели. И собирались еще сидеть — если бы не случилось то, что случилось. Лунц явился домой, имея в кофре бутылку «Суворовской», но и без нее на столе было достаточно спиртного.

Деньги и ценности — все, что имелось, — остались нетронутыми. Денег оказалось немного меньше сотни в сумочке Ларисы Борисовны, мелочь в карманах джинсов Ангелины и сорок два рубля в нагрудном кармане репортерской безрукавки Лунца. Кроме того, в комнате старшей находились серьги с аметистами и дутое обручальное кольцо, а у младшей — браслет, четыре кольца и плоская цепь ручной работы из дешевого светло-желтого ближневосточного золота. В кофре Лунца лежал подержанный «Кэннон» — довольно дорогая модель с хорошей сменной оптикой.

Все это, изъятое, было приобщено к делу наряду с вещдоками, первым из которых значилось орудие убийства — кухонный нож с клиновидным лезвием и черной рукоятью из тяжелого полированного пластика. На рукояти, по данным дактилоскопической экспертизы, имелись хорошо идентифицируемые отпечатки пальцев Варшавина.

Но не только это. Там же явственно читались фрагменты и полные оттиски пальцев Лунца, Ангелины и самой Ларисы Борисовны, часть из них накладывалась и пересекалась, так что очередность пользования орудием можно было установить только приблизительно. Единственное, чего нельзя было однозначно исключить, — мой клиент вполне мог оказаться последним, кто имел дело с этим ножом. На лезвии, не имевшем зазубрин и дефектов, присутствовали следы крови всех троих потерпевших.

Далее значилась пластиковая бутылка «Ессентуков» с отпечатками Варшавина и Ларисы Борисовны, «пальчики» Варшавина на крышке кухонного стола, зеркала в ванной, еще на одном ноже — столовом, нержавеющей стали, с мельхиоровой рукоятью, и много где еще.

На бутылке «Суворовской» из кофра Лунца идентифицировались только его собственные отпечатки — и какие-то другие, очевидно, не имеющие отношения к делу.

Далее в перечне стоял пиджак Варшавина со следами крови девушки. Экспертиза была выполнена на уровне и никаких сомнений не оставляла. Именно этот факт мог перевесить любой другой, свидетельствующий в пользу моего подзащитного.

Среди изъятого я обнаружил упоминание об адресной книжке Ангелины, где среди множества других телефонов и имен значился также и телефон ресторана Варшавина. Блокнот Лунца, также приобщенный к делу, вряд ли представлял интерес для следствия — его содержание касалось только профессиональных интересов фотографа и узкого круга его коллег.

В качестве свидетелей в судебное заседание предполагалось вызвать соседку по этажу Блох, почтальона, соседей с четвертого, троих не известных мне граждан, с показаниями которых еще предстояло ознакомиться, швейцара и менеджера ресторана «Тихуана».

Порывшись в протоколах допросов свидетелей, я перешел к показаниям самого Варшавина, которые оказались крайне немногословными. Ни на одном из многочисленных допросов он не изменил в них ни слова, сколько ни пытался следователь вынудить его хоть на полшага отклониться от первоначальной версии. Тут Гаврюшенко явно обломался. В течение всего месяца моего клиента дергали из камеры ежедневно, а иногда и дважды в день, но он упрямо стоял на своем.

Второго сентября, утверждал мой подзащитный, в половине одиннадцатого утра, в ресторан позвонила Ангелина Кудимова, настойчиво попросив его приехать к ней домой для важного разговора. Поскольку они были давно знакомы, Варшавин не мог отказаться, но сказал, что приедет несколько позже — до начала шестого дела не позволяют ему отлучиться.

В семнадцать тридцать он припарковал машину у подъезда дома по проезду Слепцова, поднялся на пятый и позвонил в дверь. Открыла ему старшая Кудимова, и с первых же слов Варшавин почувствовал, что она находится в крайне взвинченном состоянии и что между матерью и дочерью перед самым его приходом произошел какой-то тяжелый разговор.

Лариса Борисовна провела его на кухню, где находилась Ангелина, и Варшавин обратил внимание, что глаза девушки лихорадочно блестят, лицо покрыто красными пятнами, что обычно бывало с ней, когда она выпивала лишнего. Держалась Ангелина сухо и отчужденно.

Разговор поначалу шел совершенно беспредметный, так что Варшавин даже перестал понимать, зачем его так спешно вызвали. Однако вскоре Лариса Борисовна заговорила о материальных затруднениях семьи, и все встало на места. Варшавин решил, что наверняка речь пойдет о деньгах, — так и случилось.

Мой подзащитный утверждал, что, в принципе, он был готов расстаться с какой-то разумной суммой, но когда Лариса Борисовна заявила, что им срочно необходимы две тысячи долларов, заколебался. Такого количества наличных денег в данный момент у него не было, но даже если бы и были, никакой уверенности в том, что он когда-либо сможет получить эти деньги обратно, не существовало.

Когда Варшавин ответил на просьбу отказом, Лариса Борисовна расплакалась, а Ангелина, отвернувшись к окну, судорожно схватилась за бутылку с белым столовым вином, стоявшую на подоконнике, и процедила сквозь зубы что-то оскорбительное о «зажравшихся кабатчиках».

Варшавин пожал плечами и уже поднялся уходить, когда девушка, пытаясь открыть вино десертным ножом, поранила безымянный палец левой руки. Порез был неглубокий, но сильно кровил. Лариса Борисовна, не выносившая вида крови, откинулась на стуле, на котором сидела, и закрыла глаза. Тогда Варшавин прошел в ванную, отыскал в аптечке рулончик пластыря и какую-то антисептическую мазь, кухонным ножом отрезал полоску пластыря и наложил ее на рану.

Затем вернулся в ванную, вымыл руки, попрощался и вышел, не возвращаясь к разговору о деньгах. Когда он садился в машину, то машинально взглянул на часы, показывавшие 18.03, и отметил, что у подъезда нет ни души, хотя и время совсем раннее.

Выглядело это не так уж и плохо. Если бы не три трупа в квартире, откуда вышел Варшавин. Если бы не мопс. Если бы не показания свидетелей, утверждавших, что около девятнадцати того же вечера «судзуки» моего подзащитного все еще стоял у подъезда. И если бы он сам мог объяснить, где находился до двадцати ноль-ноль.

Без этого события с точностью до миллиметра должны были бы развиваться так, как их изобразил старший следователь Гаврюшенко в первой части составленного им обвинительного заключения, дотошно ссылаясь на соответствующий том и страницу уголовного дела.

Вызванный телефонным звонком Ангелины Кудимовой, в семнадцать тридцать Варшавин появился в доме по проезду Слепцова. Поднимаясь по лестнице, он столкнулся с почтальоном Твердохлеб, а на пятом его появление зафиксировала гражданка Блох. Гаврюшенко не подвергал сомнению тот факт, что к обвиняемому обратились с просьбой о займе, хотя об этом было известно только с его слов, однако склонен был считать, что обсуждение этой проблемы заняло гораздо больше времени — вплоть до прихода Лунца, что произошло в районе восемнадцати.

С появлением второго мужчины (и вероятного соперника, по мнению следователя) разговор приобрел острый и агрессивный характер. К тому же все это время участники событий продолжали подогревать себя спиртным. Приход Лунца как бы придал обеим женщинам смелости, и старшая из них, очевидно, предприняла попытку шантажировать обвиняемого. В основе комбинации скорее всего лежал факт, несомненно известный Ларисе Борисовне, — помолвка Владимира Варшавина с дочерью Юлия Ильина, президента Союза мелких и средних предпринимателей, сделавшего состояние на оптовой торговле нефтепродуктами еще в начале девяностых. Полагая, что Варшавин далеко не бескорыстно заинтересован в этом браке, Лариса Борисовна пригрозила, что найдет способ довести до сведения семьи невесты информацию о том, что обвиняемый состоял в интимных отношениях с ее дочерью вплоть до самого последнего времени.

В ходе следствия Варшавин категорически отрицал это. Но другое привело меня в восторг. По мнению следствия, буквально после этих слов Варшавин схватился за нож. Все равно как если бы вам наступили в троллейбусе на ногу, а вы бы ответили картечью из обреза. Человек со стерильным прошлым в считанные секунды превращается в кровожадного монстра — и меня приглашают в это поверить!

То, что мой подзащитный не был патологическим субъектом, установлено однозначно. В экспертном порядке. А значит, из этого вытекала простенькая альтернатива: либо Лариса Борисовна Кудимова, перед тем как войти в ванную, чтобы поправить макияж и двадцать секунд спустя распрощаться с жизнью, произнесла нечто совершенно иное, либо Владимира Варшавина в этот момент там не было вовсе.

И где же тогда он находился?

Да, между прочим. Никаких следов пластыря на безымянном пальце Ангелины не было обнаружено, хотя там действительно имелся небольшой порез недавнего происхождения. Отсутствовали и отпечатки пальцев Варшавина на аптечке.

Описание того, как было совершено преступление, я не стал даже просматривать, слишком хорошо понимая, до какой степени оно является плодом умозрения Гаврюшенко. Дело, в конце концов, не в том, как обвиняемый это сделал, если вообще сделал.

Я с отвращением захлопнул том второй, решив взять тайм-аут. Без пары бутербродов мой мозг угасал, как хилая лампадка.

Но гораздо больше упомянутых бутербродов мне нужны были кое-какие ответы на вопросы, которые не прозвучали в уголовном деле. Это должны быть не первые попавшиеся ответы. Первых попавшихся полным-полно в обвинительном заключении, сработанном Гаврюшенко, — гладком и удобном в пользовании, как известное всем фаянсовое изделие. И имеющем таковое же отношение к правосудию.

Глава 3

В шесть вечера того же дня мне предстояло впервые встретиться со своим подзащитным. Дело было поставлено на конвейер, машина работала — только успевай поворачиваться. Однако до шести оставалось еще более двух часов, и я решил еще раз перечитать свидетельские показания. Построчно и, что называется, сменив ракурс.

Со стороны обвинения в «Списке лиц, вызываемых в судебное заседание» значились в общей сложности четырнадцать человек, и при желании каждого из них я мог привлечь в качестве свидетеля защиты. Такова специфика. Всякий свидетель существует как бы в двух измерениях. У нас в суде он — пешка, объект всяческих манипуляций, но при умело разыгранной партии вполне может превратиться в грозного ферзя. Как правило, это существо нервное, испуганное, колеблющееся, даже если и не имеет прямого отношения к преступлению. Исключение составляют только врачи приемного отделения «неотложки», куда, допустим, доставили еще подающее признаки жизни тело...

Взять, например, менеджера ресторана «Тихуана», фигурирующего в списке под девятым номером. Этот Павел Иванович Такой-то, двадцати пяти лет, проживающий по адресу, который нас не особенно интересует, показал, что в момент совершения убийства в не известном ему доме хозяин заведения, в котором он трудится, отсутствовал. И несомненно, говорил чистую правду. Но его показания вовсе не означают, что обвиняемый в это время кончал очередную жертву, и свидетель от себя добавляет: «Мой шеф — классный мужик». Что, безусловно, вызывает раздражение следователя и резкие замечания в адрес Павла Ивановича.

В суде свидетель ничего подобного уже не скажет, даже если ему будет задан прямой вопрос: «Мог ли, по вашему мнению, Варшавин убить?»

Но это еще семечки. Опаснее всего типы с воспаленной фантазией. За время, пока длится следствие, они преисполняются чувством собственной значимости. Чему способствует и сама процедура судебного разбирательства, в которой они чувствуют себя как актеры на сцене. И разумеется, переигрывают.

Я выбрал тех пятерых, которые дали показания о том, что видели Варшавина на месте преступления, выписал на чистой странице блокнота их имена и адреса и углубился в протоколы допросов. Медленно, как гусеница, я полз от строки к строке, внюхиваясь в каждую фразу и дегустируя интонацию, с которой задавался каждый следующий вопрос. По ходу я заносил в блокнот кое-какие комментарии.

То, что Варшавин посетил квартиру № 27, прямо подтверждали гражданка Блох В.И. из двадцать восьмой вместе со своей собакой, пожилая пара, выгуливавшая внука и показавшая, что между семнадцатью и восемнадцатью к дому подкатил белый «судзуки-витара», из которого вышел мой клиент, и почтальонша, которая, спускаясь со второго этажа от знакомой, ровно в половине шестого столкнулась внизу с «типом в шикарном пиджаке». Пара с внуком колебалась насчет времени по причине отсутствия часов, однако минут через двадцать, когда они покинули двор, машина все еще стояла на месте.

Время ухода Варшавина никто из свидетелей не зафиксировал, а следовательно, его собственные слова о том, что он покинул квартиру Кудимовых в шесть, подтверждения не получили...

Косвенным же указанием на то, что мой подзащитный лжет, являлись показания некоего Степана Рустамовича Буя, проживающего в том же проезде Слепцова через два дома. Как уж там его откопал Гаврюшенко, ума не приложу, но адрес этого Буя я занес на отдельную страничку в блокноте с пометкой «в первую очередь». Этот свидетель утверждал, что второго сентября, когда он находился во дворе около семи вечера, у дома, где было совершено преступление, он заметил белый джип «судзуки» и даже дважды обошел понравившуюся ему машину, чтобы рассмотреть получше. Допрос был проведен спустя неделю после трагических событий. На элементарные вопросы следователя Буй отвечал витиевато и с пафосом, что-то вроде «...там, где произошло это кровавое, бесчеловечное убийство...».

Ничего конкретного не сообщили и соседи Кудимовых, проживающие этажом ниже. С какой целью их вызывали и внесли в список, для меня так и осталось загадкой. Они слышали шум наверху, но конкретно назвать время затруднялись. В тот вечер они собирались в гости и ушли в семь. На вопрос, в каких отношениях находились с потерпевшими, заявили, что живут в этом доме давно, Кудимовы въехали гораздо позже и два года назад их затопили. Попытки получить компенсацию за причиненный ущерб закончились ничем, после чего отношений не стало никаких — ни плохих, ни хороших. Даже не здоровались. Когда следователь спросил: «Значит, все-таки вы испытывали к ним неприязнь?» — женщина ответила, что у них с мужем совершенно иной круг общения и другие интересы. Их не занимала жизнь соседей с пятого, хотя, в принципе, мать и дочь Кудимовы могли бы вести себя поскромнее.

Я заглянул на первую страницу протокола допроса этой супружеской пары. Кто они там, с их кругом общения? У обоих образование высшее. Он — военный хирург, работает в госпитале, она — заведующая отделом в городской библиотеке. Шум наверху им наверняка мешал не только второго сентября...

Странно, вдруг подумал я, откладывая протокол, — а почему, собственно, следователь не задал им вопроса о белом джипе внизу у подъезда, хотя и предъявил фото Варшавина для опознания? В чем дело?

Но особое, чуть ли не злорадное удовольствие мне доставило чтение показаний Вероники Иосифовны Блох.

Ее допрашивали трижды. В первый раз, третьего сентября, — сам Гаврюшенко «в помещении квартиры № 28 по пр. Слепцова, 8, с соблюдением требований...» и так далее. Еще дважды Веронику Иосифовну вызывали в прокуратуру: сначала с целью опознания на очной ставке, сочтя предъявление фото обвиняемого недостаточным, а затем для более подробной беседы с одним из сотрудников следственной группы, созданной по делу Варшавина.

Начал я с середины, с протокола очной ставки, которая независимо от результата всегда становится маленькой, но захватывающей драмой.

Гражданка Блох никак не желала вписываться в регламент. За суконными протокольными фразами явственно проступало раздражение сотрудника, который вел опознание. На невинный вопрос: «Знаете ли вы сидящего перед вами человека, если да, то какие между вами отношения? Нет ли поводов для оговора?»— она гневно воскликнула: «Впервые вижу!» В свою очередь, Варшавин на аналогичный вопрос окинул женщину невозмутимым взглядом и заявил, что не помнит, видел ли когда-либо эту женщину.

«В соответствии с протоколом от третьего сентября, — с ангельским терпением гнул свое следователь, обращаясь к Блох, — вы показали, что второго сентября текущего года, в семнадцать тридцать, когда вы открыли дверь своей квартиры, то увидели человека, звонившего в дверь квартиры № 27, который обернулся и поздоровался с вами. Этот человек и человек, сидящий перед вами, — одно и то же лицо?»

Тут я хрюкнул. Убийца, приветливо здоровающийся с потенциальным свидетелем его преступных деяний!

«Да, — ответила Блох. — Это тот самый человек, я узнаю его».

Дальше пошло почти как по маслу.

«Уточните, в котором часу этот человек звонил в дверь Кудимовых? Как вы установили время?» — «Я взглянула на стенные часы, они у меня висят в прихожей. Часы показывали половину шестого». — «Этот человек сказал вам что-то еще?» — «С какой стати? — удивилась Блох. — Я открыла дверь потому, что моя собака настойчиво лаяла и я решила, что звонят ко мне. Я ждала Ларису, соседку, которая должна была...»

Здесь следователь прерывает Веронику Иосифовну — история с собакой ему уже осточертела — и задает вопрос обвиняемому:

«Вы узнаете эту женщину?»

На что Варшавин довольно резко отвечает:

«Раз она утверждает, что видела меня на лестничной площадке второго сентября, значит, так оно и было».

«Как же! — обиженно восклицает Вероника Иосифовна. — Он еще с интересом посмотрел на мою Лотту и шутливо заметил: маленький цербер...»

Тут заодно прояснился и пол пресловутого мопса.

Итак, Варшавина, звонившего в дверь Кудимовых, видели двое: Блох и Лотта. И следователю оставалось задать последний вопрос свидетельнице:

«Сколько раз вы видели сидящего перед вами человека? Заметили ли вы, как он покидал квартиру ваших соседей?»

На второй вопрос гражданка Блох ответила однозначно отрицательно. Хотя бы потому, что ей было не до этого. У нее выдался просто сумасшедший вечер, заявила Вероника Иосифовна сотруднику, вызвавшему ее в прокуратуру. В восемнадцать сорок пять ей позвонили родственники из Германии, разговор шел с перерывами, на большом нерве, так как связь прерывалась, а вопрос обсуждался очень важный и отойти от телефона она не могла. Лотта же все это время бушевала под дверью — то ли на чьи-то шаги, то ли просилась гулять. Положив трубку, Блох сразу же вышла с собакой на улицу и находилась там около часа, то есть гораздо дольше обычного, потому что ей требовалось успокоиться.

«Когда это было?» — спросил следователь.

«После семи вечера».

«Вы гуляли поблизости от дома?»

«Нет. А почему вас интересует, где я гуляю с Лоттой?»

«Выходя, вы не заметили белый джип, стоящий возле подъезда?»

«Не помню, — сказала Вероника Иосифовна. — Мне было не до джипов. Я переваривала то, что сообщили мне мои драгоценные родственнички...»

Несмотря на неразбериху, царившую в проезде Слепцова третьего сентября, мой бывший шеф построил свой разговор с важнейшим свидетелем обвинения куда более профессионально. Но и его порой подводила выдержка. Так, примерно на середине допроса Гаврюшенко в первый раз сорвался и потребовал запереть мопса на кухне, потому что собака безостановочно лаяла, не давая ему толком связать двух слов. Я вполне мог представить, как выглядела эта сцена.

— Вы Лотте не нравитесь, — безапелляционно заявила Вероника Иосифовна.

— А она мне — еще меньше, — буркнул Гаврюшенко. — А что, тот, кто явился в двадцать седьмую в половине шестого, понравился ей больше? Она не хватала его за кроссовки и не голосила, как кликуша?

— Разумеется, нет. Лотточка чувствует интеллигентного человека издалека!

— То есть вы утверждаете, что тот гражданин, которого вы видели вчера звонящим в дверь вашей соседки, выглядел именно так?

— Ну-у, — протянула Блох, — во всяком случае, выглядел он вполне прилично.

Мой бывший патрон хмыкнул, ногой отодвигая подальше мопса, норовящего вцепиться в бахрому его потертых «ливайсов».

— И как же все-таки он выглядел?

— Он был прилично одет, — упрямо повторила Вероника Иосифовна. — Он был прекрасно выбрит, а ботинки его — начищены. Такие люди к Ларисе в последнее время захаживали нечасто.

— Вы давно знаете Ларису Борисовну Кудимову?

Тут, по-моему, Гаврюшенко дал маху.

— Лучше бы мне ее вообще не знать! — вскричала гражданка Блох. — И не нужно на меня так смотреть, молодой человек. Я здесь проживаю больше пяти лет и со всеми соседями в прекрасных отношениях. К Гелечке я относилась как к родной дочери... Я не сужу Ларису, у нее была нелегкая жизнь, она одна растила ребенка... Как я могла отказать ей, когда она пришла с просьбой о займе? И заметьте, не было и речи о каких-то там процентах! Я получила клятвенное обещание, что все будет возвращено первого сентября, и, естественно, поверила. Затем она перенесла срок на вчерашний день, и я почувствовала неладное. Все это тянулось до позднего вечера, а сегодня утром — как я могла предположить, что случится такое? Я прождала до девяти вечера — а Лариса так и не появилась...

Гаврюшенко, прибывший позже своей команды, уже знал, что именно Вероника Иосифовна подняла тревогу, позвонив в милицию знакомому капитану, потому что так и не дождалась появления Кудимовой с деньгами. Она жутко нервничала, но представить, что Лариса может скрыться, так и не вернув ей заветные полторы тысячи, не могла.

— Когда вы в последний раз видели обеих Кудимовых?

— Я зашла к ним второго около четырех, — ответила Блох, промокнув глаза кружевным платком. — Лариса накрывала на стол. Обычно они обедали на кухне. Лариса с порога сказала, что сегодня же наша проблема будет решена. И все равно у меня было предчувствие. Поэтому остаток дня я провела прислушиваясь: не позвонит ли телефон, не постучится ли соседка...

Старший следователь уже удостоверился самым наглядным образом, что Лотта с лаем бросается не только на звонок в дверь, но и на любой звук, доносящийся с лестничной площадки. Выездная группа весь день проработала под ее несмолкаемый брех. Приходилось считаться и с тем, что на площадке было всего две квартиры, а весь остаток вчерашнего дня Вероника Иосифовна, по ее словам, провела в тишине.

— Значит, — подвел итог Гаврюшенко, — в семнадцать тридцать вы, ожидая Кудимову, открыли дверь, так как ваша... э-э... собака настойчиво лаяла. На площадке находился мужчина, который звонил в дверь соседней квартиры. Вы его видели впервые?

— Да.

— Дверь Кудимовых открылась, и он вошел?

— Да.

— Кто ему открыл?

— Лариса.

— А когда из соседней квартиры кто-нибудь выходит, ваша Лотта также обозначает это событие лаем? — поинтересовался Гаврюшенко, и я подумал, что это вполне резонный вопрос. И обвинению, и защите еще не раз придется о него споткнуться.

— Нет, — ответила Блох, — Лотта ведет себя иначе. На шум за дверью она реагирует всегда, но когда кто-нибудь покидает квартиру соседей, собака подходит к двери, прислушивается и иногда рычит.

— А вчера? Вчера между половиной шестого и семью тридцатью как она себя вела? — осторожно поднажал Гаврюшенко.

— Не помню, — тут же разочаровала его гражданка Блох. — Я не следила за ней. Этот телефон...

— Значит, вы не слышали, когда ушел мужчина, который позвонил в квартиру Кудимовых в восемнадцать тридцать?

Глупо, подумал я, перечитывая это место протокола. Гаврюшенко ее запутывает намеренно, чтобы Блох, зациклившаяся на мысли о потерянных деньгах, на мгновение отключилась и вспомнила что-то такое, что ему пригодится в дальнейшем. Но расстроенная пожилая женщина окончательно заупрямилась.

— Полдня я прождала Ларису, — сказала она. — Какое-то время после визита того человека Лотта вела себя спокойно, потом мы с ней обедали, потом она дремала на коврике... — Гаврюшенко зажмурился и с силой втянул воздух. — А вот после этого Лотта подалась в прихожую и долго топталась там и сопела. Я ее слышала, но не могла уделить ей внимания — это было как раз во время того телефонного разговора, о котором я уже упоминала... Постойте! Нет — я еще раз открыла дверь. Лотточка подняла лай, но это опять-таки оказалась не Лариса, а их приятель... Как его... запамятовала, ну, тот, которого сегодня обнаружили в квартире вместе с ними. Фотограф. Я выглянула, когда он уже входил, и Лариса мгновенно захлопнула дверь...

— В котором часу это было? — быстро спросил Гаврюшенко.

— Что-то около шести. Да я и не смотрела на часы. Но значительно раньше семи, потому что произошло это еще до звонка моих дочери и зятя...

Остальное меня пока не интересовало. Мне не удалось обнаружить даже намека на то, что Варшавин все-таки покинул дом к предполагаемому моменту убийства. Если он и в самом деле виновен, то между семью и половиной восьмого, совершив преступление и оставаясь никем не замеченным, он спустился вниз и, погрузившись в машину, отъехал. Немного поколесив по городу и успокоившись, он отправился в свой ресторан. Естественно, что в таком состоянии мой подзащитный не заметил, что шелковистая ткань подкладки его светлого делового пиджака испачкана в крови одной из жертв.

Как обычно, он оставался на работе допоздна, почти до закрытия «Тихуаны». Затем, легко перекусив, возвратился домой — в уютную однокомнатную квартирку, которую приобрел, разъехавшись с отцом, позвонил невесте, нежно пожелал ей спокойной ночи и крепко уснул...

Что ж, кое-какие сведения об этом монстре, которого мне предстояло отстаивать в суде, я уже извлек из дела № 66.949.88 и буквально выдавил из старшего следователя Гаврюшенко.

Однако, как говаривал старый профессор Финкель, знаменитый тем, что имел адвокатскую практику еще до войны: «В одном адвокат схож с буддийским врачевателем. Он не выбирает себе клиента. Но если к нему обратились — делает все, на что способен».

Я сдал дело секретарю, спустился по лестнице, толкнул тугую дверь прокуратуры и вышел в прохладную, пряно-влажную осень. Поймав частника, я закурил и назвал улицу, на которой находился следственный изолятор.

Всего четверть часа отделяли меня теперь от встречи с Владимиром Александровичем Варшавиным, тридцати лет от роду, с высшим образованием, холостым преуспевающим владельцем ресторана, которому взбрело в голову решать свои проблемы с помощью кухонного ножа.

Глава 4

Передо мной сидел весьма обаятельный молодой мужчина стандартной буржуазной наружности, похожий скорее на обрусевшего немца, чем на российский криминальный элемент. И если бы не трехдневная рыжеватая щетина, восковая одутловатость лица и следы глубокой апатии в замедленных движениях его крупного, ладно скроенного тела, — я бы решил, что Варшавин оказался в этом помещении по недоразумению. Он был одет в чистый, слегка помятый спортивный костюм, в вороте которого белел треугольник белоснежной найковской футболки.

Встретил он меня, как встречают нежеланного попутчика в двухместном купе спального вагона, — вежливо-безразлично, приготовившись терпеливо сносить присутствие постороннего.

Я решил обойтись без церемоний.

— Мне показалось, — произнес я, доставая блокнот, — что во всей этой истории вы, Владимир Александрович, выглядите как человек, который хочет, чтобы его посадили. И надолго. У вас есть для этого серьезные причины?

Не тут-то было. Лицо моего клиента оставалось по-прежнему бесстрастным, лишь тяжеловатые веки вздрогнули. С едва заметной брезгливостью Варшавин произнес:

— Я ничего не хочу.

— Если вы убеждены в своей невиновности... — начал было я, но он меня перебил:

— Я никого не убивал.

— ...то почему отказались помочь следствию во всем разобраться?

— Моя так называемая помощь следствию ни в коей мере не повлияла бы на результаты расследования, — усмехнулся Варшавин. — Я рассказал все, что мне было известно, но мне не поверили. Ни единому слову.

— Они и не обязаны. Это не входит в их функции, тем более что улики свидетельствуют против вас. Вы закончили знакомиться с делом?

— Да.

— Ну и как впечатление?

— Никак, — пожал плечами Варшавин. — Чистейшее вранье от начала до конца, кроме единственного — я действительно пришел к Кудимовым в половине шестого. Остальные мои показания следствию вообще не понадобились... Я не хочу, чтобы посторонние люди копались в моей личной жизни.

Варшавин откинулся на спинку казенного стула так, словно это было обтянутое светлой кожей кресло от Натуцци. Привычное движение свободного человека, будто он находился не в мрачном закуте следственного изолятора, а в собственном рабочем кабинете. Теперь я мог полностью разглядеть его лицо — сероватое от постоянной духоты, измученное и сосредоточенное на какой-то одной мысли.

Впрочем, он быстро стер с него всякое выражение. Бесстрастно глядя сквозь меня, будто я был неприятным, но безвредным насекомым, он повторил:

— Чтобы никто — вы слышите: никто — не лез в мою жизнь!

— А вы ясно представляете, что вас ожидает? — Я упорно гнул свою линию.

— Вполне.

— На вас пытались оказывать давление? — перевел я разговор, уже начиная подозревать, что этот орешек — не по моим молочным зубам. Гаврюшенко оказался прав.

— Чушь, — произнес Варшавин насмешливо. — Зачем?

— Я имел в виду вашего отца и ту ситуацию, которая может возникнуть вокруг его имени.

— А, вот вы о чем! — протянул мой клиент. — Мне пообещали, что пресса не станет совать нос в эту историю. Отец также подсуетился, так что для всех будет лучше, если со мной разберутся по-быстрому и шум утихнет.

— Только не для меня.

Варшавин взглянул с любопытством и уже без насмешки. Только теперь я понял, что он находится в том пограничном состоянии, когда человека ничего не стоит сломать. Владей Гаврюшенко азами психотехники, он бы не торопился передавать дело в суд, а как следует поработал бы с обвиняемым, дожал — и еще на этапе предварительного следствия Варшавин сам бы сознался в том, чего никогда не совершал... Или все-таки совершал?

— Как ваш защитник, Владимир Александрович, я обязан вам верить. Или по крайней мере делать вид, что верю в вашу невиновность, — сказал я.

— А просто по-человечески?

Тут пришла моя очередь ухмыльнуться.

— Так давно уже не бывает, — произнес я. — Даже если мы с вами сейчас обнимемся, как евангельские лев и агнец, случившееся с вами все равно останется крайне опасной реальностью, которая нуждается в коррекции. Я ваш адвокат — и только; я не должен дать им возможность посадить вас в тюрьму без вины. Если вы мне не поможете— сушите весла.

Варшавин молчал.

Я же, покончив с элементарным курсом правовой грамотности, заявил без обиняков:

— Один к ста, что в суде я ваше дело проиграю. Это трезвый взгляд. Существуют три пути, по которым я могу двигаться, выстраивая тактику защиты. Первый — поиск смягчающих обстоятельств, вынудивших вас совершить преступление; второй путь — отыскание в деле процессуальных ошибок, позволяющих, не доводя дело до суда, вернуть его на доследование. Но боюсь, в этом случае вам придется не сладко. И третий, самый многообещающий вариант — полное доказательство вашей невиновности. Однако во всех перечисленных случаях мне необходимо ваше доверие и абсолютная — подчеркиваю: абсолютная — откровенность.

Мой подзащитный молчал.

— Ну так как? — подстегнул я его.

— Если вы не поняли, я повторю. Моя откровенность никак не повлияет на решение суда, — упрямо проговорил Варшавин.

— Хорошо. — Я был терпелив и великодушен. — Попробуем еще сначала. Вашего адвоката зовут Егор Николаевич Башкирцев. Я познакомился с делом, и у меня возникли вопросы. Ответьте на них, Владимир Александрович, пожалуйста, если у вас нет объективных причин молчать.

— Валяйте, — сказал Варшавин, — но покороче. Я устал...

— Что вас заставило приехать в квартиру Кудимовой?

— Геля... Ангелина Кудимова, ее дочь. Она позвонила мне в ресторан и попросила приехать. Мне было сказано, что это крайне важно.

— Как давно вы знакомы с этой семьей? Это были близкие отношения?

Он дернулся, выдержал паузу, прикидывая, стоит ли, и нехотя коротко ответил:

— Я был знаком с ними в прошлом. Неплохо. Но в последние два года мы практически не встречались.

— Почему?

— Это вас не касается, уважаемый Егор Николаевич. — Варшавин прикусил губу. — Так получилось.

— Что же все-таки вынудило вас отправиться к людям, отношения с которыми прекратились?

— Геля настаивала. Но не это главное. Она была очень встревожена. Я подумал, что у них... какие-то неприятности. Она достаточно независимый человек, чтобы не поднимать шума по пустякам. И голос ее звучал очень странно... В общем, я все же поехал. Однако пробыл там недолго и ушел через полчаса... Эта встреча меня совершенно выбила из колеи.

— Потому что у вас попросили в долг?

— И это тоже. Не самый приятный момент. Но не только. Я, в общем, довольно спокойно отношусь к деньгам. Меня поразило, как они обе изменились за это время, особенно Ангелина. Это на меня как-то угнетающе подействовало, мне почти сразу захотелось уйти. В них чувствовалась какая-то... ущербность, что ли... Как будто они пытались втянуть меня в орбиту своих проблем; у меня даже мелькнула мысль, что вряд ли я уже смогу помочь им по-настоящему, дав эти деньги... Все-таки сумма довольно крупная, мне не хотелось им что-либо обещать, а у меня на носу свадьба... В общем, я отказал.

— В ситуации, которая сложилась, могла быть предпринята со стороны матери и дочери Кудимовых попытка шантажа? — спросил я.

— Бред! — выдохнул Варшавин. Чуть быстрее, чем требовалось, чтобы выразить возмущение. — Дурацкая была ситуация. По-моему, все мы чувствовали себя в ней довольно гнусно. Ангелина... Я потом пожалел, что отказал, и позвонил туда из ресторана, около восьми, но никто не подходил к телефону. Хотел договориться о встрече, чтобы дать им эти чертовы деньги. При свидетелях, нотариально оформив договор займа. С какой стороны ни посмотри...

Варшавин умолк, будто у него кончился воздух. Он увядал на глазах. Эмоции эмоциями, но в деле о его звонке в двадцать ноль-ноль не было ни звука, и я спросил:

— Вы уверены в том, что звонили вечером?

— Да. Это легко подтвердить.

— Вы были знакомы с Лунцем? Из материалов дела следует, что он появился в доме задолго до вашего ухода.

Любопытно, что в ответ на этот вопрос мой клиент оживился и, умело справившись с раздражением, пояснил:

— Если речь о мужчине, который был обнаружен мертвым в квартире, — я его не знаю. Следователь спрашивал меня об этом. — Варшавин явно был рад перевести дух, уйдя от разговора о погибших женщинах. — Мне показывали фото. Я действительно не знаком с этим человеком. Когда я уходил, в доме оставались Геля и ее мать... Да там все написано... — Он махнул рукой в сторону забранного «намордником» окна, имея в виду отсутствующие здесь материалы следственного дела.

Этот опять-таки небрежный, слегка театральный жест заставил меня вопреки правилам снова накинуть на его шею удавку.

— И все-таки — почему вы, достаточно обеспеченный человек, отказали Кудимовым в деньгах?

Парировал он молниеносно:

— Насколько я понимаю, Егор Николаевич, вам никогда не приходилось держать в руках сумму свыше десяти тысяч долларов?

— Как-то не было случая, — усмехнулся я. — Даже такое заковыристое дело, как ваше, Владимир Александрович, не позволит мне сколотить состояние.

Выходило, что я вроде бы намекаю на прибавку к стандартной сумме гонорара, но Варшавин не обратил на мои слова ровным счетом никакого внимания, поскольку был занят: выстраивал логическую цепочку для доказательства общеизвестной истины, что богатому человеку труднее расставаться с деньгами, чем бедному.

— Мне было жалко отдавать им эти две тысячи, — наконец честно признался он. — Все равно что выбросить. Они даже потратить не сумели бы как следует...

Впервые во мне шевельнулась симпатия к нему — очевидно, его мозги еще не были вывернуты настолько, чтобы подозревать в каждом встречном желание забраться к нему в карман. Но необходимо было продолжать пытку.

— Вернемся к вопросу, — сказал я.

— Они обе стали... чужими.

Что ж, вполне откровенный ответ. Варшавин окончательно сник. Оставалось последнее, что нужно было выяснить сегодня.

— Вы уехали около шести. А дальше?

— Не помню. Эта встреча все взбаламутила. Просто катался по городу. — Мой клиент снова работал на версию обвинения, подбрасывая козыри прямо в лапу Гаврюшенко. — Без всякой особой цели.

— Два часа подряд?

— Я же сказал: не помню, — сквозь зубы повторил Варшавин. — Может быть, и стоял где-то, курил в машине...

Ну разумеется. Он, видите ли, курил и размышлял, остановив джип в глухом переулке... Даже сейчас Варшавин доверяет мне не больше, чем в самом начале разговора. Я для него — с другой стороны решетки. Похоже, он из тех упрямцев, которые вбивают себе в башку, что, если судьба отвернулась от них, клянчить и выпрашивать снисхождение не имеет смысла. Они предпочитают пережить крушение в одиночку, полагаясь на собственную правоту.

Если бы так. Но все дело было в том, что и я ему не поверил. Он не сказал мне всей правды. И не собирался говорить. Ему было плевать на меня и мои усилия. Несмотря ни на что, мой подзащитный словно плыл в пустоте в космической капсуле, запрограммированной на самоуничтожение. И хотя это так, подумал я, вежливо прощаясь с безучастно кивнувшим мне Варшавиным, как всякий живой человек, причину этой катастрофы он несет в себе самом. А поскольку он не сломался окончательно, где-то должно находиться то, что дает ему надежду выползти из-под обломков. Пусть искалеченным, но живым.

Что же все-таки происходило в доме, куда мой клиент звонил, по его утверждению, в восемь вечера и никто не ответил на этот звонок?

Если он уже знал, что там случилось, то смысла в этом не было никакого. Дополнительных очков в случае прокола этот звонок не давал, даже если был сделан в присутствии кучи свидетелей.

Тем не менее Варшавин лгал. Я почувствовал это особенно остро, когда, возвратившись домой, в свою холостяцкую берлогу, прокрутил в голове весь разговор от начала до конца. Оставалось только выяснить — зачем.

Глава 5

В половине седьмого я проснулся, будто кто-то толкнул меня в бок, сбросил ноги со своего спартанского диванчика и сел.

По полу тянуло сквозняком. После вчерашнего я чувствовал себя как терминатор с подсевшими аккумуляторами. А главное — я совершенно не мог сообразить, какого лешего вскочил в такую рань.

Не знаю, упоминал ли я об этом раньше, но утро — не мое время. Часов с девяти я начинаю только-только приходить в себя и лишь к полудню набираю обороты. В половине седьмого моей сообразительности едва хватает, чтобы добраться до ванной и встать под теплый душ.

Два яйца всмятку, яблоко и кружка похожего на расплавленный битум кофе потребовали серьезных усилий, зато, когда я, ополовинив кружку, закурил, кое-что начало проясняться.

Еще накануне я принял решение первым делом с утра осмотреть место происшествия. В принципе, это порочный путь. Я был почти уверен, что, ступив на него, совершаю грубейшую ошибку. Но очевидно, та же сила, которая поработала в эту ночь с моим подсознанием, продолжала управлять моими дневными поступками.

Некоторое время я обуздывал себя, внушая, что, поступив таким образом, начну дублировать следствие, а в одиночку это мне просто не под силу. Чистый идиотизм — заниматься приватным сыском в пользу подзащитного. Мое дело — исследовать факты и документы, спокойно и толково поработать с клиентом, отыскивая промахи следствия, смягчающие обстоятельства и моменты, не стыкующиеся с выводами обвинения. Состязаться с машиной дознания — во всех отношениях дохлый номер.

И Гаврюшенко как пить дать меня высмеет. Для этого у него будет прекрасная возможность, когда в девять я ввалюсь к нему в кабинет и стану клянчить разрешение на осмотр квартиры в проезде Слепцова. Ухмыляясь, он поинтересуется, что, собственно, я намерен там высмотреть, но, поскольку моя просьба вполне законна, промурыжив с полчаса, позвонит в райотдел, чтобы мне выделили сопровождающего. Ключи от двадцать седьмой лежат у него в сейфе, но на двери милицейская печать, и мне придется еще час дожидаться, пока пришлют сонного старшего сержанта с инструкцией приглядывать, как бы я чего не спер.

Тут мне стало так скучно, что я едва не уснул.

Но чертово подсознание не унималось. Симптомы до смешного напоминали крапивную лихорадку, когда все тело зудит, а унять этот зуд нечем.

Хуже всего, что еще накануне я начал подозревать, что все дело — в собаке. Именно поэтому мне загорелось увидеть все собственными глазами. Протоколам я привык доверять не больше, чем они того заслуживали. Еще на стажировке в прокуратуре я усвоил, как составляются эти документы следователями, ведущими аккордно полтора десятка дел.

Еще немного побарахтавшись, я сдался. Хаос в моих непроспавшихся мозгах принял форму отчетливого намерения. А еще через четверть часа я уже трясся в дребезжащем автобусе частного маршрута 117-Е в сторону проезда Слепцова.

Не считая блокнота, отдельных листков с записями, документов и ручки, в моем дипломате лежало несколько довольно необычных для начинающего юриста предметов.

Перед рассветом прошел дождик, было сумрачно, но перспектива того, что прямо с утра не приходится тащиться в прокуратуру, поднимала настроение. В конце концов, не так уж она и нужна мне, эта квартира. Не исключено, что с меня хватит лестничной площадки и бесед со свидетелями, которых удастся застать дома. Главное — не суетиться и действовать в режиме включенного наблюдения.

От остановки до дома №8 по проезду Слепцова пришлось протопать с квартал, а затем свернуть в глубину дворов, обставленных пятиэтажками, различавшимися только цветом дверей да номерами. Зато в нужном мне подъезде наружной двери не было вообще — не позднее чем сегодняшней ночью какой-то доброхот снял ее с петель вместе с пружиной и уволок в неизвестном направлении.

Я осмотрелся, прикидывая, где здесь можно было приткнуть джип, пусть и небольшой. Выходило, что только метрах в двадцати от подъезда. Там узкая полоса дороги расширялась, образуя площадку перед мусоросборником. Вариантов не было — в любом другом положении машина должна наглухо блокировать проезд. Значит, там он и стоял, где сейчас торчит вишневая «пятерка» с помятой крышкой багажника. Вокруг не было ничего такого, что могло бы помешать увидеть стоящий автомобиль при выходе из дома.

С этим я и проследовал в подъезд, как две капли воды походивший на все виденные мной прежде. Вплоть до запахов и обшарпанной дерматиновой обивки на дверях квартир.

Между прочим, в этой области я мог считаться одним из признанных мировых авторитетов. Году в девяностом, едва окончив школу, я с полгода проработал подручным у частного предпринимателя, ходившего по подъездам с предложением утеплить и обновить наружные двери. Дело было перед самой павловской реформой, рубль был тверд, как панцирь камчатского краба, а самого краба можно было увидеть только в книге о вкусной и здоровой пище. Все это удовольствие стоило четвертак. Понятно, что о дверях из титанового листа с отделкой под палисандр тогда никто и понятия не имел. Процесс занимал сорок минут: вынуть дверь из коробки, завалить ее на пару хозяйских табуретов, раскатать утеплитель, выкроить вонючий прямоугольник кожзаменителя, подровнять, подогнуть — плюс пятьдесят два обойных гвоздя. Готово.

Самое поганое, понятно, доставалось мне. Пока мой шеф обмерял и кроил, я должен был содрать с петель и без особых повреждений вытащить на площадку ненадежную, но тяжелую, как чугун, конструкцию, ободрать с нее старье и выставить горизонтально. За два месяца я заделался профессионалом и заметно укрепил мышцы. Мой работодатель только одобрительно крякал, глядя, как я управляюсь.

Однако все это абсолютно не имело отношения к цели моего сегодняшнего визита. Время шло к восьми, в подъезде не было ни души. Я поднимался медленно, как только мог, ломая голову, чем мне мотивировать свое появление в такую рань перед свидетелями, которые, между прочим, не обязаны отвечать ни на один из моих вопросов.

Перила, как водится, были обломаны, стены рябили нецензурной графикой, исполненной чем угодно — от аэрографа до губной помады. На каждой площадке располагалось по три квартиры, и только на последнем, пятом, — две. Этот факт мне был известен и раньше, из материалов дела.

Добравшись почти до верха, я так ни до чего и не додумался, поэтому миновал дверь двадцать четвертой, где проживали хирург и библиотечная дама. Оба они присутствовали в моих планах, и еще как, но до разговора с ними мне требовалось еще многое выяснить.

На площадке пятого я остановился, поставил кейс, засунул руки в карманы и прислонился к перилам, выжидая. За дверями обеих квартир — двадцать седьмой и двадцать восьмой — стояла глухая тишина. Площадка была тесной, так что расстояние от двери гражданки Блох до двери Кудимовых, на которой белела полоска плотной бумаги, прихваченная печатями на косяке и на самой двери, чуть пониже замка, составляло не больше трех с половиной метров. Ошибиться трудно, подумал я. Даже при очень плохом освещении.

Я закурил, прошелся туда-сюда и негромко посвистел. Ничего. Мопс безмолвствовал, что могло означать только одно. Чтобы убедиться окончательно, я нажал кнопку звонка двадцать седьмой.

В глубине лишившейся хозяев квартиры раскатилась длинная неблагозвучная трель.

Обнаглев окончательно, я снова пересек площадку и ткнул пальцем в кнопку Вероники Иосифовны.

Ни Лотты, ни ее хозяйки не было дома.

Я подхватил кейс, вернулся к двери Кудимовых и тщательно исследовал ее.

Свет из окна подъезда падал косо, и все, что мне удалось поначалу обнаружить, не считая райотделовской печати и собственноручного росчерка неизвестного мне лейтенанта Ф.М. Матерчука, было следами неопрятного — прямо скажем, дилетантского — взлома. В дверь поначалу колотили ногами, а когда убедились, что врезной замок не поддается, парочка обученных этому делу хлопчиков из наряда принялась действовать корпусом, синхронизируя удары.

В результате посыпалась штукатурка, верхняя петля лопнула, коробка перекосилась и ригель замка вышел из гнезда. Дверь распахнулась, и парни влетели в прихожую.

Теперь все это держалось на честном слове. Удивляюсь, как это охотник за дверями, орудовавший внизу, не добрался сюда. Едва ли печать райотдела могла бы его остановить.

Кончиками пальцев я осторожно нажал на пластиковую дверную ручку в форме выпуклого шестигранника и почувствовал, как дверь, что называется, «дышит». Затем бережно ощупал коробку и петли. Замок, наспех закрепленный на прежнем месте, болтался в гнезде. Петли держались на честном слове, их едва наживили, причем в верхней недоставало двух шурупов...

И наконец я обнаружил то, что мне требовалось. Верхний брус коробки, расшатанный ударами, свободно гулял под наличником. Настолько свободно, что его можно было отжать вверх сантиметра на четыре.

Мысленно я поблагодарил ночного злоумышленника, подбросившего мне неплохую идею. Пожелав Лотте и ее хозяйке семь футов под килем, без единого щелчка я открыл свой новехонький кейс и извлек из него пару автомобильных отверток с отлично заточенными широкими лезвиями и мощными рубчатыми рукоятками. Зачем я притащил их с собой — об этом спросите у моего подсознания. Я давно подозревал, что там скрывается какой-то подозрительный субъект с отчетливо выраженными криминальными наклонностями. Но сейчас это уже не имело значения.

Введя лезвие между подвижной и неподвижной половинками дверных петель, я слегка нажал — и дверь ощутимо подалась вверх. Я освободил одну из отверток и зафиксировал снизу новое положение, после чего уже собрался было развить свой успех, когда тремя этажами ниже что-то грохнуло и послышались голоса. Хуже всего было то, что они поднимались.

Пяти секунд мне хватило, чтобы убрать инструмент, защелкнуть кейс и принять независимую позу, прислонившись к перилам с незажженной сигаретой в зубах.

Шаги приближались. Мужчина хриплым спросонок голосом спросил: «Так он на четвертом живет?» — и закашлялся. Женщина ответила: «На четвертом. В двадцать пятой», — и мой пульс сразу же стал на десять ударов реже. Наконец они остановились — прямо подо мной.

Какое-то время я слышал, как они топчутся и сопят, потом мужчина раздраженно произнес: «Электрик, падла, называется. У него у самого звонок не фурычит!»

Женщина хихикнула, а мужчина пару раз грохнул кулаком по дереву, не произведя никакого эффекта, помянул мать, и оба стали спускаться.

Оказалось, что все это время я не дышал. Как только на лестнице стихло, я снова взялся за дело, действуя с утроенной энергией. С минуты на минуту могла появиться Блох, и к этому времени я уже должен закончить.

Дверь соскочила с петель, и я едва успел удержать ее от падения внутрь. Слева образовалась щель, тогда как справа, со стороны замка, она по-прежнему плотно прилегала к косяку, а бумажная лента с печатями оставалась неповрежденной. Фактически дверь как была заперта, таковой и осталась.

С величайшей осторожностью я немного подвинул вперед освободившуюся сторону двери, расширяя щель, втолкнул туда кейс и последовал за ним сам. Затем круто развернулся, поменял руки, подвел носок башмака под дверное полотно и снова налег на отвертку.

С недовольным кряхтением дверь встала на место. Я был внутри.

Все, что я сейчас делал, являлось не просто банальным нарушением неприкосновенности жилища. Это было чистой воды сумасшествием. Если меня засекут на этом, можно раз и навсегда распрощаться с корпорацией, в которую я так стремился. О чем я думаю?

По спине бежал ручеек горячего пота, лопатки чесались, будто там пробивались ангельские крылья. Отлепившись от двери, я сделал шаг в прихожую и прикрыл веки, давая глазам привыкнуть к полумраку, после чего набрал полную грудь воздуха.

Тот еще был коктейль. Я имею в виду атмосферу в наглухо закрытой и непроветриваемой квартире Кудимовых. В смеси преобладал вязкий смрад какой-то еды, распавшейся на составные части. К нему примешивался еще какой-то — сладковатый, лекарственный, немедленно заставивший мой желудок испуганно сократиться. Так, наверное, разит в приемном отделении преисподней, если таковое существует.

Я извлек из кармана свежий платок, обмотал им правую кисть и двинулся через прихожую в сторону кухни. Из-за этого запаха казалось, что жертвы преступления так и остались на том же месте, где их настигла смерть. И хотя я твердо знал, что это не так, ощущение не отпускало меня, пока я не свернул в коридорчик и не увидел на полу в углу кухни контур тела Ангелины, обведенный мелом.

Здесь я остановился и взялся платком за ручку двери, ведущей в ванную. Выключатель находился рядом — и свет на мгновение ослепил меня, а в следующие полторы минуты я смог убедиться, что протокол осмотра места происшествия составлен не так уж наспех. Все было по писаному — эмаль, захлюстанная бурыми кляксами, собравшимися на дне ванны в бурое озерцо, припорошенное меловой пылью, сорванная душевая занавеска, валяющийся отдельно кронштейн, метки, оставшиеся от замеров, и захватанное зеркало, поймавшее последний взгляд Ларисы Борисовны...

Динамика событий, набросанная Гаврюшенко, действительно могла быть именно такой. Кое-что еще было неясно с Лунцем, но фотографа я оставил на десерт.

Я повернулся, чтобы выйти, углом глаза отметив распахнутую дверцу аптечного шкафчика, испачканную порошком для дактилоскопии. В дверях в мою щеку с сердитым жужжанием ударилась разбуженная моим появлением здоровенная синяя муха и заметалась по кухне. Не переступая порога, я уставился на косо сдвинутый обеденный стол с остатками сервировки. Именно отсюда шел запах.

На столе недоставало ножей и стаканов — это сразу бросалось в глаза. Не было также ни одной бутылки — насколько мне было известно, они приобщены в качестве вещественных доказательств к делу. Тарелок с остатками еды насчитывалось три — одна, расколотая пополам, валялась в углу рядом с перевернутым табуретом. Покрытый бархатной зелено-голубой плесенью, в глубокой фаянсовой миске продолжал загробное существование какой-то чудовищный салат.

Я обогнул стол и приблизился к батарее отопления, закрепленной на стене рядом с окном. Чтобы осмотреть ее, мне понадобилось упереться рукой в подоконник и изогнуться дугой. Иначе пришлось бы наступить на грубо очерченное подобие женской фигуры на полу. Смешно, но заставить себя сделать это я не смог.

Ребро батареи сохранило несколько светлых волосков и какие-то сухие, напоминающие пергамент чешуйки. Здесь также проводились замеры, судя по кусочкам цветного скотча, оставшимся на стене, но цифры меня сейчас совершенно не интересовали. Дощатый пол был выкрашен суриком так давно, что некоторые половицы вытерлись добела, и кровь глубоко впиталась в рыхлое дерево. У мойки и плиты пол прикрывал кусок желтого линолеума, не доходивший до середины помещения. Чтобы оказаться там, где ее обнаружили, и не опрокинуть при этом стол, Ангелина должна была стоять почти рядом с плитой, а тот, кто нанес удар, — втиснуться в узкий просвет между раковиной и холодильником. Странная, прямо скажем, позиция.

Это дела не меняло, но на всякий случай я осмотрел и плиту. На ней ничего не было, кроме медного джезве с сухим порошком на донце. Следы сбежавшего кофе имелись и на эмали поддона. Газ успели выключить еще до того, как все началось.

Холодильник оказался практически пуст. Сморщенные яблоки, початая коробка датского маргарина, две-три упаковки патентованного снадобья от мигрени. В суматохе кто-то выдернул шнур из розетки, и старенький «Норд» разморозился.

Продолжая осмотр, я заглянул в мусорное ведро, что до меня проделали, наверное, человек десять. Там лежал заросший белесым пухом батон, обрывки «Вечерки» за тридцатое августа и фольговый колпачок от бутылки, изъятой экспертом. Вместо того чтобы с многозначительным видом совать нос в это ведро, его следовало бы попросту вынести.

Я выпрямился, глядя сквозь щели жалюзи во двор. Когда-то я уже играл в такую игру. Но при сильно отличающихся обстоятельствах. На первом курсе, когда бурсацкие попойки еще не осточертели и считались признаком хорошего тона. Однажды утром я проснулся на раскладушке в чьей-то обшарпанной кухне, совершенно не представляя, где я и как сюда попал. В голове — черная дыра. Преодолевая мучительный стыд, битый час я потратил на то, чтобы по утвари, наклейкам, содержимому холодильника и мусорного ведра установить личность хозяина, который, судя по запертой двери, дрых в комнате. И потерпел сокрушительное поражение.

Эта кухня была, как близнец, похожа на ту, давнюю. У нее не было индивидуальности, а знания из области криминалистики, полученные еще на втором курсе, я применить не мог — до такой степени все здесь было затоптано и перерыто работавшей опергруппой и еще черт знает кем.

Смирившись с отсутствием новых идей, я двинулся в комнаты.

Меньшая, как я уже знал из протокола, принадлежала Ангелине и в какой-то степени Лунцу, но фотограф практически не оставил следов своего проживания, если не считать двух пар джинсов, ботинок, мятых футболок и трусов да заношенного свитера с лейблом дорогой шотландской фирмы. Как у профессионала у него должен был иметься архив — пленки, слайды, контрольки, готовые работы, — но здесь ничего этого не было. Какие-то старые журналы да пара рекламных буклетов «Кодака» — вот и все.

Зато Ангелина присутствовала повсюду. Я распахнул стенной шкаф: там оказалось полно тряпья, но протокол умолчал о том, что это тряпье — не что иное, как сценические костюмы. Довольно дорогие и сшитые скорее всего за рубежом. Несмотря на это, девушка относилась к ним с полным пренебрежением. Я вытащил из груды, пропахшей потом и дешевой косметикой, несколько предметов, осыпанных блестками, и амплуа Ангелины перестало быть для меня секретом. Это было то, что на Ближнем Востоке и в Греции обычно называется «шоу-балет из России».

Значит, Ангелина выезжала, и не раз, потому что на такой прикид нужны деньги, которых у нее чаще всего не было. Сколько раз она пересекала границу, легко проверить по компьютеру, но зачем? Какое отношение к моему подзащитному могли иметь поездки младшей Кудимовой и ее работа?

Фантазировать «от фонаря» у меня не было ни малейшего желания. В общем, я неплохо представлял, что это за род деятельности. И на мгновение остро пожалел девушку. Ничего не поделаешь. Мир таков, каков он есть.

Пнув какого-то фиолетового мехового зверя с полосами на брюхе, я снова выбрался в прихожую, не забывая пользоваться платком, когда входил в контакт с дверными ручками. Чья-то заботливая рука скатала в рулон ковровую дорожку, по которой проделал свой последний путь бедолага фотограф, я споткнулся о него и, едва не потеряв равновесие, влетел в гостиную, служившую одновременно и спальней Ларисы Борисовны.

Это была совершенно другая вселенная — с секретером красного дерева, «стенкой», старым бюхнеровским фортепиано и огромным количеством хрустальных вещичек за стеклом пузатой горки. Пухлый двуспальный диван, обтянутый вишневой тканью, гнутый торшер прямо из семидесятых, по виду — мой ровесник. Расшатанный паркет не был покрыт лаком, и темные разводы виднелись во многих местах. Ковер, занимавший ту часть комнаты, которая примыкала к окну, был откинут и как бы прикрывал место, где также мелом было обозначено положение тела фотографа. Изнанка ковра пестрела бурова-тосерыми пятнами. Журнальный столик с разбитой стеклянной крышкой был задвинут за диван, у окна сумрачно блестели осколки тонированного стекла, среди которых стоял кремовый телефонный аппарат, выглядевший так, будто побывал на мясокомбинате в цеху забоя. Трубка лежала на месте.

Судя по контуру обводки, Лунц лежал в позе эмбриона — подтянув к животу колени и стиснув кулаки под подбородком. На фото в деле поза была совершенно иной. Кому и зачем понадобилось фиксировать измененное положение тела? Я не знал. Вряд ли это имело принципиальное значение, но в суде могло быть расценено как процедурное нарушение в ходе следствия. Хилая придирка, однако не следовало пренебрегать и такой.

В кресле за диваном обнаружился и кофр Лунца. Либо его переместили сюда, чтобы детально осмотреть, либо он стоял здесь с самого начала. Почему не в комнате Ангелины? Без комментариев.

Кофр был недорогой, обтянутый шершавым черным кожзаменителем, с никелированным простым замком, как на старых дамских сумках. С помощью платка я повернул дужку замка и откинул крышку.

Внутри было два отделения, откуда было изъято все, по мнению следствия, заслуживающее внимания. То есть «Кэннон», телеобъективы, записная книжка Лунца и его документы. В первом, большом, отделении лежали футляры от отсутствующих объективов, во втором — пресловутая бутылка «Суворовской», измазанная все тем же дактилоскопическим порошком. Эксперт повозился с ней, но бросил, убедившись, что ничего интересного на стекле бутылки нет. В принципе, этой водке надлежало быть давно оприходованной младшими чинами, да, видно, не сложилось.

Здесь же имелся еще и вместительный карман. Для очистки совести я запустил туда руку и убедился, что он абсолютно пуст. Однако, слегка пошевелив пальцами, я неожиданно почувствовал, что под тканью подкладки, в самом низу, что-то есть. Какой-то небольшой угловатый предмет.

Я поднес кофр к окну и только здесь разглядел, что сбоку кармана подкладка прорвана, а в образовавшееся отверстие вполне может пройти предмет размером с сигаретную пачку.

Выложив содержимое на кресло, я перевернул кофр и несколько раз встряхнул. Что-то звякнуло, и на подоконник шлепнулся брелок в виде металлического овала с рекламой пива «Гиннесс» и тремя ключами. Плоским из светлого металла, желтым с двойной бородкой и совсем элементарным — вроде тех, что от почтового ящика.

Эти ключи не фигурировали в протоколе изъятия. Уж это я помнил совершенно точно. Неужели парни Гаврюшенко их прошляпили?

Что-то смутно зашевелилось у меня в голове, но, так и не оформившись, исчезло. Прежде всего необходимо выяснить, откуда они. Если от квартиры...

Я опять отогнал готовую возникнуть догадку и отправился в прихожую. Именно для этого я и пришел — во всем убедиться своими глазами.

Там я включил свет, опустился на корточки и осмотрел прорезь замка. Похоже, желтый может подойти. Я попробовал — ключ легко вошел в отверстие и провернулся. Раздался негромкий щелчок — и я мгновенно вернул барабан замка в исходное положение. Есть!

Казалось, что не курил я уже целую вечность. Да и не очень-то хотелось в этом затхлом, пропитанном страхом и чужой болью помещении. Но сейчас сигарета была мне просто необходима. Больше, чем чистый воздух.

Не поднимаясь, я передвинулся вправо, прислонился к углу дверного проема и щелкнул зажигалкой. Тупо уставившись в пол, я сделал несколько коротких слепых затяжек, разглядывая щербатые паркетины и какие-то старые кроссовки, брошенные второпях в коробку из-под дешевого печенья.

И только тогда до меня дошло, что я вижу. Ключи начисто вылетели у меня из головы, хотя я и не забыл опустить их во внутренний карман куртки. Я просто глаз не мог оторвать от этой штуки, будто она была шариком опытного гипнотизера.

Раньше они иногда попадались в продаже, но их устройством я никогда не интересовался. Простенький механизм, заменяющий дверную цепочку. Реклама утверждала, что ничего надежнее не бывает, потому что любую, даже самую прочную, дверную цепь можно распилить или перекусить, тогда как это устройство всегда останется недоступным для взломщика. В пол, сантиметрах в пятнадцати от той стороны двери, где расположен замок, врезается плоская стальная панелька с продолговатой рубчатой кнопкой, немного выступающей над поверхностью. При нажатии на кнопку из прорези панельки выскакивает, становясь вертикально, упор-защелка, которая и блокирует дверь. Внизу двери устанавливается металлический упор. Чтобы разблокировать дверь, достаточно наступить на защелку, вернув ее на прежнее место — вровень с полом. Нечто подобное можно увидеть в раздвижных дверях железнодорожных купе — только без всяких пружин и кнопок.

Именно эта удобная штуковина и находилась сейчас передо мной. С одной лишь разницей — она была раскурочена вчистую. Панель деформировалась и была наполовину вывернута из гнезда, ось защелки сломана, а сама она, вырванная с мясом, отсутствовала.

Я погасил сигарету и опустился на четвереньки.

Минут пять я, сопя, ползал по прихожей, глотая пыль и заглядывая во все темные углы, пока не наткнулся на чертову защелку под шкафчиком для обуви, где она валялась вместе с засохшими тюбиками обувного крема, скрученными, будто их подвергли пытке на дыбе.

Эта трехсантиметровая увесистая пластиночка сероватого металла также носила следы механических повреждений, говоря языком протокола. Но именно протоколы хранили гробовое молчание по этому поводу. Никому не оказалось дела до дурацкой железки, заставившей меня вылупить глаза, как Робинзон, наткнувшийся на песке на следы людоедов.

Именно так я себя и чувствовал. Потому что защелка была вырвана со своего места в тот самый момент, когда парни из райотдела вдвоем вышибали дверь двадцать седьмой, вывернув из гнезда замок и попутно смахнув патентованное блокирующее устройство. И произойти это могло только при одном условии — кнопка была нажата, защелка поднята вертикально, а именно это и делает тот из членов семьи, кто возвращается домой последним.

Стоп! Сейчас я не могу позволить себе никаких умозаключений. Хотя бы потому, что времени у меня — в обрез. И пока в подъезде по-прежнему тихо, необходимо как можно быстрее выбраться из ловушки, в которую я сам себя загнал. Именно ловушки, потому что, когда гражданка Блох и ее любимица вернутся домой, я не смогу и пальцем пошевелить, без того чтобы не быть обнаруженным.

Я отправил кусочек металла в тот же карман, что и ключи Лунца, и взялся за дверь. Процедура в обратном порядке заняла у меня гораздо меньше времени, хотя взмок я так же, как и в первый раз.

Оказавшись на площадке, я отдышался, отряхнул с себя пыль и сунул отвертки в кейс. Затем с удовлетворением констатировал, что следов проникновения в квартиру практически нет. Дверь выглядела совершенно девственно.

За пределами опасной зоны и соображать я стал гораздо спокойнее и логичнее. По моим часам я находился здесь уже более тридцати минут. Теперь, в принципе, ничто не мешало мне поближе познакомиться с парочкой свидетелей, проживающих этажом ниже.

Спустившись на два марша, я нажал кнопку звонка двадцать четвертой.

Открыли мне сразу, даже не поинтересовавшись, кто звонит. В дверях стоял невысокий мужчина с зачесанными назад мокрыми волосами и в купальном халате. Лицо у него было смуглое, только что выбритое, от носа к подбородку тянулись резкие, словно нарочно сделанные, кожные складки. Глаза смотрели жестко и внимательно.

Почти сразу из-за его плеча вынырнула полная светловолосая дама лет пятидесяти в каких-то сверхмощных очках, делавших ее глаза крохотными и подслеповатыми, как у крота. На ее пышном, со здоровым румянцем лице эти глаза выглядели как-то неприлично.

Я представился, назвавшись адвокатом Владимира Варшавина.

Мужчина недоуменно пожал плечами, однако мои документы его не заинтересовали.

— Проходите, — сказал он. — У меня времени, — он покосился на табло кухонных электронных часов, — восемь с небольшим минут. Операционный день.

— Не стоит. — Я был деловит, как клерк из Сити. — Это почти не займет времени. Всего несколько формальных вопросов.

Мужчина кивнул и спросил:

— А кто это — Варшавин? Что-то я не припомню, простите...

— Виктор Сергеевич, — подала голос дама, — речь, очевидно, о том, что случилось у нас наверху.

— Совершенно точно. — Я энергично кивнул. — Мой подзащитный...

Дама выдвинулась вперед, оттесняя мужа. Кротовьи глазки шустро забегали под линзами.

— Послушайте, — трагическим полушепотом начала она, — он действительно убил всех этих несчастных?

От ответа я уклонился. Обращаясь к мужчине, я спросил:

— Значит, человек по имени Владимир Варшавин лично вам не известен. Сужу по вашим словам.

Дама склонила голову, что я расценил как подтверждение; мужчина снова пожал плечами.

— Вы давно знаете Кудимовых?

Ответ был мне известен, но видели бы вы выражение лица моей собеседницы!

— Хорошо, — продолжал я. — А Лунц? Сергей Витальевич Лунц? Вам приходилось с ним общаться?

Дама ответила утвердительно, ее супруг помалкивал, хотя лицо его выражало раздраженное нетерпение.

— Как вы думаете, в каких отношениях они находились?

— Точно не знаю, — проговорила дама. — Что-то родственное. Одно определенно — в браке они с Ангелиной не состояли.

— Откуда вы это знаете?

— Вы должны понимать, что такие вещи моментально становятся известны среди соседей. Не так ли?

— Не скажите. — Я позволил себе сдержанную ухмылку. — История знает другие примеры. Допустим, Екатерина Вторая...

Мужчина, сухо извинившись, скрылся в комнате. Я продолжал гнуть свое:

— В ваших показаниях говорится, что второго сентября вы с мужем отправились в гости. В котором часу это было?

— Около семи. Почти точно в семь, потому что нам нужно было оказаться на месте в половине восьмого. Обычно на эту дорогу у нас уходит полчаса. Наши друзья ценят пунктуальность. Между прочим, именно тогда мы и встретили фотографа. Он поднимался, мы поздоровались. Он еще зацепился своей неуклюжей сумкой за почтовый ящик, выругался и извинился... В последние месяцы он уже постоянно жил в двадцать седьмой.

Я слегка ошалел от этой новости. Не от того, что Лунц тут проживал, — со временем было что-то не то. Хотя не похоже, чтобы такая женщина могла ошибиться на час.

— Значит, в семь? — переспросил я.

— Молодой человек! — Дама взглянула на меня через свои окуляры, как на болезнетворный микроорганизм. — Вы можете спросить мужа, но уверяю вас — ответ будет тот же.

— Ради Бога, — пробормотал я, собираясь с мыслями. — Не будем его беспокоить.

— Что-нибудь еще? — поинтересовалась дама, высказывая намерение захлопнуть дверь у меня перед носом.

— Пожалуй, — сказал я. — Еще один маленький тест. Скажите, а не заметили ли вы на площадке у подъезда какую-нибудь машину? Это мог бы быть небольшой джип, например.

— Нет!— отрезала дама. — Никакой машины там не было.

— Может быть, ваш супруг?.. — начал я, но меня резко оборвали:

— Никого и ничего! Ни машин, ни жильцов — никого, кроме своры бродячих котов, которые околачиваются в мусоросборнике и гнусно орут по ночам. Я еще сказала Виктору Сергеевичу: когда наконец у нас будут цивилизованные законы, позволяющие нормальным людям избавиться от всей этой гадости?..

— Вероятно, скоро, — пообещал я и отступил на шаг, давая понять, что никого больше задерживать не намерен.

Глава 6

Дверь двадцать четвертой захлопнулась.

Я оказался к ней спиной ровно в ту секунду, когда мимо меня наверх неторопливо проплыла полная дама с мопсом на руках. Тут и гадать не приходилось — предо мной были Вероника Иосифовна Блох и ее Лотта. Оба главных свидетеля обвинения с присвистом дышали, однако это не помешало Лотте вытянуть приплюснутую морду и с подозрением обнюхать рукав моей куртки.

Я злорадно подумал: давай-давай, голубушка, проявляй бдительность. Ничего-то ты не вынюхаешь, а если вынюхаешь, то все равно уже поздно.

Я последовал за этой парочкой на пятый и на площадке окликнул женщину.

Вероника Иосифовна оказалась не из пугливых. Спустив Лотту с рук, она вскинула пухлый подбородок и обмерила меня испытующим взглядом, начиная с башмаков, пока ее выпуклые янтарные глаза без ресниц не остановились на моей физиономии.

— Егор Николаевич Башкирцев, адвокат, — представился я. — Хотел бы побеседовать с вами о том, что произошло в соседней квартире.

Левая, выщипанная в нитку и подведенная карандашом бровь свидетельницы взметнулась вверх, а Лотта, утробно зарычав, переместила свой упитанный зад с затоптанного кафеля на ворсистый коврик перед дверью.

Но улечься на нем ей не удалось. Совершенно неожиданно Вероника Иосифовна обрадовалась мне, как посланцу небес, в два счета отперла дверь и жестом пригласила меня войти. Голос у нее оказался звучный, раскатистый, но без скандальных ноток.

Я шагнул в небольшую темноватую прихожую.

— Проходите в комнату, — пророкотала Блох. — Лотточка вас не тронет. Она хоть и любит пошуметь, но существо совершенно безобидное.

На это заявление я выдал самый замысловатый комплимент характеру любимицы Вероники Иосифовны, какой сумел изобрести. Тем не менее розовато-замшевая, несколько жирноватая спина мопсихи выражала самую откровенную злобу и вздорность. На меня она даже не глядела.

Хозяйка, однако, пропустила комплимент мимо ушей.

— Значит, вы — юрист? — Вероника Иосифовна наконец освободилась от теплой куртки и двинулась в глубь квартиры. Я пошел следом. Все то время, пока она провозилась с курткой и Лоттиным ошейником, я стоял как истукан, разглядывая стенные часы в прихожей, на которых стрелки приближались к девяти.

— Да, — пробормотал я, когда меня усадили в угол дивана, — я представляю интересы Владимира Варшавина...

Это имя, по-видимому, ее нисколько не заинтересовало.

— Хотите чаю? — воскликнула Вероника Иосифовна и без всякого перехода добавила: — Как раз вы-то мне и нужны. Просто позарез. Боюсь, мне не обойтись без квалифицированного совета, Егор... как бишь там ваше отчество?

— Николаевич, — вежливо сообщил я. — Что же вас интересует?

— Мои пропавшие деньги, что же еще! Я уже пыталась кое с кем проконсультироваться, но мне дали понять, что здесь не на что надеяться. Это так?

Именно сейчас огорчать Веронику Иосифовну не следовало, поэтому я пообещал ей этот вопрос выяснить. Скажем, через день-другой. Хотя и ежу было понятно, что доллары ее плакали.

— Вы не подписывали с Кудимовой никакого соглашения, отдавая деньги? — на всякий случай поинтересовался я, хотя и это на самом деле не имело никакого значения.

— Разумеется, нет! — громоподобно воскликнула Блох. — Все делалось по-соседски, на доверии, но при свидетеле — этом самом фотографе. Я ни секунды не сомневалась, что Лариса долг вернет. Мне ли было не знать ее бедственного положения, я просто не могла ей не помочь... Нервничать я начала только после того, когда они перестали подходить к телефону. Честно говоря, мне стало очень даже не по себе...

— Лунц присутствовал при передаче Кудимовой полутора тысяч долларов? — перебил я свидетельницу. — Вы это определенно помните?

— Да, — она взглянула на меня озабоченно, — Лунц... Именно такая у него была фамилия. Лариса тоже говорила «Лунц», а бедная Гелечка называла его «Сережик»... Еще в тот день, ну, второго, когда он звонил в дверь, я, знаете, хотела его остановить и спросить о деньгах. Но он так быстро юркнул в квартиру, будто провалился...

Вероника Иосифовна забыла не только о чае, но, казалось, и о моем существовании. Глаза ее блуждали по комнате в тщетной попытке хоть за что-нибудь зацепиться. Будто она тонула, а на поверхности воды не было ни соломинки. Потеря сбережений, три трупа за стеной плюс походы в прокуратуру, видно, здорово выбили эту симпатичную даму из привычной колеи.

— В своих показаниях вы утверждаете, что около шести вечера видели на площадке лестницы мужчину, похожего на Лунца, — вернул я ее к действительности. — Это был действительно он или вы не совсем уверены?

Ни одной живой душе я не намеревался сообщать о том, что соседи с четвертого столкнулись с Лунцем в девятнадцать ноль-ноль и что фотограф имел собственный ключ от двадцать седьмой и только в крайнем случае стал бы звонить в дверь. Незачем спешить, подталкивая женщину, якобы видевшую Лунца, к мысли, что она ошиблась. Еще не время сличать ее показания с показаниями супружеской пары. У следствия была Блох, а у меня кое-что иное. Счет открыт: один-один. С равным успехом и то и другое могло оказаться ошибкой.

— Значит, вы уверены? — повторил я.

— Господи! — воскликнула Вероника Иосифовна, вздрогнув от звука моего голоса. — О чем вы? Я не из тех, кто сует нос в замочную скважину. Повторяю — я видела спину этого фотографа с полминуты, не больше. Лариса буквально втащила его в квартиру и сразу же захлопнула дверь, не обратив внимания на меня...

— Но это был все-таки Лунц?

— Я не видела лица. Он не оборачивался. А кто это мог быть еще? Его короткая куртка — кожаная, несмотря на то что было тепло, даже душно; эта прическа — знаете, когда мужчины стягивают длинные волосы на затылке резинкой в пучок; выцветшие заклепанные штаны... Он часто к ним приходил и раньше, еще до возвращения Ангелины. Не скажу, чтобы я его хорошо знала, просто фигура примелькалась. Говорили мы всего пару раз, включая и тот случай, когда он присутствовал при передаче денег... когда Ларисе все-таки удалось убедить меня, что все будет в полном порядке...

На Лунце, когда его обнаружили, были обычные трикотажные штаны от спортивного костюма фирмы «Найк». Но в доме были и джинсы, причем довольно потертые. Теперь мне оставалось задать один-единственный вопрос, пока Вероника Иосифовна вновь не погрузилась в траур по поводу невозвратимого долга.

— Припомните, в руках у фотографа что-нибудь было? Какая-нибудь сумка или сверток?

— Нет! — тут же отреагировала Блох. — Ничего! Как раз руки он держал в карманах куртки, будто мерз.

Я тихо возликовал. Два-один. Пока что я вел в счете.

— Вы уверены?

— Такая у него была привычка, — сообщила свидетельница. — Даже когда мы с Ларисой обсуждали условия, он стоял у окна в кухне, засунув руки в карманы.

Ликовать все-таки было рано. Потому что еще немного, и я сам окончательно вобью в голову Вероники Иосифовны, что видела она не кого-либо, а именно Лунца.

— Сумка могла стоять на полу. Это же элементарно. Снял и поставил. Вы просто могли не обратить внимания.

Она посмотрела на меня как на слабоумного.

— Нет и еще раз нет! — раздраженно пробасила Вероника Иосифовна. — За кого вы меня принимаете? Я открыла дверь и выглянула. Ваш фотограф уже входил в квартиру соседей — руки в карманах, хвостик на затылке, плечи подняты. Мелькнуло лицо Ларисы. Все. Между прочим, я тут же поняла, что Лариса все еще не готова объясниться со мной по поводу денег...

— И это было в шесть вечера?

— Более-менее. Не стану утверждать, что ровно в шесть, — отрезала она. — Но никак не раньше. И не намного позже. После шести у меня был международный звонок, а Лотта без конца лаяла, мешала нормально поговорить...

Это я уже знал. Чтобы она не стала повторять протокол с самого начала, я попросил принести стакан воды. Лотта дрыхла, развалившись у моих ног, и я понадеялся, что Вероника Иосифовна не станет выдворять меня на улицу в ближайшие десять минут, — и угадал.

Ее гостеприимство пошло гораздо дальше водопроводной воды. Когда Вероника Иосифовна вернулась, на круглом жостовском подносике перед ней находились стакан томатного сока и горка подсоленных сухариков.

Под хруст, производимый мной и немедленно пробудившейся Лоттой, Блох осторожно спросила:

— Он и в самом деле убил всех троих?

Я поперхнулся. За последние двадцать минут этот вопрос прозвучал уже дважды.

— Кто?

— Ваш подзащитный.

Я тряхнул головой.

— Ни в коем случае. На худой конец — кого-нибудь одного. Но никак не больше.

— Я тоже так думаю! — с энтузиазмом воскликнула она, не замечая моей кислой иронии. — И знаете, кто это мог быть?

— М-м?

— Лариса! Она, и только она!

— Почему? — ошарашенно поинтересовался я.

— Знаете, Николай Егорович, — возбужденно блестя глазами, заторопилась свидетельница, — я была знакома с Ларисой не меньше пяти лет. И я могу вам сказать...

Я не прерывал Веронику Иосифовну, несмотря на то что в запале она начала меня с кем-то путать. Бог с ней, зато есть надежда, что в ее сбивчивом монологе мелькнет хоть какая-то мелочь, которая поможет найти ответ на мои собственные вопросы. Без этого нечего и думать опровергать выводы следствия.

Однако из всего, что я узнал о характере, привычках и вкусах старшей Кудимовой, можно было заключить лишь то, что покойная была настолько возбудимой, чувственной и нервозной особой, что могла сама спровоцировать агрессию. Буквально напроситься на нож. Будто только и делала, что именно этого и добивалась. Прямо тебе Кармен. Ну и еще кое-что об «интересном» возрасте.

— А Лунц? — снова вернул я к действительности Веронику Иосифовну. — Ведь он был крепкий молодой мужчина! И даже не попытался защитить мать своей девушки...

— Но ему же совершенно невыгодно было это делать! — вскричала Блох. — Зачем? Она им только мешала...

Женщина внезапно осеклась, будто наткнувшись на препятствие, побагровела от досады, насупилась, и я сообразил, что на этом — все. Больше она не издаст ни звука, ибо поняла, что сболтнула лишнее.

— Скажу вам откровенно, уважаемая Вероника Иосифовна, — я тронул расстроенную вконец хозяйку дома за пухлое плечо и даже слегка встряхнул его, — я не верю, что мой подзащитный вообще кого-либо убивал. Ни Ларису Борисовну, ни ее дочь, ни Лунца, которого, между нами, совершенно не знал. Но это нуждается в доказательствах. Поэтому я прошу вас попробовать еще раз вспомнить тот день, вернее, отрезок времени от пяти до восьми вечера.

— Я бы и рада вам помочь, — с виноватым вздохом проговорила женщина, — но...

— Итак, — я деловито извлек блокнот и ручку, — в 17.30 Лотта залаяла под дверью и вы, прежде чем открыть, взглянули на часы в прихожей.

— Да. Именно так.

— Глазка в двери у вас нет, и вы просто приоткрыли ее. Почему?

— Я подумала, что это соседка, хотя и не слышала звонка. Я ее ждала.

— На площадке стоял незнакомый вам мужчина. Он оглянулся на выскочившую с лаем собаку и поздоровался. Затем Лариса Кудимова впустила его в квартиру и вы разочарованно заперли свою дверь...

— Совершенно верно.

— Прошло еще полчаса, вы занимались своими делами, но Лотта вела себя беспокойно, и вы снова направились в прихожую, — предположил я. — Значит, где-то около 18.00 вы подумали, что Лариса Борисовна все-таки решила зайти к вам, и, предупреждая ее звонок в дверь, поспешили открыть?

— Нет, было не так, — возразила Вероника Иосифовна. — Все дело в том, как Лотта реагирует на шум за дверью. У Кудимовых довольно громкий звонок, трель, он Лотту раздражает, и если в него звонят долго, собака беспокоится и лает. В остальных случаях она негромко рычит под дверью. Когда звонят мне, она также громко лает. Во второй раз я открыла дверь потому, что Лотта настойчиво залаяла и осталась сидеть в прихожей. Прогнать я ее не смогла и поэтому открыла, чтобы выяснить, в чем там дело. На площадке стоял этот фотограф и трезвонил. Когда Лариса открыла, они с ней не обменялись ни словом и он вошел.

— Без сумки?

— Без сумки. Руки в карманах и все такое прочее, я уже говорила.

— Это было ровно в шесть?

— Клясться не буду. — Блох пожала плечами. — Около того. Что касается Лотты, то она в этот вечер, по-моему, вообще от двери не отходила.

Наконец-то это прозвучало. То, что для меня было самым важным. Выходит, что в течение двух часов — с половины шестого и до выхода свидетельницы на прогулку с собакой — на площадке пятого этажа в квартире Кудимовых то и дело звонил звонок или хлопала входная дверь.

— А когда вы отправились гулять?

— Вот уж это я помню точно, — оживилась моя собеседница. — В семь пятнадцать. Как по расписанию.

— Насколько я понимаю, на площадку вы больше не выглядывали?

— Нет. Я говорила по телефону, ждала, когда перезвонят, и не могла отойти.

— А Лотта?

— Как помешанная! В общем, сплошные нервы. В десять минут восьмого я повесила трубку и сразу же вышла с собакой на улицу.

— Таким образом, — подытожил я, — в промежутке между 18.45 и 19.15, когда вы были заняты переговорами с вашими близкими, Лотта активно реагировала на какие-то события за дверью. Как вы думаете, Вероника Иосифовна, не может ли такое поведение собаки свидетельствовать о том, что, помимо моего подзащитного, которого вы видели, в квартире вашей соседки побывал кто-то еще?

Свидетельница посмотрела на меня очень внимательно.

— Вполне. — Она кивнула. — В обычные вечера Лотта ведет себя тихо. А тогда был сплошной собачий дурдом... Но мне было не до того.

Все. Как свидетель Вероника Иосифовна исчерпалась. Я выжал ее до кожуры. Оставалось лишь спросить, не видела ли она, выйдя на улицу с Лоттой, машину Варшавина на площадке у мусоросборника.

Ответ я получил немедленно. Он был отрицательным.

На всех парах я понесся в прокуратуру, затребовал дело Варшавина и вцепился в него. Я дрожал, как легавая, учуявшая утиный выводок, перелистывая пухлый второй том, и не заметил, как в кабинет, дымя «Совереном», вплыл Гаврюшенко. Был он в плаще нараспашку и в кожаной кепке а-ля Лужков.

— Ну что, познакомился?

— С чем, Алексей Валерьевич? — вежливо поинтересовался я.

— Не с чем, а с кем! — Он подозрительно уставился на меня. — С Варшавиным, ясное дело!

— Само собой, — ответил я.

— И как?

Я вздохнул и пожал плечами.

— А ты думал! — удовлетворенно проговорил Гаврюшенко и не спеша удалился, позабыв прикрыть за собой дверь.

Думать у меня времени не было. Я рыл. В деле Варшавина вскоре обнаружились три факта, а если уж быть точным — их отсутствие. Первое: при осмотре места происшествия никто не обратил внимания на сломанную защелку. Она не удостоилась даже упоминания. В соответствии с показаниями владелицы Лотты Лунц заявился домой около шести и был последним из числа постоянных обитателей двадцать седьмой. Позвонил, ему открыли. Дальше выстраивалась следующая последовательность. Машинально нажав кнопку защелки в прихожей, фотограф проследовал в гостиную, где оставил кофр с аппаратурой и принесенной с собой выпивкой. С этого самого момента дверь была заблокирована. Изнутри. И кто бы ни оказался убийцей, покинуть дом он мог, только открыв защелку. И не иначе.

Можно, конечно, допустить, что поломка стопора защелки произошла гораздо раньше. Задолго до интересующих нас событий. Просто, как говорится, руки не дошли починить.

Этот вариант я отмел с порога. По причине того, что под обувным шкафчиком в прихожей наткнулся на следы засохшей крови, очевидно принадлежавшей Лунцу. Крови там было порядочно — граммов сто пятьдесят. Часть ее смешалась с пылью, часть свернулась и засохла. При этом на тюбиках с кремом следы крови были, а на металле защелки полностью отсутствовали. Случайность? Я так не думал.

Второе состояло в том, что в деле отсутствовали какие бы то ни было сведения о ключах в кофре Лунца. Хотел бы я дознаться: почему фотограф, имея ключ, принялся настойчиво трезвонить в дверь? Ну допустим, он на взводе, рассеян, ключи завалились за подкладку, рыться и искать их ему было лень...

«Где рыться-то? — тупо спросил я сам себя, таращась в пустоту кабинета. — Ведь звонил-то он, стоя перед дверью с пустыми руками!.. Кто же тогда доставил в двадцать седьмую кофр, где лежала бутылка «Суворовской» с отпечатками Лунца?»

На все эти вещи, не считая ключей, следствие посмотрело сквозь пальцы. Что называется, оставило за пределами оперативного поля. Гаврюшенко не хуже меня знаком с показаниями соседей с четвертого и мадам Блох, но использовал их далеко не полностью. В первых кофр присутствует, во вторых его нет и в помине. То есть он уже находится в квартире.

Теперь — время. Я-то для себя уже начал складывать кое-какие кубики, но в блокнот записал коротко: «Утверждение единственного свидетеля, что он видел Лунца около 18.00 входящим в квартиру Кудимовых, защитой может быть поставлено под сомнение». И все.

Что касается защелки, то здесь я не мог довериться даже собственному блокноту. Использовать ее в качестве доказательства невиновности Варшавина я не мог. Она лежала у меня в кармане, одним своим присутствием обеспечивая мне обвинение в сокрытии улики. Кроме того, официально я никогда не бывал в квартире номер двадцать семь.

Больше всего меня сейчас интересовало — пересеклись ли Варшавин и Лунц? Видел Варшавин фотографа или ушел раньше?

И наконец, третье. Следствие начисто отбросило версию, что между 18.00 и 19.15 на месте преступления мог побывать кто-то еще, кроме моего подзащитного и Лунца. Старшему следователю Гаврюшенко какой-то там мопс, тем более женского пола, не указ. Однако по здравом рассуждении эта версия должна была рассматриваться наравне с другими.

Ничего подобного. Не для того они шьются, эти толстые тома, чтобы в них содержалась хотя бы крупица сомнения.

Но я-то теперь знал, что Лотта беспокоилась неспроста. Потому что чужой — назовем его «икс» — в шесть или немногим позже нажал на кнопку звонка Кудимовых, извлекая из него ненавистную для Лотты трель.

Его спину в короткой, совсем как у Лунца, кожаной куртке видела Вероника Иосифовна Блох второго сентября на лестничной площадке. Я уже почти был готов написать на чистом листке слово «исполнитель», но меня удерживали от этого две вещи.

Молчание Варшавина и проклятая защелка, которую я сам же и откопал. Эта железяка сводила на нет версию с «иксом». Если именно он ликвидировал всех жильцов двадцать седьмой, то каким образом он ее покинул?

И кто этот «икс» такой, черт бы его побрал?

Глава 7

Давненько не бывал я в нашей Опере.

Это вовсе не означает, что раньше мои посещения театра отличались завидной регулярностью. Если быть точным, за все годы, прожитые в этом городе, я приобщился к высокому искусству дважды: на первом курсе нас в принудительном порядке забросили десантом слушать «Аиду», да еще раз, как-то в дождливый вечер, я забрел на балетный спектакль под названием «Арабески», пригрелся в полупустом зале и уснул в плюшевом лысоватом кресле восемнадцатого ряда.

Но все это имело место в здании старой Оперы, и пока я, духовно нищий, постигал азы юриспруденции, в городе вырос шедевр современной провинциальной архитектуры — новый музыкально-драматический театр, о котором ходили невнятные, но зловещие слухи. Я видел его только снаружи, из окна троллейбуса, — здание больше походило на полуразрушенный халдейский зиккурат, чем на храм, в котором вечерами звучит великая музыка.

Помещение театра предназначалось городскими властями и для торжественных официальных актов. Поэтому поговаривали, что под ним на три этажа в глубину располагаются подземные бункера — на случай термоядерного конфликта, — от которых берет начало километровый туннель, соединяющий здание новой Оперы с резиденцией горадминистрации.

Не поручусь, что там творилось в базисе, но за последние годы надстройка приобрела фантастический вид: перед фасадом театра били фонтаны, ржавели ажурные металлические скамейки, в подвальных закоулках открылись кафе, частные лавки и пункты обмена валюты. Внутри громоздкая коробка, облицованная каким-то ржаво-черным камнем, продувалась сквозняками, а по бесчисленным зигзагам коридоров бродили привидения.

Слухи, о которых я упомянул, будоражили воображение горожан. Среди них самым впечатляющим было бесследное исчезновение администратора театра по фамилии Брук. Он сгинул при неустановленных обстоятельствах два года назад, а спустя несколько месяцев прокуратура закрыла это дело.

Перед тем как отправиться на вечерний спектакль — шел, разумеется, «Евгений Онегин», — я поинтересовался историей этого Брука. На всякий случай. На самом деле администратор был мне ни к чему. Истинной причиной был второй том уголовного дела номер 66.949.88, над которым я сегодня просидел не меньше трех часов.

Смокинга я еще не нажил, но пристойные полуботинки у меня уже имелись. К ним отыскались темно-синие брюки, которые я, чертыхаясь, битый час доводил утюгом до ума через газету «Ведомости», светлая рубашка, скользкий, похожий на тропическое пресмыкающееся галстук, узел которого обошелся мне еще в полчаса. И наконец пиджак — в сумерках очень даже еще ничего. Длиннополое пальто, мягкая шляпа — не знаю, был ли я в этом прикиде похож на корреспондента столичного информагентства, однако, опоздав на спектакль, именно таковым представился средних лет шатенке, скучающей за стойкой гардероба, а затем окончательно растопил ее сердце, взяв напрокат бинокль и заплатив за программку.

Вручив мне номерок, женщина посоветовала подождать окончания первого действия, после чего осторожно полюбопытствовала, о чем я намерен писать. Мои пальто и шляпу она повесила отдельно от двух сиротских кожанок. Никакой другой одежды в ее отсеке гардероба не просматривалось.

Пробормотав, что, понятное дело, не роман, — при этом женщина настороженно взглянула на меня своими светло-карими, круглыми, как обкатанная галька, глазами, — я поинтересовался, не слышала ли она о пропавшем администраторе Бруке.

Лоб гардеробщицы разгладился, рыжеватые брови взлетели вверх, и она быстро спросила:

— А откуда вы о нем знаете?

— Видите ли, в КДС недавно произошел совершенно аналогичный случай, — соврал я.

— В КДС? — Брови женщины поползли еще выше.

— В Кремлевском Дворце съездов, — снисходительно пояснил я.

— Быть не может! — воскликнула женщина. — Как это случилось?

Вразрез с моими планами минут десять пришлось извести на чистейшее вранье, украшая его столичными байками второй свежести. Я фантазировал с такой жуткой убедительностью, что окончательно заморочил голову служительнице, и только тогда решился на довольно рискованный шаг.

— Поговаривают, — произнес я, — что в исчезновении Брука сыграла какую-то особую роль женщина, работающая в театре. Какая-то известная певица...

Это была стихийная импровизация, но гардеробщица мгновенно проглотила наживку.

— Неправда! — возмущенно зашептала она. — Ильина не имеет к этой истории никакого отношения. Вы знаете, кто ее муж?

Я не знал.

— К тому же Галина Кузьминична уже давно не служит в труппе, — продолжала моя собеседница вполне простодушно. — Брука очень неплохо знала моя приятельница Лара Кудимова, она тогда еще работала у нас гримером, и Брук... ну, в общем... оказывал ей знаки внимания.

— А с вашей приятельницей можно побеседовать? — спросил я, чувствуя себя зарвавшимся шулером.

Ее розовое добродушное лицо мгновенно поблекло, углы нарисованных морковного цвета помадой губ опустились.

— Боюсь, что нет, — без звука выдохнула она. — Ларочку убили... Совсем недавно.

— Какой ужас! — Я навалился на стойку, вперил в гардеробщицу мистический взгляд и, как скверный актер, придыхая, зашептал: — А эти две истории... исчезновение Брука и смерть вашей знакомой... они не могут быть как-то связаны? Вы ведь дали мне понять, что администратор ухаживал за покойной...

До сих пор мне везло: она была доверчива, как первоклассница, и сразу же приняла мою версию за чистую монету.

— Никакого отношения! — отчеканила женщина, вновь розовея и энергично встряхивая тугим перманентом. — Брук положил глаз на Ларису, но он был не в ее вкусе. У нее и без него хватало ухажеров. Он исчез днем, сказал, что идет в столярную мастерскую; вместе с ним из кассы пропала довольно крупная сумма денег. Последним его видел Прилуцкий, который уже на пенсии, наш главный балетмейстер. Тогда как раз восстанавливали «Дон-Кихота»... А Лариса обычно работала по вечерам...

— Расскажите мне о ней, — попросил я как бы мимоходом, но женщина неожиданно охотно откликнулась.

— О, Лариса всегда была интересной женщиной, — проговорила она. — Ну, в смысле внешности. Следила за собой, старалась держать форму. Она жила вместе с дочерью. — Глаза моей собеседницы совсем округлились, в них плавал страх пополам со страстным желанием кому-нибудь выложить свою версию случившегося.

Я был именно тем благодарным слушателем, которого ей недоставало, но тут первое действие закончилось и народ беспорядочно повалил из зала. Вокруг стало слишком шумно.

— Как вас зовут? — спросил я гардеробщицу.

— Таисия Петровна. — Она зарделась совсем по-детски.

— Я немного поброжу по театру и вернусь к вам, если не возражаете. Вы ведь не против?

— А спектакль?

— Я видел его, Таисия Петровна, восемь раз. — Соврать мне было уже легче, чем прикурить сигарету. — А вы такой потрясающий собеседник!..

Сдержанно кивнув и улыбнувшись, я прямиком отправился в курительную, на ходу распечатывая свежую пачку «Ротманс», и принялся ломать голову, как повести себя, чтобы не спугнуть информатора. Я нюхом чуял, что эта Таисия Петровна готова поведать еще немало любопытного.

Так ничего и не придумав, я поднялся по парадной мраморной лестнице на второй этаж, ища глазами буфет. На ходу я оглянулся — моя гардеробщица стояла спиной ко мне, оживленно разговаривая с тощей старушкой в синем сатиновом халате. Протрещали два коротких звонка — и я заторопился наверх.

Народу в полутемных коридорах, охватывавших полукольцом зрительный зал, было немного. Бесчисленные закоулки, погруженные в сумрак, и в самом деле создавали впечатление, что вот-вот из-за угла на тебя набросится какое-нибудь порождение болезненной фантазии сотрудников киностудии «Дримуоркс». Пусто, гулко, и пахло к тому же дезинфекцией пополам с сырой землей.

Поэтому ослепительная иллюминация буфетного зала как-то сразу согрела мою одинокую душу. У стойки, за которой маячил лоснящийся мокрым пробором молодчик в гитлеровских усиках, я проглотил чашку скверного кофе и приобрел большое восковое яблоко для Таисии Петровны. Цены были фантастические — как в первоклассном ресторане.

Третий звонок поймал меня на сомнительном желании пропустить граммов пятьдесят коньяку. Однако я разочаровал буфетчика и спустился в гардероб.

Женщина меня ждала, и это было видно по ее настороженно-оживленному лицу.

— Однако, — заметил я, вручая ей яблоко, — у вас тут не соскучишься. Такая, знаете ли, специфическая атмосфера...

— Холодно здесь зимой, — пожаловалась гардеробщица. — В старом театре было куда уютнее. Отопление паршивое, народу сейчас ходит мало. И вообще...

Что-то она заподозрила. Буквально на глазах ее желание продолжать разговор сходило на нет. Прямо пропорционально тому, как я начинал суетиться. Нужно было срочно менять тактику.

— Видите ли, Таисия Петровна, — проговорил я как можно доверительнее. — Хочу сделать одно признание. Никакой я не корреспондент... Скорее наоборот.

— А кто же вы? — испугалась женщина.

— Я юрист. И интересует меня как раз убийство Ларисы Кудимовой, ее дочери и фотографа Сергея Лунца.

Женщина вздрогнула, отшатнулась, ее вялые морковные губы поджались.

— Мы ничего не знаем, — торопливо проговорила она. — Мы уже все сказали следователю.

— Мне известны результаты расследования. — Я обругал себя законченным кретином, но отступать было некуда. — Но вы-то, как умный и наблюдательный человек, как близкий друг этой семьи... вы просто обязаны были составить собственное мнение о том, что произошло. Ведь так, Таисия Петровна?

Колеблясь, она довольно долго раздумывала, а потом пробормотала:

— У Ларисы в последнее время появились очень странные знакомства... Какие-то воротилы с рынка, парикмахерши с сумками косметики, торговцы дешевым спиртным. Я ее предупреждала, что добром это не кончится, а она только смеялась: «Всем кушать хочется!..» Спровадила девочку на заработки за границу... — Гардеробщица взглянула на меня, жалобно сморщившись. — Знаете, следователю я ничего такого не говорила... Несколько месяцев мы с Ларисой не виделись, только перезванивались. Что вы хотите, чужая душа — потемки. Но и ее можно понять — после того как она потеряла работу, у них вообще пошла сплошная черная полоса. Они обе столько пережили...

— Значит, в старом театре все было иначе? — Я вновь нетерпеливо перебил Таисию Петровну. — Лучше?

Женщина недоуменно уставилась на меня.

— Господи! — воскликнула она. — Да конечно! Ведь у Ларисы была приличная работа, девочка заканчивала балетное училище... Квартира была, нормальные люди вокруг...

От напряжения у меня взмокла поясница. Еще немного, и этот слабый ручеек информации окончательно иссякнет, подумал я.

— Вместе с Кудимовыми был убит мужчина. Сергей Лунц. Вы его знали?

— Да нет... то есть не очень хорошо, — сказала Таисия Петровна. — Он часто сюда приходил, это правда. Еще в старом здании. Много снимал — кордебалет или когда всякие там вечера, опять же гастролеры...

— Он что, работал здесь?

— Что вы! — Женщина казалась удивленной. — Я не знаю, откуда он взялся, но в театре вел себя как свой. Со всеми здоровался, шутил. С Ларисой они сблизились, когда ее дочь уехала. Она очень скучала без Гелечки, а он ее развлекал, иногда провожал после работы.

— Вы хотите сказать, что у них был роман?

— Ни-ни, как можно! Ей было за сорок, а фотограф моложе ее минимум лет на десять... Она мне ничего такого не говорила. Ну а к тому времени, как мы переехали в новое здание, начались дрязги, пришел новый директор, пополнили труппу, кое-кого уволили. Словом, интриги. Лара очень переживала, а фотограф вроде бы ее поддерживал... А вскоре и ее уволили — по сокращению.

— А ее дочь вы хорошо знали?

— Еще бы. Геля и выросла на моих глазах. — Женщина сокрушенно тряхнула химическими кудряшками. — Но последние несколько лет она жила отдельно от матери... Строптивая девочка, с гордецой. Ну и красивая, само собой...

— Лунц был увлечен дочерью Ларисы?

— Чего не знаю, того не знаю. Врать не буду. А что вас интересует-то? — Таисия Петровна уже не скрывала, что ее единственное желание — по-быстрому избавиться от меня. — Ангелина?

— Да, — кивнул я. — И она также...

— Ирочка! — вдруг окликнула женщина кого-то за моей спиной. — Подите сюда! Вы уже освободились? Идите-идите... А вам, молодой человек, я верну ваши пальто и шляпу!

Я оглянулся. Высоким свободным шагом, ставя носки аккуратных коричневых ботинок как острия развернутого циркуля, к нам направлялась среднего роста девушка в легком пальто нараспашку и берете. Лица ее я еще не видел, но даже на расстоянии чувствовалось, что выражение у него, как у мраморной статуи.

— Ирочка дружила с Гелей. Очень близко, — вполголоса сообщила мне гардеробщица, подавая пальто. — Поговорите-ка лучше с ней...

Она помахала мне на прощание, а я шагнул к девушке и бесцеремонно взял ее за острый локоток, уводя от амбразуры гардероба.

— Куда вы меня тащите? — зашипела Ирочка. — Пустите! Вы кто такой?

Мы остановились у выхода, и я довел до ее сведения, что являюсь адвокатом Варшавина и мне необходимо с ней поговорить.

— Почему я должна вам верить?

— А почему нет? — парировал я. — Давайте выйдем на улицу, прошу вас... Я покажу документы. Под ближайшим фонарем.

— Покажите здесь.

Я вздохнул и вынул бумажник. Она повертела «корочку» перед самыми глазами, близоруко щурясь, возвратила мне документ и вздохнула:

— Пошли. Прово́дите меня до остановки. Тут столько всякого народу крутилось в последнее время... А полгода назад один противный тип меня просто-таки достал; между прочим, тоже утверждал, что он юрист... Я согласна с вами побеседовать лишь по единственной причине: Володя не мог никого убить...

Мы остановились под тусклым, грубо сляпанным под старину фонарем, и девушка стала нервно рыться в сумочке в поисках сигарет. Пальцы без перчаток были у нее хрупкие и коричневатые, будто из кипарисового дерева; лицо с наспех снятым гримом — усталое и замкнутое. Неровные мелкие зубы, острый нос, впалые щеки — ей можно было дать и четырнадцать, и все тридцать три.

— Почему, Ирина, вы убеждены, что Варшавин не убийца? Вы с ним хорошо знакомы?

— Да, я давно его знаю.

— И вы уверены, что Владимир Александрович не имеет к убийству никакого отношения?

— Он не мог бы Гелю и пальцем тронуть. Знаю, и все, — упрямо, почти злобно повторила она.

Я щелкнул зажигалкой, давая девушке огня, закурил сам и спросил:

— А остальных?

— Какое Володя имел к ним отношение? — Не впервые на меня сегодня смотрели как на отстающего в развитии переростка. — С матерью Гели он не враждовал, а Лунца не знал совершенно. Еще есть вопросы?

— Да. У Варшавина с Ангелиной Кудимовой была связь? Как долго? Почему они расстались?

Девушка поморщилась и резко отшвырнула наполовину сгоревшую сигарету.

— Связь! Вы выражаетесь, как тот лжеюрист. Он очень хорошо относился к Геле. Они жили вместе, снимали квартиру. Геля была избалована матерью, но с Володей у них до поры все было нормально... А разве он вам не рассказал?

— Нет.

— Ну и я не буду ничего об этом говорить.

— Ирина! Послушайте. — Я придержал ее за руку, видя, что девушка собирается уйти. — Варшавина ожидают большие неприятности. Чтобы ему помочь, я должен во всем разобраться.

— Так разбирайтесь. — Она взглянула на меня исподлобья. — Спрашивайте быстрее, я устала и уже замерзаю.

— Ангелина работала у него в «Тихуане»?

— Да. И я работала.

— Долго?

— Год.

— И они продолжали жить вместе?

— Какое-то время... Потом Геля уехала. Сначала в Сирию, а после того как бросила театр, еще несколько раз выезжала.

— Как у нее было с матерью?

— Напряженно. Но когда Геля окончательно вернулась, на этот раз из Греции, у нее уже не было выбора и она поселилась у матери.

— После ее возвращения вы встречались?

— Вы имеете в виду — с Варшавиным?

— И с ним тоже.

— С Володей — нет. А с Гелей — несколько раз. Она очень изменилась. И мне активно не нравился Лунц, с которым она проводила почти все время. Скользкий субъект. Без конца уговаривал нас с ней сняться...

— Сняться?

— Ну да. Вместе. Тогда у фотографов были в большом ходу все эти голубые и розовые парочки... После этого я перестала ей звонить. Может, хватит?

— Ладно, — сказал я. — Где ваша остановка?

Мы медленно побрели к автобусу. Чувствовал я себя, как после смены в каменоломне. Ну и денек...

— Ира, — наконец не выдержал я, — скажите, когда и где вы видели Гелю в последний раз? В самый последний?

— Давно, — сказала она. — Весной. Она пришла в кафе сюда, в новое здание. Да, и еще потом.

Она зачем-то появилась у нас на репетиции. Но быстро ушла.

— Какой она вам показалась?

— Как всегда: делала вид, что совершенно счастлива и все у нее идет лучше некуда. Собиралась снова куда-то ехать... если Лунц отпустит. Говорила, что он хочет на ней жениться. Что подарил ей золотой браслет... А сама одета в тряпки из секонд-хэнда. По мне, так Лунц спустил все, что она заработала в поездках; Гельке даже в голову не приходило, что она содержит его, и сама она стала какая-то фальшивая, как декорации в старых балетах... Не хочу я об этом говорить! И не вздумайте меня впутать в эту историю — больше того, что я вам сказала, ничего добавить не смогу. Вам ясно?

Я вздохнул. Куда уж яснее. Спасибо и на том.

Так я и сказал Ирине, прощаясь.

Автобус притормозил на пустой остановке, скрипнул дверью и отчалил, увозя девушку, которая в прошлом так хорошо знала Варшавина и всех тех, кого, по ее твердому убеждению, он и пальцем тронуть не мог.

Глава 8

Всего четверть десятого. В эту пору Татьяна на балу как раз обсуждает с испанским послом отдельные геополитические проблемы, а Онегин с генералом Греминым толкуют насчет преимуществ простой и здоровой сельской жизни.

Вполне можно вернуться и поглазеть на сцену еще с полчаса, тем более что слух у меня далеко не идеальный и мне побоку, что деревянные духовые в оркестре безбожно врут.

Вместо этого я поднял ворот пальто, пересек проезжую часть, миновал сквер с реликтовой аллеей, обсаженной бюстами комсомольцев-подпольщиков, и свернул в переулок.

В блокнот я даже не заглядывал, потому что дом, где находилась студия Лунца, знал в городе всякий.

Массивная «сталинка» с высокой, до третьего этажа, аркой и пузатыми колоннами, обвитыми виноградными лозами толщиной с хорошего удава, на местном жаргоне называлась «Магнит». Много лет подряд под этой аркой собирались сначала полоумные филателисты и коллекционеры значков, потом книжники, а уж за ними — компьютерная тусовка. Со временем и эти перебрались в более комфортабельные интернет-кафе, осиротив здешнего участкового, имевшего с тусовок стабильный приварок.

Фасадом «Магнит» выходил на улицу маршала Василевского, имел в плане форму почти правильного квадрата, разомкнутого аркой, а в правом дальнем углу двора, в подвале пятого подъезда, как раз и находилась студия, которую Лунц содержал в паре с неким Аркадием Волосцовым, представлявшимся как независимый живописец, кавер-дизайнер и постановщик арт-шоу-программ.

Двор был густо налит бурой тьмой, которую не рассеивал даже свет из окон. Под ногами чавкали забитые палой листвой лужи, в кустах посреди двора шевелились какие-то подозрительные тени, помаргивая огоньками сигарет.

Двигаясь по периметру, я отсчитал пятую дверь от арки и уже протянул было руку, чтобы нашарить вход, как внезапно наткнулся на совершенно неразличимую в темноте фигуру.

Я отпрянул, фигура же продолжала стоять молча и неподвижно, посвистывая прокуренными легкими. Наконец человек щелкнул зажигалкой, осветив мое лицо.

— Если поссать, — произнес он без всякой интонации, — то греби отсюда. И по-быстрому. Достали вы меня...

Огонек зажигалки выхватил худое лицо, обросшее неопрятной бородкой. Глаза были необычные — почти прямоугольного разреза, густо-синие и такие яркие, что, казалось, должны светиться сами по себе, как у сиамских котов.

— С этим порядок, — миролюбиво сказал я. — Мне — в студию.

— А какого тебе там?

— Вообще-то мне нужен Волосцов.

Зажигалка погасла. На мгновение я ослеп.

— Мент, что ли? — мрачно спросили из темноты. — Опять?

Несложно было сообразить, с кем я имею дело.

— Надо поговорить, Аркадий, — сказал я. — В спокойной обстановке.

— Значит, мент. — Волосцов переступил с ноги на ногу и сокрушенно вздохнул. — У меня уже от этих ваших разговоров мозги набекрень... Ну чего надо? Я же отчитался по всем статьям. Две недели дрючили каждый день — и все по новой.

— Я не из прокуратуры. Моя фамилия Башкирцев. Я адвокат Владимира Варшавина.

— А это еще кто такой?

— Мой подзащитный. Его обвиняют в убийстве обеих Кудимовых и Сергея Лунца.

— Ну а я тут с какого боку? Сначала меня волокут в прокуратуру, потом через день дергают мальчики из следственного отдела, а потом приходит участковый Гулиев и заявляет — есть данные, что у тебя тут притон с дурью и торговля порошком навынос, после чего ласково смотрит в глаза. За что я ему должен платить? За дивной красоты усы и нерусскую фамилию? Теперь вот ты на мою голову свалился... Адвокат, прокурор — все вы одна кодла.

— Стоп! — сказал я. — К этим делам не имею никакого отношения. И мне плевать, притон у вас здесь или наоборот. Меня интересует Сергей Лунц — и ничего кроме.

Волосцов крякнул, повернулся и взялся за дверь.

— Лунц... — пробурчал он. — Пошли. Ни днем ни ночью покоя от вас нету...

В подъезде было еще темнее, зато тепло. Остро несло мочой. Художник снова посветил зажигалкой, и мы спустились на один марш вниз, где, повозившись с запорами, он отвалил тяжеленную стальную дверь бывшего бомбоубежища, за которой прорезалась полоса яркого, почти дневного света.

— Давай заходи, — проворчал Волосцов уже миролюбивее. — Располагайся.

Я осмотрелся. Студия состояла из трех довольно просторных помещений, выгороженных из старого бомбоубежища. Потолки были низкие, в пятнах протечек, под ними тянулись трубы теплосети и вентиляционные короба, но все равно воздух был тяжелый, неподвижный, с кисловатым привкусом известки и ржавого чугуна. Я вытащил сигарету, но Волосцов предостерегающе поднял палец:

— Здесь не кури. Я, например, хожу наверх. Вентиляция, падла, ни к черту. Не приведи Бог тут под бомбежкой отсиживаться...

Убрав пачку, я опустился на колченогую банкетку, поднял глаза и слегка оторопел.

Из простенка между колоннами прямо на меня уставилась нагая рыжеволосая девушка со смазливым кукольным личиком. Выражение его было самозабвенно-похотливым, а правая нога девушки отрезана выше колена. Очевидно, только что. Писано было прямо по бетону, весьма бойкой кистью, и зрелище в целом было малоаппетитное.

— Вот-вот, — прокомментировал Волосцов. — Из-за этой рыжей они меня и мордовали. Вплоть до ихнего придурка психиатра — не страдаю ли немотивированной тягой к убийству с расчленением или иными половыми девиациями. Оказалось — отнюдь.

— Да-а, — сказал я. — Впечатляет. Это ваша обычная манера?

Волосцов ухмыльнулся в бороду.

— Дурные игрушки... Если хочешь знать, всерьез я занимаюсь компьютерным дизайном — обложки там, проспекты, буклеты. Только сейчас в этом деле столько народу под ногами путается, что еле-еле на жизнь хватает.

Я еще раз обвел глазами помещение. Здесь было прибрано; инструменты, кисти, наборы дорогой гуаши и акриловых красок педантично расставлены на полках; в углу, рядом со старым, в буграх, раскладным диваном мерцал монитором компьютер — не что попало, а хороший «брэнд нейм». Сквозь проем, ведущий в соседнюю комнату, виднелось хозяйство, по-видимому принадлежавшее Лунцу: стационарный увеличитель на консоли, упирающейся в потолок, стеллажи, заваленные папками и конвертами из-под фотобумаги, плакат с Фудзиямой на стене.

В третьей комнате находилась собственно студия с подиумом для натуры и осветительной аппаратурой. Там же, похоже, и жили.

Я кивнул в сторону проема и поинтересовался:

— Как вам удалось арендовать этот бункер?

Вместо ответа мой собеседник презрительно фыркнул.

— В чем дело? — поинтересовался я. — Что-нибудь не так?

— Ладно. — Волосцов махнул рукой. — Проехали. Дело в том, что все до единого менты именно с этого вопроса и начинали. Потому довожу до сведения: никак. Помещение выкуплено. Владельцы — Волосцов А. Ф. и Лунц С. В., ныне покойный. Последнее обстоятельство, между прочим, очень заинтересовало следствие.

— Почему?

— А потому, что бывшая супруга покойного совладельца Ленка, с которой он развелся лет пять назад, в настоящее время является моей, говоря понятным народу языком, сожительницей. Интересно? Вот и выходит, что у меня имелись все основания взять и замочить Серого...

— Послушайте, Аркадий! — Я постепенно начинал заводиться. — Меня не интересует, какие версии крутили тут парни из следственной бригады. У меня другая задача — не дать засадить невиновного, причем пожизненно.

— А он что, невиновен? — живо поинтересовался Волосцов, вылупив на меня свои синие плошки.

— Естественно! — брякнул я.

— Ладно, — смягчился художник. — Так что тебе надо-то? Насчет Серого меня только что рентгеном не просвечивали.

— Обойдемся без рентгена. Скажите, Аркадий, в это лето у Лунца было много работы?

— У Серого? — Волосцов снова ухмыльнулся. — Лет пять-шесть назад — да. Был спрос. Он тогда снимал неплохо, пока не начал без конца повторять одно и то же. С нашим братом это бывает: встал в борозду — и поехало.

— Давно вы выкупили помещение?

— Через два года после того, как Серый с Ленкой развелись. Они продали квартиру, деньги поделили, часть ушла на долги, а часть он вложил вместе со мной в это дело. Мы с его бывшей супругой тогда и знакомы не были.

— А где он жил?

— Здесь. Где же еще? Пока у него не появилась Ангелина. В быту покойный был порядочный говнюк, и если бы не обстоятельства, я бы с ним давно расплевался. Но бабы от него тащились — страшное дело. Вот по этой части он был крупный спец. Сколько он их сюда перетаскал — счету нет. Дурдом. Потом, правда, чуть попритих. Особенно после того, как перебрался к Ангелине. Но все равно — чуть у них там выходила какая заруба, бежал ночевать сюда.

— А Кудимовы здесь бывали?

— Ангелина, что ли?

Я кивнул.

— Не раз. Она ему здесь и позировала. Классная девка. Сильная, красивая, но чересчур дерганая. Это ее портило. Танцевала отлично, но модель из нее никакая. Ноль. Тут другое требуется.

— А ее мать?

— Эту не видел. Только со слов. Серый ее звал тещей.

— Тещей?

— Ну да. Вроде того, что он собирается жениться на Ангелине и все дело было уже на мази. Он сам тянул: мол, поставим выставку, презентуем — и все, хорош крутить Чернобыль. Новая жизнь.

— То есть?

— А это такой технический термин. После восемьдесят шестого целое поколение фотографов заработало неплохие бабки на чернухе из зоны и вокруг. Все эти мертвые села, задичавший скот, последствия заражения, госпитали и тому подобное. У Серого этого добра — две полки. Только теперь это никого не интересует. Схлынуло. Теперь им подавай постмодерн. Что-нибудь вроде аутоэротики, понимаешь? А Серый тыкался туда и сюда, но нигде у него не контачило. Не тот человек. Одному деньги сами в руки идут — другой хоть в коровью лепешку расшибись. По крупному счету, он кругом был лопух-лопухом...

— А с Ангелиной? У них с Лунцем это было серьезно?

— Что в этом бардаке может быть серьезно, кроме собственных похорон? Серый хватался за все подряд, но ничего не доводил до ума. Планов у него всегда было навалом, но с выставкой вышел полный облом; к тому же деньги на нее он занял, даже не думая их когда-нибудь вернуть... Что касается Ангелины, то к ней он относился хорошо, как ни к кому. А так — кто их знает, в какие такие игры они между собой играли...

— Второго сентября вы были в студии?

— А где же мне еще быть? Я тут как крот — и днем и ночью. Покурить только выползу или к заказчику съездить. Распорядок как у зека. Теперь и Ленка сюда перебралась, так что все под рукой. Сейчас она на работе, но к одиннадцати будет как штык.

— В тот день она тоже была с вами?

— Нет. Я сидел один, пока Серый не нарисовался. Где-то после обеда, какие-то слайды хреновы ему понадобились. Но видно, не торопился, потому что с ходу завалился на диван — он его называл «Кавказ подо мною» — и стал философствовать, чего я на дух не переношу.

— Как он был одет?

— Серый? Да как всегда. Куртка эта рыжая, штаны тренировочные, теннисные туфли. Небрит. Он вообще-то следил за собой, но тут что-то выглядел паршиво.

— Кофр с аппаратурой был при нем?

— Еще бы. Это его вещь. Он с ним никогда не расставался.

— А потом?

— Часов в пять ввалился Борисов, тоже фотограф, с девицей. Он хоть с Серым и не очень, но ему только дай языком почесать. Серый стал клеиться к девице, а Борисов предложил выпить чуток. Закусить у меня было, и, пока Борисов бегал за бутылкой, только и слышно было, как его партнерша хихикает. Серый ее завел так, что хоть сейчас распрягай... А какие у него дела?.. Ну посидели немного, и Борисов со своей попутчицей тоже стали собираться. У него дом за городом, а электричка в 19.10...

— О чем говорили?

— Самый рядовой треп. Кто, где, с кем, за сколько...

— Лунц много пил?

— А что там было пить на четверых?

— Они ушли вместе?

— Да. Но только до остановки. Борисову с дамой нужно было на вокзал, а Серый собирался пройтись пешком. Настроение у него было уже вроде получше. Он под банкой всегда воспарял духом.

— Кофр он забрал с собой?

— Само собой!

— У этого вашего приятеля, Борисова, телефон есть?

— Есть.

— Он сможет подтвердить время, когда ушел из вашей студии?

— Почем я знаю? — Волосцов пожал плечами. — Борисов — фрик. Сегодня он говорит одно, завтра другое. А послезавтра вообще третье. Он думает, что если его альбом издали финны, так он гений. Может, он и в самом деле гений — Серый как фотограф рядом с ним просто пигмей, — но еще не было случая, чтобы Борисов пришел куда-нибудь вовремя или сделал, что обещал. Телефон я дам, только проку от этого скорее всего ноль.

— Спасибо, Аркадий, — сказал я. — Все-таки попробую. Значит, в половине седьмого...

— Ну да. А в восьмом часу явилась Ленка... А уже третьего к вечеру ко мне вломились менты. Пасть нараспашку, и разговор короткий. Подай им личные вещи Серого и доложи, где был сам и чем занимался. По секундам. Стали рыться в моем хламе, перетрясли архив и забрали пленки. Потом потребовали документы на подвал, я уперся и схлопотал по ребрам. Правда, не сильно. Очень резкие мальчики попались, ну и я тоже немного озверел. Короче, побили горшки...

— Вы сказали им, когда ушел Лунц?

— Хрена я им сказал! Пусть сами доискиваются. Заходил, ушел, когда — не помню, пьян был до синих соплей. Весь вечер работал. Слава Богу, второго, когда бедолагу Серого прикнопили, меня тут полдома соседей наблюдали у подъезда. Духота стояла сумасшедшая, в подвале чистая смерть, даже если дверь нараспашку. Мы с Ленкой взяли пивка и часов до десяти прокейфовали на лавочке напротив. На той, где сейчас малолетки пасутся, может, заметил?

Я снова кивнул, чувствуя странное облегчение. Несмотря ни на что, я оставался высокого мнения о профессиональных качествах старшего следователя Гаврюшенко. Было бы обидно обнаружить, что, располагая точными данными о времени возвращения Лунца, он сознательно гонит в документации туфту.

Кстати, а зачем, собственно, Лунц приходил сюда? И что еще за слайды? Ничего подобного в его кофре не было.

Я так и спросил.

— Фиг их знает, — покрутил кудлатой башкой Волосцов. — Что-то он искал, да не нашел. Нет, не помню, чтобы он что-то брал. Скорее всего обычный понт. Серый всегда напускал на себя жутко деловой вид, будто его заказчики на куски рвут. А на самом деле за последние полгода у него взяли всего пару постановочных работок, на обложку буклета какой-то колбасной фирмы...

Я выбросил слайды из головы и попросил продиктовать телефончик гения Борисова. И сразу же отчалил.

В самом начале двенадцатого я вынырнул из-под арки «Магнита» и зашлепал к стоянке маршрутки, надеясь еще застать последнюю. Хотя бы с этим мне повезло, и через пятнадцать минут я уже был в собственном логове, сбросил отсыревшее пальто и, не снимая промокших башмаков, схватился за телефон.

Гений сидел дома и явно не собирался спать. Голос у него оказался бодрый, картавый и насмешливый, но втолковать ему, кто я и какого лешего мне занадобилось в такое время, оказалось задачкой не из простых. Однако, врубившись, Борисов с геодезической точностью выдал мне расклад посиделок второго сентября в студии на Василевского.

Он и в самом деле подтвердил, что с Лунцем они расстались в половине седьмого на трамвайной остановке, и его девушка это тоже хорошо помнит, потому что они впритык успели на электричку 19.10 и она страшно нервничала по дороге, поскольку терпеть не может спешить, а следующая по расписанию только через полтора часа.

Я спросил, готов ли он засвидетельствовать это в суде, если возникнет необходимость. Вместо ответа гений поинтересовался, о чем там, собственно, пойдет речь, — будто мы с ним не точили лясы об этом битых полчаса.

Мне пришлось сказать, что пока не знаю, но для меня важно его принципиальное согласие.

— Нужно подумать, — веско проговорил Борисов. — Посоветоваться.

«Все, — сказал я себе. — С меня достаточно гениев. По крайней мере на сегодня».

Опустив на рычаг трубку, из которой все еще доносилось кудахтанье Борисова, я тупо уставился на заполненную в течение сегодняшнего дня страницу блокнота.

А минуту спустя схватился за голову.

У меня снова ничего не было на руках. Ни Варшавин, ни Лунц, ни тот, кого я обозначил «иксом», никого не убивали. Это было ясно как день. У «икса» еще был скромный шанс, но только при условии, что он был существом нематериальным до такой степени, чтобы взять и просто улетучиться. Например, через окно пятого этажа, что экспертиза железно не подтверждала.

Значит, должен был существовать кто-то еще. Этот «кто-то еще» побывал в двадцать седьмой после Варшавина и «икса». А может быть, и одновременно с ними... Не многовато ли для одного вечера? Или я окончательно запутался, или все это чистой воды бред. В этом случае все трое — Лунц, Варшавин и «икс» — должны были хорошо его знать.

Лунц в колумбарии, до «икса» мне пока еще не дотянуться. Остается только Владимир Александрович Варшавин, великий немой.

Глава 9

Я плохо спал в эту ночь.

И не только потому, что моя голова была нашпигована сырой и противоречивой информацией. Что-то меня беспокоило помимо этого, и какая-то часть сознания все время бодрствовала, ворочаясь среди завалов предположений, фактов и сомнительных допущений.

Мне ли было не знать — все, что я накопал, прежде всего нуждается в солидной доказательной базе. А мой подзащитный по-прежнему держал меня на голодном пайке. Точнее — игнорировал мои усилия.

Глотая горячий кофе и заново просматривая свои записи, я еще раз убедился, что именно сегодня мне следует снова посетить Варшавина. «Это будет наша вторая встреча и, любезный Владимир Александрович, — сказал я себе, потирая руки, — теперь мы побеседуем в другой тональности...»

Будничное утро встрстило меня моросящим дождиком и, как водится, отсутствием нужного троллейбуса. Прикинув время, я остановил машину, а когда выбирался из нее, то с досадой обнаружил, что, помимо зонта, оставил дома и блокнот с записями. Память у меня совсем неплохая, но без шпаргалки в ней происходит странный сдвиг: информационное поле становится зыбким и сомнительным, как минное, по нему шляются какие-то тени и подозрительные существа... В общем, я отправился на свидание со своим клиентом как бы не вполне вооруженным.

Владимир Александрович встретил меня, лежа на шконке, как римский патриций, однако выражение его лица было сумеречным, глаза слезились, а нос распух.

— Не боитесь подхватить грипп, Егор Николаевич? — поинтересовался он вместо приветствия. — Садитесь подальше. Ну, и как наши дела?

— Паршиво, — сказал я бодро. — Хуже некуда. На странице восемьдесят четвертой вашего дела, как вы сами могли убедиться, имеется заключение медико-биологической экспертизы о том, что пятно бурого цвета размером 25 на 38 мм на подкладке рукава пиджака, принадлежащего подозреваемому, является следом крови. Кровь эта по группе, резус-фактору и еще восьми показателям совпадает с показателями крови убитой Ангелины Кудимовой.

— Она сильно порезалась, откупоривая бутылку, — со вздохом начал Варшавин, — и я забрал у нее нож, а затем обработал ранку, достаточно глубокую, перекисью. Потом нашел в аптечке пластырь... — Голос его звучал ровно, с простудной хрипотцой. — Очевидно, я по неосторожности запачкал рукав...

— Не было там никакого пластыря, — мрачно проговорил я. — Но допустим. А как повела себя при этом Лариса Борисовна?

— Был, — невозмутимо парировал Варшавин. — И я уже говорил, что мать Гели до истерики боялась крови. Она вообще была крайне мнительна, со склонностью к мистике. Чуть что — «Геля, деточка, быть беде!..»

— А в каких вы отношениях были с ней?

— Да ни в каких, — добродушно прогнусавил Варшавин. — По моему непредвзятому впечатлению, в этом тандеме всегда верховодила Геля.

Мне пришлось слегка поколебать его благодушие.

— А с Ангелиной, Владимир Александрович? Если не темнить?

— Зачем это вам? — насупился Варшавин.

— Ну, скажем... А почему вы, собственно, мне не доверяете?

— Егор Николаевич! — произнес он, садясь и не глядя в мою сторону. — Я не хочу, чтобы вы использовали полученные от меня сведения в суде.

— Да как же я могу их использовать? — завопил я. — Помилуйте! Вы разумный человек, экономист и вполне способны логично рассуждать. Что из рассказанного вами может стать предметом обсуждения в судебном заседании? Я уже не говорю — доказательством вашей невиновности или наоборот.

Если бы мы имели дело с судом присяжных, а я был Плевако...

— Тогда зачем вам понадобилось мое прошлое?

— Грубое и некорректное замечание, — вздохнул я и упрямо добавил: — Затем! У меня есть собственные соображения. Ангелина танцевала у вас в ресторане?

— Да, — опешил Варшавин. — Ну и что из того?

— Повторяю, — сказал я, — не заставляйте меня собирать информацию о ваших отношениях с Кудимовыми через третьих лиц. Вам же хуже.

— Я могу отказаться от защиты, — угрюмо произнес мой клиент. — Мне...

— Ну и глупо, — перебил я его. — На вас навесят три трупа. Вы получите по максимуму, причем на особом режиме. И если когда-нибудь выйдете из зоны, то только старым, разбитым и никому не нужным.

— Что вы хотите услышать?

— Все об Ангелине и ее матери.

Варшавин попросил сигарету, прикурил и от первой же затяжки зашелся судорожным кашлем. Я помалкивал, наблюдая, как мой подзащитный корчится и хватается за грудь, выдавливая из себя скупые воспоминания. По металлическому «наморднику» камеры вовсю колотил дождь, и я с трудом сдерживал накипающее раздражение.

По словам Варшавина, с Гелей Кудимовой он познакомился пять лет назад; тогда ей едва минуло двадцать. Она была высокой девушкой с хрупкими плечами и запястьями, подвижным тренированным телом и прелестными, чуть вытянутыми к вискам глазами на точеном матовом лице без следов румянца. Познакомила их балерина Ирина Крайнева, родители которой дружили с его матерью. Геля уже работала в кордебалете, но никакой особой карьеры в театре ей не светило: она была слишком высокой для сольных партий, а как характерная танцовщица — вяловата и нечестолюбива. Они начали изредка встречаться, это длилось достаточно долго, были проблемы, а затем Варшавин предложил Ангелине поработать в вечернем шоу в «Тихуане».

— Как отнеслась к этому Лариса Борисовна? — спросил я.

— Нормально. — Он пожал плечами. — Я думаю, Геля стыдилась или, если быть точным, комплексовала из-за их с матерью бедности. В театре платили ничтожно мало, а у меня она зарабатывала столько, чтобы не чувствовать себя стесненной в средствах. Ее мать, по-моему, не была ни стяжательницей, ни скупердяйкой, к тому же у нее бурлила личная жизнь... Так, во всяком случае, казалось. У меня, знаете ли, тогда было достаточно собственных проблем...

— А Лунца в то время вы не встречали в доме Кудимовых?

Варшавин нахмурился.

— Я имею в виду фотографа, который был убит.

— Повторяю, — проговорил Варшавин, — этого человека я никогда прежде не встречал. И вообще,

Егор Николаевич, в этой квартире я был от силы пару раз. Я привозил Гелю домой, это так. Иногда встречал ее после спектаклей. Обычно мы договаривались, и она спускалась к подъезду... Когда же мы с ней... ну, сблизились, я снял квартиру. Потом мы расстались.

— Почему?

— Из-за чего мужчина расстается с женщиной? — ответил Варшавин и впервые прямо посмотрел на меня воспаленным и каким-то затравленным взглядом. — Из-за мелочей. Из-за того, что в какой-то момент оба понимают, что стали чужими друг другу. Из-за ложных страстей, которые связывают по рукам и ногам, а времени объясниться всегда не хватает. Геля была очень самостоятельна. Она не терпела никакого нажима, никакого вмешательства в ее жизнь... при том, что очень часто ошибалась.

— Мне показалось, что у Ангелины с Сергеем Лунцем сложились несколько иные отношения. С ним она была... э-э... проще.

— Мне это совершенно не интересно, — перебил Варшавин. — Геля очень изменилась...

Он снова насупился и замолчал, и мне ничего не оставалось, как обругать себя последним ослом. Я и без него мог бы сообразить, почему они расстались: такие люди, как мой клиент, в браке ценят прежде всего статус-кво. Поменьше вспышек и фейерверков, побольше спокойной преданности; он уже достаточно давно вышел из щенячьего возраста, чтобы обольщаться чувствами, а имущественная сторона их союза его не занимала — он был обеспеченным человеком.

— Извините, Владимир Александрович, я сморозил чушь. — Мне пришлось даже встать и пробежаться по камере, чтобы скрыть досаду. — А после вашего разрыва с Ангелиной вы с ней больше не виделись?

— Нет.

— Звонок второго сентября оказался неожиданностью для вас?

— Да.

Ну ясно. Теперь я буду тянуть из него ответы клещами. Я резко развернулся на каблуках:

— Довольно ребячиться! Не сердитесь на меня. Не я вас впутал в эту ситуацию. Скажите, вы продолжаете настаивать на том, что покинули квартиру Кудимовых ровно в шесть вечера?

— Не помню. Может, пятью минутами раньше. Я вышел, сел в машину и сразу же закурил. В доме я был от силы полчаса, а сигареты оставил на сиденье... Погодите, Егор! Вот еще что: в зеркале заднего обзора я заметил человека, с которым несколько раз пересекался... метрах в двадцати, на тротуаре у соседнего подъезда.

— Кто это был? Имя?

— Его зовут Олег Соболь... да, именно так. И меня он также знает, хоть мы и нс были знакомы близко. Этот Соболь стоял, разглядывая мой «судзуки». Мне кажется, он должен был видеть и то, как я выходил из подъезда...

— Почему же вы не сообщили об этом Гаврюшенко?

— Начисто забыл. — Он произнес это с виноватым выражением. — Я вообще только сейчас вспомнил об этом...

— Кто он такой? Вы понимаете, что это значит? Этот человек может оказаться неоценимым свидетелем!

— Мне не хотелось бы, Егор Николаевич, чтобы вы его допрашивали, — произнес Варшавин, снова заползая в свою бронированную раковину.

Я застонал, а потом рявкнул:

— Говорите же! Какого черта! Мне нужна информация, а остальное уже не ваше дело!

Он утомленно взглянул на меня.

— Я уже давно не живу с отцом, у нас разладились отношения после его второй женитьбы... я имею в виду — после смерти матери. Мне не понравилось, как он себя повел...

— Кто такой Соболь, видевший вас в машине? Почему он там оказался? — прорычал я.

— Погодите. Вам знакома фамилия Ильин?

— Смутно. Ильиных в городе пропасть.

— Ну тогда, Егор, вам будет достаточно того факта, что Ильин — соперник моего отца на довыборах в Думу на место покойного Курочкина, а его дочь Даша — моя невеста. Соболь крутится возле семейства Ильиных, и его имя назвала мне, насколько я помню, именно Даша. Лично я с ним не знаком, — с легкой брезгливостью добавил Варшавин. — Пару раз я видел его у себя в ресторане. Однажды — в доме Ильина.

— Ясно, — произнес я. — Опишите мне его, ради Бога. Внешность, как был одет, было ли у него что-нибудь в руках. Не в ресторане, а у подъезда, разумеется.

— Как он выглядел? Я видел его каких-нибудь десять — пятнадцать секунд. Ну, джинсы, короткая рыжая кожаная куртка... Что еще? Он отвернулся, и я решил, что обознался, и сразу же отъехал, но Соболь оглянулся, и тогда я его окончательно узнал. А вообще-то он довольно крепкий малый, неплохо сложен, чуть пониже меня, волосы длинные, слегка вьются, глаза карие, близко посажены к переносице... Весь какой-то упругий, как из литой резины.

— А в ресторане?

— Не обратил внимания. Что-то вполне демократичное. Но заказывал дорогие блюда, без спиртного. По-моему, не курит. Ел долго, обстоятельно, с явным удовольствием, смотрел шоу до самого конца.

— Голос?

— Он обычно помалкивал. Да мне и не было до него никакого дела. В тот раз, у Ильина — он живет в пригороде в собственном доме, — Соболь встретил меня у ворот, поздоровался и показал, куда поставить джип, потом отвел в кабинет хозяина... Я еще подумал — новый охранник... Вы что, Егор, и в самом деле хотите с ним встретиться?

— Еще не знаю, — сказал я и поднялся, чтобы попрощаться со своим подопечным. — Вас водили в больничку?

Варшавин отрицательно покачал головой.

— Я попрошу, чтобы к вам прислали врача. Здесь проще простого подцепить какую-нибудь дрянь посерьезнее насморка. И пусть родственники передадут вам теплую одежду. Если нужно, я сам позвоню вашему отцу. Или невесте.

Он как-то странно на меня взглянул и сухо произнес:

— Я категорически запретил Даше приближаться к этому зданию. Не беспокойтесь.

Но по его глазам я понял, что мой клиент лжет.

Вникать в это я не собирался. Простившись, я вышел, и пока старший контролер вел меня по коридору к «шлюзу», в голове у меня вертелось совершенно иное. Меня не интересовало, почему Дарья Ильина не находит времени поддержать в беде своего возлюбленного. Всему свой черед. Первое место в моих выкладках занимал «икс». Так он и торчал там, как ржавый гвоздь, до самого дома...

Захлопнув за собой дверь, я обнаружил в прихожей свой блокнот, грязную посуду в мойке и пустой холодильник. Но перед тем как отправиться в принадлежащую Варшавину «Тихуану», чтобы скромно пообедать на мексиканский манер, я отыскал телефонный справочник и сыграл в настольную игру, которую сам же и назвал «сто четырнадцать Рабиновичей».

В доме, где я провел свое вполне безоблачное детство, на одной из полок в коридоре пылился толстенный том, неизвестно как забредший к нам. Он, помнится, был украинского происхождения, чуть ли не из Харькова, и носил название «Справочник ГТС». Как только я выучился читать, этот справочник стал моей любимой книгой. Я проводил часы, шевеля губами и складывая слоги в фамилии совершенно мне неизвестных людей. Чего стоил один только гражданин Пипко-Бесноватых! А на букву «р» я насчитал как раз сто четырнадцать Рабиновичей...

Я ностальгически вздохнул. Мой нынешний телефонный справочник, датированный прошлым годом, доставлял мне куда меньше удовольствия, и Соболей там обнаружилось всего шесть экземпляров.

Времени я потратил совсем немного: третий по счету номер отозвался хорошо артикулированным раздраженным женским голосом, обладательница которого повела себя крайне резко. Едва я попросил пригласить к телефону Олега, трубку швырнули на рычаг.

Я терпеливо повторил попытку вступить в контакт и получил ответ: «Нет его дома!» — за которым снова последовали короткие гудки.

Адрес я запомнил и решил сначала пообедать, а затем двинуться на разведку.

Отправляясь в «Тихуану», я не держал в поле зрения никакой особой цели. И совершенно не собирался ввязываться в разговор с персоналом. Вряд ли менеджер, давший Гаврюшенко показания о том, что его шеф появился в своем офисе около восьми вечера, мог добавить к этому что-то существенное.

Так что действовал я, подчиняясь скорее желудку, чем осознанному плану. К тому же «Тихуана» располагалась как раз на маршруте, пролегавшем к дому Соболя.

Через двадцать минут я уже шагал по мокрым плиткам тротуара уютной улочки в старом центре. Особняк, где помещался ресторан, стоял как бы в глубине от линии застройки, отгороженный от пешеходной части балюстрадой летней веранды, заваленной опавшей листвой. Время было обеденное, и на стоянке я заметил парочку солидных «БМВ» и плоский черно-фиолетовый «олдмобиль», которых в городе имелось не больше двух-трех штук.

Чернокожий швейцар в шитом золотом пончо коснулся указательным пальцем полей сомбреро, приветствуя меня, затем подмигнул и осклабился во всю розовую пасть. Я кивнул, и на этом экзотика, в общем, закончилась.

Заведение оказалось солидным, спокойным, практически без музыки, без кухонного чада и ленивых холуев. И все работало как часы.

Посетителей было человек восемь, не считая меня, и, перед тем как занять столик, я прошелся, осматриваясь. Меня никто не трогал, предоставляя возможность самому выбрать место.

Темная дубовая лестница вела на второй этаж, и, любопытствуя, я поднялся по ней. Однако задерживаться наверху не стал. Небольшой верхний зальчик оказался стилизованным под конюшню, с низкими деревянными потолками и окнами-бойницами. Посетителям предлагалось располагаться в стойлах, стены которых были обвешаны всевозможной упряжью и сушеными тыквами-горлянками.

Отобедать в стойле — на это нужен особый настрой, поэтому я по-быстрому слинял оттуда в нижний зал, где всю середину занимал круглый подиум, на котором вечерами шло шоу, а столики располагались по окружности — как бы амфитеатром. Интерьер был выдержан в спокойных теплых коричневых тонах, окна прикрывали резные ставни, а за подиумом виднелся здоровенный камин — впору въехать на «Запорожце» — с кованой решеткой и массивными чугунными загогулинами неизвестного назначения.

Ни кактусов, ни кольтов у официантов не было и в помине. Тот, который беззвучно возник передо мной, когда я наконец нашел себе место, больше походил на программиста из солидной фирмы — невозмутимо-вежливый, в узких очках и светло-бежевой домотканой блузе, как у мексиканских крестьян.

Меню со всеми его энчиладами и бурритос я сразу отложил в сторону и попросил для начала супчику.

— Гаспачо? — предложил официант. — У нас собственный рецепт.

Гаспачо — единственное мексиканское блюдо, которое мне доводилось пробовать. Этой ледяной смесью из огурцов, помидоров, лука, чеснока и перца, пропущенной через электромясорубку, один мой знакомый имел обыкновение похмеляться по утрам. Называть гаспачо супом — чистое кощунство.

Покосившись на окно, я произнес:

— Пожалуй, не сезон. Мне бы чего-нибудь погорячее.

— Тогда — борщ, — вздохнул официант. — У нас все заказывают борщ.

— Мексиканский? — поинтересовался я.

— Украинский. С пампушками. В меню его нет, но шеф кухни готовит для своих. Почти ежедневно.

— Отлично. — Я потер руки. — Значит, борщ. Может быть, посоветуете что-нибудь еще?

— Возьмите фахитас, — сказал он. — Это вполне съедобно.

— Вам виднее. — Я засмеялся. — И еще салат, стакан сока и кофе.

— Десерт? — поинтересовался программист. — Рюмку текилы?

И то и другое я отверг, и он исчез, бесшумно ступая в своих матерчатых башмаках на веревочной подошве.

Борщ в «Тихуане» оказался выше всяких похвал. Думаю, даже ацтеки вполне бы его оценили.

За ним последовало загадочное фахитас, оказавшееся на поверку ломтиками маринованной говядины, цыплят и креветок, обжаренными на рашпере. Все блюда, в том числе и хрустящие лепешки-тортильи, подавались в продолговатых закрытых керамических судках страшно горячими, и после фахитас с его сладковато-жгучим соусом я почувствовал себя так, будто мой язык наскоро освежевали.

Трапезу я увенчал кофе с густыми сливками, окончательно примирившим меня с действительностью.

Рассиживаться я не стал. Когда подали счет, вполне умеренный, на мой взгляд, я рассчитался, добавив всего десятку сверху, которую мне тут же и вернули, пояснив, что чаевые уже включены в калькуляцию.

— Понравилось? — спросил официант.

Я кивнул, отдуваясь.

— Заходите еще. Будем рады.

— Непременно! — Я был само благодушие. — Передайте мои самые лучшие пожелания хозяину заведения.

Программист быстро и проницательно взглянул на меня, и мне стало не по себе. Похоже, я слегка обалдел от чересчур сытной еды и несу чушь.

— От вас можно позвонить? — спросил я, заторопившись.

— Конечно. — Он уже удалялся. — Телефон у швейцара. Всего хорошего...

Пока я двигался к выходу, разглядывая подиум, на котором в свое время танцевала Геля, я думал о том, что, наверное, понимаю, почему Варшавин отказал в займе Ларисе Борисовне. В своем деле, насколько я мог судить, он — крепкий профессионал и отличный организатор. При таких ценах ресторан может давать прибыль только при условии, что все просчитано, как у циркача, бегущего по слабо натянутой проволоке со стулом на голове. Не похоже, чтобы тут крутились чужие дурные деньги, а значит, у хозяина каждый доллар был на счету.

Я влез в куртку, а швейцар принес мне трубку «беспроволочника». И когда по знакомому номеру отозвалась все та же женщина, нажал кнопку отбоя.

«Вперед!» — скомандовал я сам себе, прикидывая, как побыстрее оказаться в районе новостроек, где свил себе гнездо Соболь. Ничего путного с такси у меня не вышло, и только спустя полтора часа, после двух пересадок с автобуса на автобус и тупого блуждания между безликими серыми корпусами, я наконец-то остановился перед нужной шестнадцатиэтажкой, перевел дух и поднялся в лифте на десятый.

Открыла мне женщина лет пятидесяти пяти. Я поздоровался и повторил набивший оскомину за сегодняшний день вопрос:

— Могу я повидать Олега?

— Это вы, что ли, звонили? — Женщина была в спортивном костюме, худощава, с коротко остриżен-

5*

ными кудряшками цвета соли с перцем, с благородной лепки крупным семитским носом, под которым просматривались редкие темные усики. В углу рта у нее торчала погашенная папироса. — Я узнала ваш голос, — пробасила она.

— Не может быть! — Я искренне изумился, щелкнул зажигалкой, и мы задымили, разглядывая друг друга.

— Я врач-логопед, — сказала женщина. — Слуховая память у меня — дай Бог. Вы меня случайно застали, обычно в это время я на работе, но у нас ремонт в поликлинике.

Я поинтересовался, есть ли все-таки шанс повидать Олега.

— Он и вам задолжал? — настороженно спросила женщина и, услышав отрицательный ответ, снайперским щелчком отправила окурок в консервную банку в дальнем углу площадки, а затем пригласила меня войти.

Я последовал за ней, на ходу еще раз заверив, что Олег у меня никаких денег не брал. Дело в том, что мне срочно понадобился один наш общий знакомый, связь с которым я потерял.

— По институту? — спросила она.

— Да, — ответил я, чувствуя, что вступаю на зыбкую почву.

Мы прошли на просторную кухню, и женщина снова закурила.

— Вы институт закончили?

Я молча кивнул, подумав, что появление неизвестного мне Олега в данный момент было бы крайне нежелательным. Но женщина меня успокоила.

— А мой болван проучился всего два с половиной года. С тех пор дома он появляется только тогда, когда окончательно сядет на мель. А как фамилия вашего приятеля?

Я назвал первое попавшееся имя, добавив, что мы дружили еще на первом курсе. В том-то и проблема, что он давно исчез из виду.

— Не помню такого, — сказала женщина. — И вообще — ваш театральный всегда был сборищем проходимцев. — Я заерзал на табурете. — Алик поступил против моей воли, а я вкалывала и обслуживала его. Всю жизнь так было, с тех пор как умер отец... А за это он отблагодарил меня — поменял на эту примадонну. Артист... Вы ее небось знаете, она преподавала у вас — Ильина.

Я пробормотал, что помню довольно смутно. У меня не оказалось ни серьезных актерских способностей, ни вокальных данных.

— А у него что, были? — воскликнула женщина. — Сначала он вбил себе в голову, что станет звездой сцены, потом — гениальным режиссером... Бренчал на гитаре, брал уроки фортепиано, отпустил волосы, как педик, и все втолковывал мне, что он свободный человек. Художник. Вы работаете по специальности?

— Нет, — скромно потупился я. — Служу администратором в новой Опере.

— Ильина у вас там царствовала...

— Да, — сказал я. — Но это до меня. Теперь она на пенсии...

— Боже, — брезгливо произнесла женщина. — Все актерствуют, молятся, философствуют, никто не хочет работать. Никто не хочет сеять хлеб и учить мальчишек, что воровать — грех. Белые братства, экстрасенсы, кришнаиты, сексуальные меньшинства... где только мой остолоп не болтался... По знаку Зодиака он — Скорпион и, безусловно, обладает хваткой и незаурядной энергетикой... но куда это все девается? Спутался с каким-то прохиндеем — белый маг, Господи помилуй! А я плачу его долги, не говоря уже о квартплате и остальном... Ведь ему каким-то образом удалось оформить квартиру на свое имя, вы представляете? Будто меня и нет в природе. Мы продали старую, купили эту, у черта на куличках, за тыщу верст от моей работы, и только ради того, чтобы он смог заплатить людям, которым был должен. Иначе его просто взяли бы и зарезали. Я сказала: возьми у своей примадонны — так он месяц со мной вообще не разговаривал...

— И все-таки как же мне его разыскать? — Я поднялся. Похоже, пора выбираться из этой кухни, где еще немного — и начнут сверкать молнии.

— А я понятия не имею, где он проживает в данный момент. — Женщина пронзила меня черными как уголь глазами и отодвинулась, давая мне пройти в коридор. — По слухам, снимает комнату где-то в центре. Потому что жить со мной ему тошно. Когда я на работе, он сюда изредка наведывается. Позвоните где-то через неделю. Приезжает его тетка, моя старшая сестра, из Питера с подарком к тридцатилетию Алика. Тут уж он непременно объявится.

— Я постараюсь найти его раньше. — Мы топтались уже на лестничной площадке, было слышно, как гудит, поднимаясь, лифт. — Может быть, что-то передать вашему сыну?

— Скажите ему, что он не дождется моей смерти, как бы ему этого ни хотелось! — пробасила женщина и захлопнула перед моим носом дверь.

Глава 10

Логика — наилучший способ доказать кому-нибудь, что если вчера чего-то не было, то и завтра этого быть не может. Только не себе.

Вчера у меня не было Олега Соболя. Существовал некий смутный «икс», чье вмешательство предположительно могло повлиять на развитие событий в проезде Слепцова. С известной натяжкой сегодня я даже мог считать, что «икс» и Соболь — одно и то же лицо. У меня не было достоверных показаний в пользу того, что он побывал в двадцать седьмой, но гражданка Блох видела кого-то, кто наверняка не являлся Лунцем. Достаточно было сопоставить описания Соболя, данные ею и Варшавиным, чтобы сомнения развеялись.

Что ему понадобилось в квартире Кудимовых?

Из разговора с его матерью вырисовывался облик еще одного маргинального субъекта. Еще одного — потому что таковыми же являлись и остальные обитатели двадцать седьмой. Без исключений.

Кем же еще могли быть эти две безработные женщины и фотограф-неудачник, живущие подножным кормом? Классический образчик случайных союзов, опирающихся на негативный опыт в прошлом, страх надвигающегося одиночества в будущем, беспомощность и отчаяние. Все связи в них держатся на беспорядочном сексе и совместной выпивке и крайне далеки от того, что принято называть «нормой».

В этой компании «норму» представлял Варшавин, который по сравнению с ними выглядел добропорядочным бюргером. И места в треугольнике Лариса Борисовна — Лунц — Ангелина ему не отводилось. Его роль — роль состоятельного донора, которую он сыграл из рук вон плохо...

Хотел бы я знать, какой оборот приняло бы дело, если б Варшавин своевременно полез за бумажником. Но он не полез, и гадать тут не о чем.

Как всякий треугольник, этот был на первый взгляд довольно жесткой конструкцией. С одной стороны — связь Лунца с Ангелиной и намерение жениться на ней. С другой — теперь я твердо знал, что эта связь возникла существенно позже приятельских отношений Лунца с Ларисой Борисовной. Настолько прочных, что она, при всем ее безнадежном финансовом положении, решилась взять в долг крупную для нее сумму, срочно понадобившуюся Лунцу. Зная при этом о характере и образе жизни фотографа достаточно, чтобы не заблуждаться насчет возможности возвратить эти деньги в срок.

Твердо рассчитывать Кудимова-старшая могла только на Варшавина, а следовательно, у нее было нечто такое, что, по ее мнению, гарантировало получение от него денег.

В принципе, так могла действовать мать, слепо желающая счастья своей дочери. Однако Лариса Борисовна — судя по тому, что я о ней знал, — совершенно не походила на человека, способного поверить в то, что Лунц — блестящая партия для Ангелины. Единственный, кто мог бы убедить ее в обратном, — сама дочь. Именно она и позвонила Варшавину в «Тихуану».

Что ж, старший следователь Гаврюшенко, конструируя мотив, легший в основу дела, был не так уж и далек от истины.

И все-таки — для чего им мог понадобиться Соболь в этот вечер? Вероника Иосифовна сказала: «Он позвонил, дверь открыла Лариса и, не произнеся ни слова, буквально втащила его в квартиру». Так или примерно так.

Значит, его ждали, и не исключено, что и Соболь мог быть вызван телефонным звонком. С какой целью? Все, что было нужно в этот момент обеим Кудимовым, — деньги, две тысячи долларов, причем полторы — немедленно. В этом отношении от Соболя, с его запутанными, по словам матери, финансовыми обстоятельствами, ожидать ничего не приходилось. Возможно, у него была какая-то информация. Максимум, что он мог предложить, — подход к кому-то, у кого деньги были и с кем он был хорошо знаком.

Одно определенно — если Соболя и позвали в этот дом, то это было сделано до появления Варшавина. В своих показаниях мой подзащитный не упоминает ни о каких звонках, сделанных Ангелиной либо Ларисой Борисовной. То есть у них не было цели столкнуть этих двоих на своей территории. Встреча у подъезда — обычное случайное совпадение. А такое ли случайное?

На этот вопрос мог ответить только сам Соболь — при условии, что я сумею его отыскать в двухмиллионном городе, и достаточно быстро. Его показания могли перевернуть все дело с ног на голову. В моем положении мне в высшей степени наплевать, кто действительно совершил преступление. Пусть об этом мается головной болью прокурор. Мне необходимо только одно — твердо и доказательно установить, кто его не совершал и не мог совершить. И точка.

Стемнело, когда мой автобус притормозил у конечной метро. Я двинулся к передней двери — и тут меня будто что-то подтолкнуло. Обгоняя неторопливо втягивающихся в подземку пассажиров, я пронесся через турникеты и прыгнул на эскалатор.

Не доезжая двух остановок до центра, я выбрался на поверхность и пятью минутами позже уже стоял у подъезда конторы, где имел сомнительное удовольствие числиться в штатном расписании. Начищенная бронзовая дощечка гласила: «Независимая консультационно-правовая фирма «Щит». Все виды юридической помощи».

Уже три дня я не показывался на глаза начальству, которое, в свою очередь, не очень-то и горело желанием меня видеть.

Густав Витольдович Явелис, глава фирмы и светило на нашем адвокатском небосклоне, сделал себе имя еще в семидесятых на процессе группки молодых диссидентов. Тогда же он был с треском изгнан из коллегии, но сумел удержаться на плаву. В конце восьмидесятых, когда о диссидентах уже все благополучно позабыли, он вернулся в адвокатуру, занявшись исключительно финансовой сферой, где и преуспел в очень короткий срок. Уголовных дел он избегал — и вовсе не из снобизма. Как главе фирмы, ему необходима была безупречная репутация.

Излишняя полнота, неистребимый балтийский акцент и сочный хохоток моего шефа могли у любого создать впечатление, что перед ним человек рассеянный, поверхностный, большой жизнелюб и гурман. На самом же деле в голове Густава Витольдовича крутилась такая машинка, перед которой пентагоновские суперкомпьютеры казались детскими игрушками. Мой начальник работал на результат, и я мог бы руку дать на отсечение, что, спихнув мне дело Варшавина, он предвидел его исход — как и последствия, которые это будет иметь для меня лично. Временами мне случалось ловить на себе его затуманенный взгляд — будто он знал обо мне что-то крайне неприятное, но до поры помалкивал и присматривался. Не исключено, что я был для него чем-то вроде тех инакомыслящих мальчишек, которых он по молодости и глупости взялся защищать на закате совдеповской эры.

Знакомый охранник впустил меня в безлюдное здание, и я деловито понесся по коридору, косясь на запертые двери опустевших кабинетов. У предпоследней двери, где все еще вел прием дежурный консультант, мыкалась жалкая фигура какого-то бедолаги, решившего на ночь глядя посовещаться с законом.

Миновав его, я круто свернул в ярко освещенную приемную шефа, где миниатюрная секретарша Нелечка гоняла цветные шарики на экране монитора.

Я подсел к ее столу, закинул ногу за ногу и закурил. Нелечка на секунду оторвалась от своей игрушки и заговорщически подмигнула.

— Кофе будешь? — поинтересовалась она.

Я покачал головой.

— Шеф у себя? — спросил я.

— Угу. — Нелечка поджала губы, ее в меру подкрашенные реснички взлетели. Что-то там происходило в компьютере, но с моего места ничего не было видно. — Сволочь хитрая! — наконец сказала она, стукнув кулачком по клавиатуре. — Тебе чего?

— Нелечка, детка, а где тут у нас картотека клиентуры? — Голос у меня звучал вкрадчиво, как у опытного совратителя. — Мне бы одним глазком. И быстренько.

Теперь она посмотрела на меня очень внимательно. В ее карих глазках засветилось любопытство.

— Зачем тебе? — спросила она. — Ты же не хуже меня знаешь, что шеф запретил. Наш клиент — оборотный капитал фирмы.

— Ну да! — ухмыльнулся я. — Скажи еще — золотой фонд. Как же, слыхали...

— Картотека на секретном диске. И под личным паролем.

— И это еще одна широко известная тайна природы! — произнес я голосом диктора, читающего закадровый текст.

Нелечка с готовностью засмеялась. В принципе, она была девушка добрая, но Густав на нее дурно влиял. Не в том смысле, что ей приходилось с ним спать — он предпочитал мясистых валькирий и Нелечку не трогал, — а в смысле исполнительской дисциплины.

— Одно имя! — жалобно простонал я. — И всего-то на две минуты!

— Зануда, — сказала Нелечка. — У меня рабочий день кончился. Ну кого тебе, говори скорей!

— Ильина. Юлия Андреевича. Прошлой зимой фигурировал в качестве истца по делу о клевете. Ответчик — редактор газеты «Ведомости».

Нелечка выстрелила в меня коротким, как лазерная вспышка, взглядом.

— Ну-ну! — пробормотала она. — Ты даешь... На кой он тебе сдался, этот тип?

— Чистое любопытство натуралиста, клянусь! Все умрет здесь. — Я хлопнул себя по груди в том месте, где предположительно у меня находилось сердце.

Нелечка поколебалась еще немного, а затем ее пальцы побежали по клавиатуре, набирая нужную комбинацию. Компьютер тихонько заверещал — и по удовлетворенному выражению лица девушки я понял, что она обнаружила то, что мне требовалось.

— С тебя шампанское, — сказала она. — Не трогай монитор. Обойди стол и встань рядом со мной. У тебя ровно две минуты.

Я обогнул ее кресло и вперился в экран.

Картотека у Густава была выстроена как любая другая. Сначала обычные анкетные данные, род занятий, ступени карьеры клиента плюс небольшой довесок — нечто вроде резюме, характеризующего наиболее яркие стороны данной личности. Вполне достаточно для сухого некролога в областном официозе. Остальное шеф держал в голове — на каждого из девятисот сорока шести наших сограждан, составлявших на сегодня «золотой фонд» «Щита».

Ильин, родившийся в сорок втором, прошел славный трудовой путь. От рабочего транспортного участка никому не ведомого завода металлоизделий до главного энергетика того же предприятия, попутно закончив институт и что-то еще по партийной линии. Но траектория его карьеры круто взмыла вверх только в самом начале девяностых, когда, удачно акционировав свой завод, став его директором, а фактически и единственным владельцем контрольного пакета, Ильин был приглашен на должность заместителя главы губернской администрации по топливно-энергетическому комплексу. Тут он быстро развернулся. Первой крупной сделкой нового замглавы были поставки двухсот тысяч тонн мазута в Англию по цене в восемь раз ниже европейской. Деньги от этой операции исчезли в неизвестном направлении, и два года спустя вновь избранный губернатор счел за благо дистанцироваться от расторопного зама. К этому времени у Юлия Андреевича уже была заготовлена площадка, куда он и спланировал. Зарегистрированная на имя его тестя фирма практически монополизировала поставки топлива в город, а сам Ильин занялся созданием структуры, получившей название «Союз мелких и средних предпринимателей», которую сам же и возглавил. Свои дела он вел твердой рукой, настолько твердой, что к марту текущего года его состояние, включая недвижимость в России и за рубежом, мой шеф или его бизнес-эксперты оценивали в сорок — пятьдесят миллионов долларов. При том, что сам Юлий Андреевич лично не владел практически ничем.

Я присвистнул — и в ту же секунду за моей спиной раздался короткий смешок. Прежде чем обернуться, я пробежал наискось пару абзацев, успев зафиксировать в конце файла дату: 17 ноября 1998 года.

Дата соответствовала той, которую Избирком назначил для выборов депутата по нашему округу взамен умершего престарелого Курочкина. Ею текст и заканчивался.

Приятно улыбаясь, Густав Витольдович похлопал меня по плечу, для чего ему пришлось приподняться на носки, и спросил:

— Интересуетесь, Егор Николаевич?

Будто и без того не было ясно, чем я тут занимаюсь. Пойманному в процессе получения конфиденциальной информации, мне оставалось только признаваться.

Нелечка слабо охнула, залилась краской до корней волос и вскочила со своего кресла.

Глупо, подумал я. Всем известно, что Густав, несмотря на свое брюхо, передвигается бесшумно и всегда оказывается в нужное время в нужном месте. Вот как сейчас, например.

— Да, — бодро признался я. — Любопытствую. Тут по ходу у меня одна ерунда наметилась...

— Зайдите ко мне, Егор Николаевич. Буквально на пару слов.

Пропуская меня в кабинет, шеф снова смерил мою персону своим туманным, но весьма цепким взглядом.

— Как идут дела с Варшавиным? — первым делом спросил он, когда дверь за нами закрылась. — Нужна помощь?

Я неопределенно развел руками.

— Пока ничего конкретного. Если бы суд состоялся сегодня, сомневаюсь, что мне даже удалось бы переквалифицировать дело со сто второй на сто третью. Процедурная сторона следствия в большом ажуре.

— Следовало ожидать, — кивнул Явелис. — Но зачем вам понадобился Ильин? Не беспокойтесь, Нелечка не пострадает. Она слабая женщина, а вы имеете на нее влияние. Итак?

— Я заинтересовался невестой Варшавина. Естественно, мне понадобились данные о семье.

— И только?

— А что еще? — ответил я вопросом на вопрос. — Что-нибудь не так?

Густав Витольдович снял очки, похлопал пухлой ладошкой по краю стола и проговорил:

— Я знаком с подробностями дела с чужих слов. Вы доверяете моему опыту, Егор Николаевич?

Я доверял.

— Тогда один совет. В остальном вы свободны действовать по своему разумению. Не касайтесь Ильина и всего, что с ним связано. Это очень — я подчеркиваю: очень — серьезный господин, а ситуация крайне деликатная. Малейшая неосторожность может быть чревата. Малейшая! — Его бархатный, типично адвокатский баритон поднялся тоном выше.

Тоже мне новость... Это-то я знал и без него. Чуть-чуть, самую малость придуриваясь, я возмутился:

— Но, Густав Витольдович! В конце концов, разве не моя обязанность докопаться до правды?.. Да и отец моего подзащитного тоже довольно влиятельный человек, хотя и является конкурентом Ильина на выборах...

Но Явелис мгновенно меня раскусил.

— Отец вашего подзащитного, Егор Николаевич, — «непроходной». Без комментариев, умному достаточно. А что касается правды, то на этот счет советую вам еще раз поразмыслить. Хотите знать мое мнение?

— Естественно.

— Правда — товар штучный. И всегда оставалась таковой. Доступ к ней, в любой области, предельно затруднен и требует значительных затрат. При отсутствии средств приходится довольствоваться суррогатами — вроде тех, что предлагают неплатежеспособным обывателям газеты и телевизор. А в некоторых обстоятельствах и деньги бессильны. Кажется, вас интересовало, почему защита Варшавина досталась именно вам? — произнес он без видимой связи с предыдущим.

Я пожал плечами. Сейчас это интересовало меня меньше всего. Мой шеф, как бы позабыв об ответе на собственный вопрос, продолжал:

— Полагаю, самым разумным было бы не выходить за рамки, очерченные следствием. Лично я на вашем месте поступил бы именно так. Вам пока еще не хватает опыта. Не сходя с этого места, я мог бы указать вам минимум три пути облегчить участь вашего подзащитного. Если угодно, конечно.

— Благодарю. — Я поднялся, наспех прикидывая, где и когда Явелис успел так обстоятельно познакомиться с материалами дела. — Кое-что я уже обнаружил и сам. В этом направлении я и намерен двигаться.

Шеф разглядывал меня с усмешкой, губы его всегда влажного рта безостановочно двигались, словно он посасывал мятную конфетку.

— Отрадно слышать, — произнес он, протягивая мне на прощание свою сдобную ладонь. — Вы уже не в том возрасте, Егор Николаевич, чтобы забавляться играми в сыщики-разбойники. Пора остепениться.

Это уже была классическая лапша. Дымовая завеса.

Я попрощался и покинул кабинет с отчетливым ощущением, что только что мне угрожали — и довольно серьезно. И не потому, что я сунул нос в картотеку шефа. Тут было другое. А ведь я еще и шагу не сделал, чтобы приблизиться к господину Ильину...

Взяться за поиски Соболя немедленно я не мог — в девятом часу вечера это не имело никакого смысла. Так что на мою долю оставалось только то, что психиатры называют «пастайм». Этим словечком они обозначают способы, которыми разные невропаты — то есть мы с вами — проводят свое время до того, как наступит какое-то определенное событие: встреча с девушкой, день рождения, выплата зарплаты, а иногда и смерть.

Мой «пастайм» заключался в том, что, отойдя пару кварталов от здания «Щита», я толкнул дверь первого попавшегося кафе, по диагонали пересек небольшой, одуряюще теплый и прокуренный зальчик и занял столик в полуосвещенном углу у окна. Народу было человек десять, а музыка негромкая — какой-то прохладный джаз. Торопиться было некуда, и я решил посидеть, пока ко мне не подойдут, чтобы принять заказ.

Глядя сквозь стекло на залитую натриевой желтизной улицу, все еще довольно оживленную, я курил, снова и снова возвращаясь мыслями к семейству Кудимовых. Мне всегда казалось, что большинство людей имеют какой-то подсознательный сценарий, в соответствии с которым выстраивают всю свою жизнь. Он складывается еще в детстве и в дальнейшем только и делает, что подталкивает человека навстречу судьбе независимо от его сопротивления и свободного выбора. То же самое и с партнерами — год за годом человек среди тысяч и тысяч окружающих инстинктивно ищет тех, кто готов сыграть роли, требуемые его сценарием. Родители программируют детей, передавая им свой опыт, и это значит, что неудачники воспроизводят неудачников, а победители — победителей. И если мать говорит ребенку, что он закончит тюрьмой или сумасшедшим домом, то так чаще всего и случается. К сожалению. Только мальчики становятся психиатрами и начальниками режима, а девочки — пациентками и осужденными.

Все, что говорила о странностях характера Ларисы Борисовны ее соседка по этажу, могло впрямую относиться и к ее дочери...

Только сейчас я обнаружил, что смотрю уже не на улицу, а на обратную сторону предвыборной листовки, наклеенной прямо на стекло. Сине-зеленый отблеск рекламы напротив проходил через тонкую афишную бумагу так, что зеркально перевернутый текст читался вполне отчетливо. Я сложил литеры заголовка, — и у меня получилось: «С Юлием Ильиным — в третье тысячелетие!»

«Лихо, — подумал я. — С кем же еще... Как это я раньше не обратил внимания на агитки, облепившие буквально весь город за последние дни?» На листовке имелся и портрет кандидата — но на просвет, кроме строгого пиджака, седины и мужественной линии рта, ни черта разобрать не удавалось.

— Принести вам что-нибудь выпить? — предложил хрипловатый и почему-то жутко знакомый женский голос.

Я повернулся, и в моем поле зрения оказалась высокая, отличной формы грудь, обтянутая тонким, цвета английского плюща свитером. Полное бедро девушки почти касалось моего плеча, я даже чувствовал его тепло и запах духов «Кристиан Лакруа».

Совсем недурно, подумал я, поднял глаза — и челюсть у меня слегка отвалилась.

Глава 11

Надеюсь, в полумраке выражение моего лица осталось незамеченным.

Передо мной стояла моя однокурсница Люська. Та самая рыжая Люська, которая обожала шотландских терьеров, бесконечное число раз выручала меня на экзаменах и на практике, а однажды, когда в городе бесчинствовал маньяк-головорез Бурцев, даже осталась ночевать в моей конуре, потому что жила за городом и боялась возвращаться одна в пустой электричке. По сей день я испытывал сожаление, что этот случай больше не повторился. Люська, чей «красный» диплом мы обмывали в узком кругу...

Позднее до меня доходили слухи о том, что она пыталась поступить в аспирантуру, чтобы специализироваться по европейскому торговому праву, но что-то там не сложилось, а в результате — замужество и собственный маленький бизнес. И вот она стоит передо мной и выглядит при этом вполне довольной жизнью, несмотря на то что обещанная ей факультетским начальством блестящая карьера, похоже, накрылась.

— Джин, — односложно обронил я. — Лед. Лимон. Себе — то же самое.

— Я на работе, — вежливо отклонила она. — Мое начальство против.

Я уже догадался, кто здесь начальство.

— Твой муж против консумации? — удивился я. — А как же прибыль?

Тут-то она меня и разглядела. Я получил звонкий поцелуй в ухо, бокал какой-то неслыханной смеси вместо доброго старого джина, а через минуту Люська подсела ко мне с сигаретой и чашкой кофе. На ее месте за стойкой появился крепкий черноволосый паренек в белой рубахе, с узким кожаным галстуком и твердыми, как из быстрорежущей стали, глазами, глубоко сидящими в глазницах. Такие мальчики умеют держать своих девочек в узде.

— Твой? — Я кивнул в сторону стойки.

Люська покосилась туда же, улыбнулась и спросила:

— Хочешь, познакомлю?

— Воздержусь. — Я отхлебнул из бокала, где плавал листок самой настоящей свежей мяты. Это в октябре-то! Смесь оказалась в меру крепкой и не приторной. — Так это и есть ваше заведение?

— Нравится?

— Неплохо. А юриспруденция, значит, по боку?

Люська на мгновение замялась.

— Ну почему... Никуда она не денется. В конце концов, не свет же клином на ней... Кафе — собственность Валеры. Я здесь, можно сказать, наемный работник. Постольку-поскольку.

Я снова окунул нос в бокал. Известная песня. Заработать немного денег для того, чтобы потом делать то, что хочется. Но денег на это всегда не хватает, а бизнес, в который ты вляпался, имеет свойства воронки в кухонной раковине. Чем ближе к центру, тем сильнее затягивает. Не успеешь оглянуться, как то, ради чего лез из кожи, начинает казаться второстепенным и незначительным.

Разговор у нас не очень-то ладился, хотя Люська была мне искренне рада. Наверное, потому, что подтянутый молодой человек за стойкой время от времени принимался меня гипнотизировать, на что моя бывшая однокурсница не обращала ни малейшего внимания.

— Я слышала, ты пробился в коллегию? — сменила тему Люська.

Вот о чем мне сейчас меньше всего хотелось распространяться. Я молча кивнул и спросил, постучав костяшками пальцев по стеклу:

— А этот, из третьего тысячелетия, откуда тут взялся?

Люська засмеялась тем самым неотразимым хрипловатым хохотком, который мне всегда так нравился.

Валера за стойкой беспокойно зашевелился. Только теперь я разглядел за его спиной, на самом видном месте, еще одну такую же листовку и цветной плакат.

— Уступка постоянной клиентуре, — сказала она. — Тут за углом, на Зенитной, у Ильина избирательный штаб. С утра до ночи народу полно. С двенадцати половина из них — у нас. К тому же...

Я уже не слушал, подбирая эпитеты собственной тупости. Избирательный штаб Ильина! Точка, где сходятся все, кто имеет отношение к кандидату и его кампании! Почему это не пришло мне в голову сразу?

— К тому же, — продолжала Люська, отбрасывая рыжую прядь за ухо, — Валера — член союза. Их всех обязали принять посильное участие в выборах.

— Какого еще союза? — не сразу включаясь, спросил я.

— Как какого? Мелких и средних предпринимателей. Где Ильин самый крутой босс.

— Вот оно что! — Я погремел кубиками льда и отставил бокал. — И что ему дает членство в этой организации?

— Ничего, — проговорила она, понизив голос. — Ничего особенного. Кроме возможности работать без больших проблем.

Люська прищурилась, тыча сигаретой мимо пепельницы. Кофе в ее чашке остыл.

— Крыша, значит? — Это был даже не вопрос.

— О-го-го! — Она усмехнулась — на этот раз довольно кисло. — О проверках всех уровней мы узнаем за три дня до того, как в налоговой начнут шевелиться. Санитарная служба и пожарники вежливые, как японские дипломаты. Не берут и даже не намекают. Предложишь — откажутся, потому что за все уже заплачено...

— Что-то я не заметил у вас охраны. Обходитесь?

— Зачем? — удивилась Люська. — Как-то месяца полтора назад залетели какие-то бритые мальчики, гастролеры, явная дешевка, с предложением недорого обеспечить безопасность бизнеса. Я им дала сотовый номерок и предложила позвонить прямо отсюда. После чего они очень быстро собрались и слиняли. Других инцидентов пока не было и скорее всего не будет.

— Да, — сказал я, — впечатляет. И много, по-твоему, народу в этом самом союзе?

— Все, — спокойно ответила Люська. — Все, кого я знаю из тех, кто занимается делом. По крайней мере в Центральном округе.

— И во сколько обходится такое удовольствие, если не секрет?

— Секрет. Но тебе-то скажу. У всех по-разному. Кто платит тридцать процентов, кто десять. Мы, например, — семнадцать.

— Надо же! — Я ухмыльнулся. — Странная цифра!

— Разумная. При любых других вариантах потери только возрастают. Не говоря уже о прочих осложнениях. Просчитано.

— И кто же эту цифру устанавливает?

— У союза есть для этого специальный агент. У нас его зовут Дегустатор. Когда кто-то открывает заведение, ему дают покрутиться пару месяцев, чуть приподняться — под присмотром, понятно, — и ничего с него не берут. И только потом появляется человек из союза.

— Дегустатор? Что-то вроде ресторанного критика? — Я засмеялся, хотя мне было совсем не весело. Легкий алкогольный туман начисто выветрился из моей головы. — В «Вашингтон пост» для этого есть целая полоса по воскресеньям...

— Что-то вроде, — согласилась Люська. — Только от него зависит гораздо больше, чем репутация забегаловки. Были случаи, когда после такого визита заведение меняло хозяина.

— Даже так?

— Даже так. Дегустатор отслеживает все параметры. Число посетителей в среднем, стиль работы персонала, качество блюд и напитков, дневной оборот, взаимоотношения с поставщиками, перспективу развития... И только после этого определяют цифру отчислений. Здесь все зависит от него.

— Послушай, — сказал я, — сколько, по-твоему, в Центральном округе действующих точек вроде вашей?

— Не знаю. — Люська зябко подняла под свитером круглые плечи. — Сотни полторы, я думаю. Может, и больше.

Я быстро прикинул. Цифра вышла что надо. Ничего себе рэкет у господина кандидата в депутаты! Надо признать, что консультанты у Явелиса, как обычно, оказались на высоте в своей оценке вероятных размеров состояния господина Ильина.

— И ты его знаешь?

— Кого? — округлила глаза Люська.

— Этого... Дегустатора. Когда он явился к вам, ты знала, что это — он?

— Да, — сказала она. — Его многие знают. Он приходит открыто. Те вещи, которые его интересуют, не спрячешь. Разве что часть выручки. Но лучше этого не делать.

— Опасно?

— Я не знаю. Мы не пробовали.

— Ты знаешь кого-нибудь, у кого были бы конфликты с союзом? Допустим, таких, кто недоволен размерами отчислений?

— Нет. Никогда ни о чем таком не слышала. Когда я говорила о смене хозяев, это ведь не значит, что у них отобрали их собственность. Просто они получали рекомендацию — продать заведение такому-то. По вполне приемлемой цене. Сделка должна быть совершена в такие-то сроки. И все.

Я восхитился еще раз. Мелкие и средние — все они лежали под гусеницами Ильина, и ни один даже вякнуть не посмеет, потому что каждый день рискует всем, что нажил. Не говоря уже о том, за кого пойдут голосовать... Можно только догадываться, как устроена именно эта машина, но всегда и везде, во всем мире такие структуры опираются на сильные и сплоченные криминальные группировки, своего рода центры давления. Небольшие по численности, но предельно эффективные, укомплектованные профессионалами. Никаких «быков», только и умеющих беспорядочно махать кулаками и дубинками. Деньги поступают наличными, следовательно, отмыть их и вывезти не составляет большого труда — через те же облигации валютного займа или недоброй памяти ГКО... Стержень системы — «лифт», механизм для подачи доли наверх, иногда — на самый верх, где осуществляется распределение, итог которого — потрясающая корректность контролирующих служб и милиции.

Теперь господин Ильин решил прокатиться на этом лифте сам. И случай для этого представился вполне подходящий.

— А тебе приходилось встречаться с Ильиным, — спросил я, — живьем?

Люська едва заметно покачала головой.

— Нет. Валера видел его пару раз на годичных собраниях союза. Но сюда иногда заглядывает его жена — знаешь, эта певица. Бывшая звезда.

Я удивился:

— Сюда? Что ей может тут понадобиться?

— Вероятно, приезжает взглянуть, как идут дела в штабе. Шумная блондинка с замашками капризной барыни. Очевидно, привычка всегда и везде находиться в центре внимания. Никогда не появляется без сопровождения, заказывает одно и то же: минералку «Перье» и рюмку анисового ликера.

— Кто ее сопровождает? Большая компания?

— Нет. Обычно один и тот же человек.

— Телохранитель?

— Уверена, что нет. Просто...

— Кто же? — Я подался вперед. — Хочешь, я попробую его описать?

— Егор! — Люська намотала на палец медную прядь и с силой дернула. — Во что мы играем? Может, объяснишь?

— Ей-богу не знаю, Лю, — сказал я. — Просто мне дали понять, что господин Ильин — лицо неприкосновенное. Как далай-лама. Такие вещи доводят меня до умоисступления.

— Трепло! — Люська засмеялась.

— Хуже, — возразил я. — Я еще и адвокат. Из молодых да ранний. Итак, молодой человек, сопровождающий Галину Константиновну Ильину, одет в короткую рыжую кожаную куртку не из дешевых, джинсы и кроссовки. Так?

— Ничего подобного! Строгий темно-серый костюм, галстук и соответствующая обувь. Попробуй еще раз.

— Хорошо. Тогда по крайней мере у него темные, слегка вьющиеся волосы, довольно длинные, которые он носит собранными в пучок на затылке. Бледная кожа, несколько преувеличенная, почти актерская жестикуляция. Темно-карие глаза. Вероятно, очень правильная, хорошо интонированная речь...

Все это были предположения, но Люська вдруг сказала:

— Да. — И голос ее слегка дрогнул. — Да, Егор. Откуда ты знаешь?

— Я не знаю. — Щелчком я удалил с поверхности стола невидимую соринку. — Но познакомиться придется. Этот человек — единственный свидетель, от которого зависит исход дела, которым я сейчас занимаюсь.

Люська не спросила, что за дело. Просто смотрела на меня с нескрываемым сочувствием. Как на ребенка, по неразумию перемазавшегося с ног до головы какой-то дрянью. Но в этом взгляде сквозил еще и холодок отчужденности.

— Ничего не получится, — медленно проговорила Люська.

— Это еще почему? — возмутился я.

— Потому.

— Вот это по-нашему! — фыркнул я. — Узнаю правоведа!

— Потому что ты не знаешь, кто он, а я знаю.

— Кто же?

— Дегустатор! — со злостью выговорила она. — Это тебе понятно? Де-гус-татор...

В голове у меня хрустнуло, будто кто-то врубил передачу и зубцы вращающихся по отдельности ржавых шестерен пришли в зацепление.

С неприличной поспешностью я попрощался с моей однокурсницей и выскочил на улицу, на ходу задергивая молнию куртки.

Всего на пару минут я задержался у витрин — чтобы подробнее ознакомиться с пунктами предвыборной программы кандидата в депутаты Законодательного собрания от Центрального избирательного округа. Писано было доходчиво и чувствительно. Так, чтобы огорченные сердца истинных патриотов дружно и гневно забились в унисон...

На следующее утро ровно в девять я стоял на Зенитной за стеклянной призмой автобусной остановки, облепленной рекламными листками и частными объявлениями.

Штаб Ильина я обнаружил почти сразу. Вывески на нем не было, но интенсивность движения у подъезда, расположенного рядом с модным ночным клубом «Чрево», бросалась в глаза издалека.

За четверть часа, что я провел за наблюдениями, дважды подкатывали одинаковые синие фордовские микроавтобусы с грузом типографской продукции, с подъехавшей за ними «Газели» сняли и внесли в помещение звуковую аппаратуру с мощными динамиками. Целая бригада невыспавшихся телевизионщиков курила у входа, лениво переругиваясь с румяным охранником, который в ответ на все их попытки проникнуть в помещение молча демонстрировал оттопыренный средний палец.

Дождавшись, когда к противоположному тротуару причалил еще какой-то фургон, перекрывший поле зрения охранника и вход в подъезд, я неторопливо двинулся через проезжую часть. Водитель выскочил, распахнул заднюю дверь и что-то прокричал в сторону подъезда. Из-за фургона один за другим появились четверо парней, один из которых полез внутрь и начал швырять оттуда связанные бечевой пачки тонких брошюр в пестрых обложках.

Весь мой расчет держался на том, что в таких местах, как избирательный штаб, обычно царит полнейший бардак. Двое, нагрузившись, уже нырнули за фургон, еще один топтался на месте, когда я оказался совсем рядом. Из глубины машины мне, не глядя, выбросили пару пачек, я принял их и пристроился к парням, бодро топавшим мимо охранника, занятого конфликтом с прессой.

Минутой позже я поднялся на второй этаж, избавился от увесистой макулатуры, сунув ее под первый попавшийся стол, и неторопливо побрел по длинному коридору бывшей коммуналки, чего не мог скрыть даже евроремонт. Здесь все равно разило капустой и кошками.

Народу тут толклось, как в выходной на вещевом рынке, и затеряться в этой энергично бездельничающей толпе было проще простого. По пути я заглядывал во все помещения, где обнаружил кучу неработающих компьютеров, картотечных шкафов, а также офисных столов и кресел, на которых восседали плотные молодые люди с кофейными чашками и бутылками колы.

Соболя нигде не было видно, и я уже начал жалеть, что поспешил и слишком рано ввалился в этот бордель, но другого шанса могло и не подвернуться.

В конце коридора я толкнул какую-то дверь, за которой двое с изжеванными синюшными лицами разливали по бумажным стаканчикам плоскую бутылку виски «Блэк Джек».

— Парни, — полюбопытствовал я, — а куда девался Олег Иванович?

— А хер его знает, — отвечали мне, не отрываясь от дела. — С утра был. Ты в восьмой смотрел?

Я молча прикрыл за собой створку.

Восьмую искать не пришлось — она располагалась точно напротив. Повернув круглую латунную ручку замка, я оказался в просторном пустом помещении, где, кроме рабочего стола, пары кресел, скрипучего паркета и здоровенного постера с изображением Юлия Андреевича Ильина, ничего не было.

В нише эркера, наполовину скрытый занавеской, стоял человек, рассеянно изучая улицу, и когда он повернулся на щелчок двери, наши взгляды встретились.

Ошибиться было невозможно. Меня будто поймали в перекрестие прицела.

Откинув прозрачную ткань, он сделал шаг мне навстречу — картинно, будто выдвигаясь из-за кулис на авансцену, — и тут я его рассмотрел как следует.

На беднягу фотографа он походил не больше, чем я на Саддама Хусейна.

Глава 12

Этот стервец не дал мне рта раскрыть.

— А-а, — проговорил Соболь негромко, продолжая ощупывать мою фигуру цепким насмешливым взглядом. — Вы меня все-таки достали! И что же вам понадобилось?

— Я адвокат Владимира Варшавина.

Он засмеялся:

— Моя матушка, ей-богу, наблюдательная женщина. Прямо-таки агент Моссада. Она сразу вас раскусила. «Тебя, идиота, — сказала она, — разыскивают органы...»

— Я не из милиции.

Услышав мое возражение, Соболь еще больше развеселился, развернулся и пошагал к нише эркера, в которой стояла пара продавленных кресел и напольная пепельница.

Я догнал его и отчетливо произнес ему в затылок:

— Повторяю, мне поручена защита Владимира Александровича Варшавина. Если вы не хотите побеседовать со мной здесь, то вас вызовут в прокуратуру. Повесткой. Ваше имя Олег Соболь, ведь так?

— К вашим услугам. — Он обернулся и теперь смотрел на меня без улыбки. — Можно даже присесть, все равно вы от меня не отстанете. Могу я удостовериться, что вы именно тот человек, за которого себя выдаете?

Наглец, подумал я, протянул удостоверение и плюхнулся в кресло, доставая сигареты. Соболь уселся рядом, вернул мне документ и с холодным любопытством уставился на меня.

Я не спеша закурил, затем встал, снял пальто, снова сел и забросил ногу на ногу.

Со стороны мы напоминали двух принюхивающихся друг к другу мартовских котов.

Соболь не курил и, когда я вытряхнул из пачки следующую сигарету, не выдержал:

— Мой отец, Проценко Иван Иванович, мечтал, чтобы я стал юристом — как вы, господин Башкирцев. Но не дождался. Влип в одну неприятную историю, сел, матушка с ним развелась, а когда его освободили, мой родитель спился и умер... Ваш уважаемый батюшка в добром здравии? — Я молча кивнул. — Так-то вот! А я — всего-навсего Соболь...

Олег Иванович явно развлекался, но в то же время был слегка напряжен — судя по тому, что ему не вполне удавалось сохранять выражение простодушной скорби и сиротства на породистой, с крупным носом и тяжелыми надбровьями, физиономии. Музыкальные уши под аккуратно зачесанными назад темными волосами порозовели от удовольствия, но расслабиться он так и не сумел.

Я угрюмо молчал, пользуясь тем, что нахожусь на шаг впереди него: из того, что мне поведала Люська, у меня сложилось отчетливое представление об этом типе; он же меня совершенно не знал.

— Что вам нужно, Егор Николаевич? — неожиданно сдался Соболь.

Память у него была фотографическая. Я не представлялся.

— Я на сто процентов уверен, что вы находились у дома №8 в проезде Слепцова второго сентября около шести часов вечера. Но меня не интересует, с какой целью. — На лице Соболя мелькнуло лишь легкое удивление, и я продолжал: — Мне хотелось бы, чтобы вы, Олег Иванович, согласились выступить в деле Варшавина в качестве свидетеля защиты.

— И только-то! — шутливо воскликнул он. — Как вы думаете, уважаемый господин адвокат, почему я благополучно дожил до тридцати лет? Отвечаю: потому что последовательно исповедовал принцип — не видел, не слышал, не знаю...

— Мне необходимо, чтобы на суде вы подтвердили, что видели машину Варшавина, и его самого за рулем, и то, как она отъехала от дома в восемнадцать ноль-ноль, — упрямо повторил я. — Вы ведь не станете отрицать, что были знакомы и с обеими Кудимовыми, и с моим подзащитным?

— Ни в коем случае, — быстро ответил он, спеша произнести то, что я уже готов был услышать: — Но не надейтесь припутать меня к судебному разбирательству. Был ли я у того дома второго сентября или не был — факт моей личной жизни, вторгаться в которую никому не позволено. Вы сказали — восемнадцать ноль-ноль? Не знаю. Я на часы не смотрел. Не было повода. С таким же успехом это могло случиться и в девятнадцать, и в двадцать. И последнее: моя матушка вбила мне в голову одну вещь. Отозваться на чужую беду — значит, накликать ее на свою голову. Подумай сначала, говорила она, нужно ли это твоим ближним? Ваш Варшавин не входит в число моих близких друзей и к тому же производит впечатление человека, не нуждающегося в чьей-то защите. Хотя у каждого, конечно, имеются маленькие слабости...

Глаза у Соболя стали наглыми, как у растлителя малолетних, попавшегося на горячем.

— А какие слабости имелись у матери и дочери Кудимовых? — неожиданно спросил я, снова берясь за сигарету.

— Как вы много курите! — досадливо произнес он. — Это нездорово... Я был знаком с ними совершенно поверхностно. Чем это может помочь вашему клиенту?

— И все-таки? — Я с наслаждением затянулся, поудобнее устраиваясь в скрипучем кресле. — Для меня крайне важны ваши личные впечатления, Олег Иванович. Ваша матушка поведала мне мимоходом, что вы росли способным мальчуганом. Наблюдательным и сообразительным.

7-4

Соболь досадливо поморщился, но не избежал соблазна. Он прекрасно сознавал, что привлечь его к делу Варшавина у меня не выйдет. Такой жалкий зеленый адвокатишко, как я, по его разумению, ничего не сможет сделать, чтобы вытащить своего подзащитного. А раз так, почему бы со мной и не побеседовать на отвлеченные темы? Я видел, что он совершенно уверен в невиновности Варшавина, что насчет того вечера он будет лгать и что он далеко не так прост, как полагал Варшавин и каким он сам хочет казаться.

— Я познакомился с Гелей на какой-то вечеринке, — сказал Соболь, откидываясь в кресле и вытягивая ноги. — Симпатичная девушка, но энергетически крайне неразвита. Коррекция импульсов в зачаточном состоянии.

— Что вы имеете в виду?

— В ней напрочь отсутствовала разумная воля, знание своей женской природы и умение управлять ею. Поэтому она тянулась к мужчинам и одновременно не доверяла им.

— И вам в том числе?

— У меня с ней ничего не получилось. Мы стали всего лишь приятелями. К тому же Геля слишком высоко ценила земные радости.

— Не похоже, чтобы вы, Олег Иванович, отказывали себе в приятных мелочах. — Я взглянул на его небольшие руки с ухоженными ногтями, покрытыми бесцветным лаком, и платиновой печаткой на мизинце, на которой уютно дремал, свернувшись, скорпион. — Ваша матушка считает...

— К дьяволу матушку! — Он пристально посмотрел на меня, вздернул подбородок и продолжил: — Во всем должна быть мера. Я философски отношусь к жизни, и крайности меня раздражают. Кудимовы, по определению Достоевского, — «случайное семейство». В их доме никогда не было постоянного мужчины... Одна вышла из другой, как матрешка, и в конце концов, существуя в замкнутом пространстве, они должны были друг друга поглотить...

Соболь внезапно умолк, раздражение на его артистической физиономии сменилось гримасой утомленного суетой жизни святоши. Я терпеливо ждал продолжения.

— В общем, Ангелина была обычной юной, далеко не удовлетворенной молодой женщиной, полностью подчиненной той среде, в которой она вращалась.

— А что это за среда? — полюбопытствовал я.

— Им обеим не хватало... э-э... воздуха, — ответил Соболь. — И обе они даже не пытались изменить свою судьбу. Как материал для наблюдения Кудимовы малоинтересны...

— Это слишком сложно для меня, Олег Иванович. — Этому сукину сыну явно доставило удовольствие мое признание в скудоумии. — Объясните попроще.

— Они были самками. — Я поморщился. — Их терзали страсти, неподконтрольные здравому смыслу.

— А в чем же состоит здравый смысл для двух совершенно здоровых, но придавленных обстоятельствами и нищетой женщин? — воскликнул я.

— Вот-вот! — Он сразу же оживился. — Существовавших за чертой бедности, но претендовавших на достаток и свободу — так будет вернее... Ангелина предпочитала передвигаться только в авто, курить дорогие сигареты, выглядеть как принцесса Монако. А ее мать, ставшая алкоголичкой, вечно пребывала в состоянии частичного анабиоза, желая единственного: затащить любого входящего в дом мужчину в собственную постель.

— И вас?

Он щелкнул пастью и презрительно осклабился:

— Я полагаю, нам больше не о чем с вами говорить, господин адвокат.

— Да будет вам, Олег Иванович. Мы же не в суде. Лунц также подпадает под категорию тех, кому... э-э... не хватало воздуха?

Соболь не спросил меня, как мой подзащитный, «кто это?», он только брезгливо поморщился:

— Об этом субъекте между приличными людьми вообще нет смысла упоминать.

— И все же? — Я настаивал.

— По природе своей этот малый сластолюбив и физиологичен. В принципе, он — идеальный партнер для такой девушки, как Геля Кудимова. Он чувствителен, податлив, знал, чего хочет женщина, и в то же время умел добиться своего. Поэтому ему и удалось их обеих в конце концов обобрать до нитки. Они оплачивали его забавы с фотографией, кормили и поили его, сами постепенно подтягиваясь к бутылке... Вы верите сказочке, что Лунц собирался жениться на Ангелине? Да старшая никогда не позволила бы состояться этому браку!

— Значит, Лариса Борисовна считала, что фотограф не пара ее дочери, а против Варшавина ничего не имела? Так получается?

Он все больше сомневался в наличии у меня умственных способностей.

— Варшавин — идиот, обласканный жизнью. Я не знаю, что там у них было в прошлом с Ангелиной, однако, уже став женихом дочери Юлия Андреевича, он все равно встречался с младшей, — высокомерно произнес Соболь. — Варшавин — такая же жертва дешевых страстей.

Это было что-то новенькое, но я все же вернулся к Лунцу.

— Полторы тысячи долларов фотограф взял у Кудимовых? — спросил я.

— А у кого же еще? Кто, будучи в здравом уме, дал бы ему денег, которые он намеревался просто промотать... Старшая была в полном отчаянии, она лихорадочно пыталась вернуть долг соседке. Я безразличен к деньгам, но такая сумма! — Соболь, словно телевизионный проповедник, вскинул правую ладонь, как бы отгоняя от себя видение нечистых купюр. И тут я его поймал:

— Так значит, вы все-таки были в тот день у них в квартире?

Он застыл, медленно опустил руку на колено и взглянул на меня с нескрываемым интересом.

— А вы, Егор Николаевич, не промах, — произнес Соболь. — Ну и что из этого вытекает? Был или нет — ведь не собираетесь же вы повесить на меня убийство Кудимовых и Лунца?

— Все может быть, — скромно потупился я. — Варшавин невиновен, а значит, место убийцы пока вакантно.

— Это вам еще предстоит доказать. — Соболь протанцевал через комнату, распахнул дверь в коридор и крикнул: — Слава! Родионов! Зайди ко мне! У нас в штабе, — проговорил он, пока я разглядывал долговязого молоденького паренька в очках, топчущегося в проеме, — каждый второй день месяца в девятнадцать ноль-ноль проводится координационное совещание — подведение итогов, так сказать. Явка обязательна...

Слава, в джинсах на три размера больше, чем следовало, и в пестром залатанном свитере, уже стоял прямо передо мной, нетерпеливо посапывая.

— Скажи, голубчик, этому дяде, виделся ли ты со мной второго сентября на совещании, проходившем в этом помещении?

— Сентября?

— Так точно. Месяц назад. Мы еще с тобой пили баночное «Левенбрау», которое я принес.

— Было дело, Олег Иванович! — радостно отрапортовал Слава.

— Ты определенно помнишь?

— А как же!

— Ну иди, работай, — произнес Соболь, а когда мы остались одни, выдохнул: — Вот так-то!

— Допустим, в девятнадцать вы находились здесь и пили пиво со Славой, — проговорил я. — Но ведь часом раньше вы все-таки посетили квартиру Кудимовых.

— Ну и что?

— Подходя к дому, вы заметили отъезжающего Варшавина — и он вас тоже. Затем вы поднялись на пятый, позвонили в дверь, вам открыла Лариса Борисовна и впустила в квартиру. По моим сведениям, вы были последним, кто видел Кудимовых живыми.

— К чему эта мелодрама, Егор Николаевич? — сказал он. — Варшавин в СИЗО, я сижу здесь перед вами, а за дверью гуляет мое алиби. Как я понимаю, вы снова намерены попытаться уговорить меня стать свидетелем защиты? Не стоит тратить на это силы и время. Свидетельских показаний давать я не намерен ни при каких обстоятельствах. Ни вам, ни кому-либо другому. Доказать вы ничего не сумеете, так как засвидетельствовать мое пребывание в квартире потерпевших просто некому. А я буду категорически отрицать, что Варшавин видел возле подъезда именно меня. Да еще я накатаю жалобу в прокуратуру, что вы пытались оказать на меня давление... Что касается Владимира Александровича, то он сгорел по собственной дурости. Всяк сверчок знай свой шесток.

Он улыбнулся мне обезоруживающей белозубой улыбкой. По-своему выдающийся фрукт. Видимо, в возрасте подростковых прыщей он чрезмерно увлекался Достоевским, что само по себе небезопасно.

Но и мы не лыком шиты.

— Насчет пива — это вы необдуманно, — сказал я. — Хмельной Славик мог зафиксировать время только приблизительно. Штабного и пришлого народу здесь как сельдей в бочке, пиво в избытке, в ходу и кое-что покрепче, сам видел. Вы, гражданин Соболь, вполне могли появиться на совещании и в половине восьмого, и в восемь. Шансы с моим клиентом у вас пятьдесят на пятьдесят — ведь убийство произошло между семью и семью тридцатью...

Волна отвращения пробежала по лицу Соболя, полыхнула гневным румянцем и растаяла.

— Но, — продолжал я, — у моего подзащитного есть небольшое преимущество перед вами. Он ничего не оставил в доме Кудимовых, кроме отпечатков пальцев, а вот вы, Олег Иванович, оказались крайне небрежны...

Я блефовал с такой же наглостью, с какой он мне врал. Нетрудно было догадаться, что по своей сути этот человек — игрок, но на чьем поле он играет? Если на своем, то почему он с таким наслаждением занимается чужой грязной работой? Вероятно, процесс для него гораздо важнее, чем результат. Мне доставило удовольствие поймать его пусть в несуществующую, но все же действующую ловушку.

— Чушь, — сказал Соболь. — Вы сейчас солгали.

— Не имею такой привычки. — Я возвратил ему скупую улыбку. — Кроме того, это противоречит моим профессиональным убеждениям. Мы могли бы еще раз встретиться, Олег Иванович, когда вы все обдумаете. Или все-таки мне вызвать вас повесткой в суд, где под статьей вы будете вынуждены признать, что столкнулись с Варшавиным в шесть вечера у дома потерпевших?

— Я позвоню вам, — проскрежетал Соболь.

Он снова говорил неправду, но я оставил ему свой рабочий и домашний телефоны и, не прощаясь, покинул это богоугодное заведение. Никто лучше меня не мог знать, что Соболь не причастен к убийству; мне оставалась только легкая, как осенняя дымка, надежда, что он все-таки позвонит и согласится дать письменные показания, подтверждающие, что Варшавин покинул квартиру номер двадцать семь в шесть часов вечера.

Я оглянулся. Дымка рассеялась.

Соболь стоял, широко расставив ноги, руки в карманах, подбородок лопатой вперед, и смотрел мне прямо в переносицу. Если бы он мог испепелить взглядом, на месте, где я стоял, осталась бы горка теплой золы. Непосредственно за которой на стене открылся бы полноцветный плакат, призывающий голосовать за кандидата национально-либеральных сил Юлия Андреевича Ильина.

Развернувшись, я двинулся прямо к этому энергичному, волевому, обещающему мне решение всех проблем лицу.

Глава 13

Только выйдя на улицу, я почувствовал, что ноги у меня будто свинцом налиты. Сил оставалось ровно столько, чтобы поддерживать вертикальное положение.

Похоже, Соболь предпринял попытку мной закусить, но я пришелся ему не по зубам. Какой-то доморощенный экстрасенс обучил его всем этим вампирским штучкам. Известная вещь: вы мирно дремлете в троллейбусе и вдруг ощущаете ядовитый зуд в затылке — значит, прячущийся в толпе демон проголодался и выбрал именно вас в качестве дежурного блюда. Примерно так поясняли мне это знающие люди, советуя в подобных случаях различные способы защиты.

Самым симпатичным из них было немедленно покинуть гиблое место, вернуться домой, встать под горячий душ, а затем с хорошей книгой просидеть до позднего вечера под желтой настольной лампой.

Именно этого я и не мог себе позволить. Только скрестил в кармане указательный и средний пальцы, зажмурился, сосчитал до десяти и глубоко вдохнул сыроватый воздух.

Тяжесть начала постепенно уходить.

Нащупывая в кармане пальто пластиковую чип-карту, я потрусил к ближайшему таксофону и набрал номер отца моего подзащитного.

Александр Семенович Варшавин отозвался сразу, и мы договорились в час встретиться у него дома, после чего я не спеша побрел по улицам к старому центру, где и обитал соперник Ильина — профессор, доктор экономики, бывший член бюро райкома КПСС и завкафедрой, а ныне ректор Независимого института социального планирования и менеджмента.

Судя по тону, которым он со мной говорил, не приходилось надеяться, что профессор ждет меня к обеду. Поэтому я счел необходимым по дороге заглянуть в столовку, громко именовавшую себя «Пиццерия-люкс». Там я проглотил тарелку холодной гречневой каши и сморщенную сосиску, а в награду за это получил томатный сок и к нему — пирожок с повидлом. С камнем в желудке я направился в ближайший скверик, чтобы спокойно выкурить сигаретку.

Отечество второй месяц изживало свирепый августовский кризис, и пицца уже покинула наши края, туда, где потеплее. Возможно, с этим, а не только с моим звонком были связаны мрачные интонации в голосе ректора и профессора. Александр Семенович наверняка был озабочен предстоящими выборами не меньше, чем историей с сыном. Смешно даже надеяться, что при таких обстоятельствах кто-то потащится к урнам. Моим соплеменникам давно стало безразлично, кто следующим вывернет содержимое их карманов.

Я дымил, сидя на замызганной скамейке, и предавался скорбным размышлениям, пока до меня не дошло, что причина их — все тот же Соболь. Отделаться от него оказалось не так-то просто...

Варшавин-старший встретил меня суховато, но учтиво, впрочем, сразу же оговорившись, что не его вина в том, что сын отказался от услуг семейного адвоката и теперь именно мне приходится вытаскивать Володю из беды. Профессор изъявил готовность ответить на любые интересующие меня вопросы.

Из просторной прихожей, обшитой светлым дубом, в гулкой тишине огромной старинной квартиры мы прошли в его кабинет и уселись по обе стороны передвижного столика, на матовой поверхности которого находились поднос, хрустальная пепельница и вазочка с бисквитами.

Пока Александр Семенович хлопотал с кофе, я, утопая в сонных объятиях смахивающего на динозавра кресла, рассматривал высокий потолок хозяйского кабинета. Гипсовая лепнина в углах уже потрескалась, однако пухлый амур все еще удерживал в дряхлеющих ручонках пятипудовую бронзовую люстру. Мои глаза скользнули по книжным полкам, новехонькому ноутбуку на письменном столе, графическим листам на голубовато-белых стенах и остановились на кабинетном фото худощавой рыжеволосой женщины с зелеными глазами на волевом лице, без улыбки прижимающей к себе полного кудрявого мальчугана, в котором я сразу признал своего подзащитного.

— Сахар и сливки на ваше усмотрение, — донесся до меня голос его отца.

Женщина на фото была молодой и строгой красавицей; передо мной же сидел стареющий джентльмен с озабоченным выражением серых глаз, с аккуратно подстриженным седеющим бобриком и как бы подкрашенным розовой акварелью гладким лицом. Рот у него был крупным, чувственным, на тщательно выбритом подбородке — характерная ямка; когда он пододвинул ко мне хрупкую фарфоровую чашку, я заметил, что руки у него почти женские.

— Курите, — сказал он, — если хотите. Я давно бросил, но ничего не имею против сигаретного дыма.

Я поблагодарил и задал свой первый вопрос. О том, как Александр Семенович относится к помолвке своего сына с дочерью его соперника по выборам.

Он удивился, однако, осторожно подбирая слова, ответил.

— В последнее время, — сказал профессор, — я почти не виделся с Володей. Вы, очевидно, в курсе, что несколько лет назад он начал собственный бизнес, много работал, бывал здесь редко, а затем и окончательно переселился. Сейчас у него своя квартира... Однако наши отношения — я буду с вами откровенен, Егор Николаевич, — стали напряженными с тех пор, как я вторично женился. Леля... она почти ровесница Володи, моя бывшая аспирантка... а он был очень привязан к матери. Это Аня, — он кивнул на фотографию женщины с ребенком, — привлекла его к работе в рекламном агентстве, которым, кстати, очень толково управляла; она же оставила Володе не только отлично налаженное дело, но и связи, клиентуру, небольшой капитал...

Варшавин-старший умолк, тяжеловато приподнялся и направился к окну. Я следил за ним настороженным взглядом, словно охотник за дичью, готовой приблизиться на верный выстрел.

Он задернул тяжелую бархатную штору, включил настольную лампу и возвратился ко мне с бутылкой «Хеннесси» и двумя пузатыми рюмками.

От коньяка я вежливо отказался.

Сделав крошечный глоток, хозяин дома продолжил:

— Где-то в июле Володя неожиданно приехал ко мне на дачу. Дом у нас старый, просторный, построен еще моим тестем. Я жил там этим летом один, взяв месячный отпуск, пока жена отдыхала в Пицунде... Так вот, он приехал и даже, к моему удивлению, остался ночевать. Привез продукты... Тогда же он сообщил мне, что осенью женится. И назвал имя девушки, с которой уже помолвлен. То, что она оказалась дочерью Ильина, меня не обрадовало, и я, не скрою, прямо ему об этом сказал. И дело вовсе не в том, что Ильин — мой идеологический противник, а теперь и конкурент, — горячо воскликнул профессор, — и даже не в том, что Даша совсем иного круга, чем мой сын. Вся эта история как-то сразу мне не пришлась по душе. Кроме того, Леля, моя вторая жена, знакома с этой девушкой и весьма невысокого мнения о ней, как, впрочем, и обо всем этом семействе...

Он замолчал и нервно опустошил рюмку.

— И у вас, — осторожно проговорил я, — все закончилось ссорой?

— Володя был предельно категоричен. Он заявил, что приехал не за родительским благословением, а чтобы поставить меня в известность о принятом им решении. Что из-за моих амбиций, карьерных соображений и прочей дуристики не собирается ломать себе жизнь. В ответ я деликатно дал понять сыну, что Дарья Ильина не совсем ему пара. И тут он взорвался...

У Александра Семеновича болезненно исказилось лицо. Я уже вполне мог представить, что наговорил ему Варшавин-младший.

— В общем, — произнес профессор, — с тех пор мы больше не встречались с Володей до... до этих событий. Изредка я ему звонил. В том разговоре на даче он дал мне ясно понять, что его решение окончательно. Его невеста сама захотела жить отдельно от отца, и свадьба должна была состояться еще до выборов. Из всего этого я сделал вывод, что Ильин, так же как и я, не хочет этого брака. «Почему ты спешишь? — спросил я Володю напрямик. — Может быть, девушка беременна?» Он как-то нехорошо засмеялся и ответил: «Ты думаешь, только тебе позволено влюбляться в женщин?» — «Что же, — сказал я, — любишь — женись...» А потом закрутилась вся эта жуткая история с убийством... Как он там?

Я не успел ответить. Высокие дубовые створки двери кабинета распахнулись, и на пороге появилась молодая женщина.

Не требовалось особой прозорливости, чтобы сразу понять, кто в этом доме делает погоду. Она была длинноногой, с волосами цвета темной бронзы, упакована в жемчужного цвета деловой брючный костюм, в меру блестела камушками и пахла, как кинозвезда.

Профессор уставился на жену словно завороженный и сомнамбулически представил меня.

Голубые глаза Людмилы Аркадьевны вспыхнули непонятным мне огнем, и она проворковала, усаживаясь в придвинутое мужем кресло и косясь на бутылку с коньяком:

— У вас, как я понимаю, все главное уже переговорено. Однако я рискну спросить, уважаемый Егор Николаевич: удастся ли вам облегчить участь Володи? — Она потянулась к столу движением анаконды и острыми коготками подцепила сигарету из моей пачки.

Эта конфетка была доверху начинена ядом.

— Боюсь, — сказал я, разглядывая ее идеально нарисованный рот, — что у меня не получится отложить рассмотрение дела в суде...

— Мы хотели пригласить нашего хорошего знакомого, очень опытного юриста, но Володя отказался, — зачем-то повторил Александр Семенович.

О некоем семейном адвокате без имени я уже слышал от профессора, теперь его супруга не церемонясь дает мне понять, что я, на ее взгляд, слишком молод. Однако Леля гибко обернулась к мужу.

— Дорогой, — проворковала она, — свари нам еще по чашечке кофе. По твоему рецепту. Вы не против, Егор Николаевич? И захвати газеты в прихожей.

Когда мы остались одни, она прямо спросила:

— Плохи дела?

— Почему? — Я улыбнулся. — Все сложно, но так и должно быть. Кроме того, Владимир Александрович сильно простужен, и желательно, чтобы вы передали ему теплые вещи.

— Я пошлю домработницу, — сказала она. — Меня интересует, в какой степени можно смягчить участь сына Александра Семеновича.

— В максимальной, — ответил я, и Леля на меня быстро и с интересом взглянула.

— Слушание будет закрытым? — Не дожидаясь кофе, она схватилась за вторую сигарету.

Я пожал плечами.

— Это не мои проблемы, — сказал я. — Скорее ваши. Нам с Варшавиным все равно. Шум вокруг дела кому-то на руку, но к судьбе Владимира Александровича это не имеет никакого отношения.

— Вы ему симпатизируете? — Она выпустила струю дыма прямо мне в лицо.

— Теперь — да, — произнес я и, когда вошел ее муж с подносом, обратился к нему: — Могу ли я задать вам еще пару вопросов, Александр Семенович? Конфиденциально?

— У меня от Лели нет тайн. — Он покосился в сторону жены. — Мы вместе живем, работаем и все неприятности готовы встретить вместе. Тебе с коньяком, голубчик?

Она кивнула, придвинула к себе чашку, окинула меня насмешливым взглядом и тут же извлекла из кармана блейзера заверещавшую трубку сотового телефона.

— Тебя. — Леля недоуменно протянула трубку мужу. Он взял и направился к письменному столу. — Значит, ко мне у вас нет вопросов? Мы ведь и в самом деле очень близки с Александром Семеновичем.

Пока профессор бубнил в трубку, я спросил ее о Дарье Ильиной.

— Фанатически предана отцу, — сказала Леля. — Не понимаю, что привлекло в ней Владимира. Холодна, как могильная плита, высокомерна, пуританка, учится на филологическом и к тому же — девственница.

Я заметил, что два последних пункта характеристики не являются пороками.

Леля расхохоталась, а профессор, возвратившись, грузно опустился в кресло и через столик протянул ей телефон.

— Чем это вы ее развеселили? — произнес он и, не дожидаясь моего ответа, спросил у жены: — Голубчик, ты не знаешь, кто такой Соболь и почему он звонил мне по твоему номеру?

— А что? — Леля оборвала смех.

— Этот человек настойчиво предлагает мне встретиться. Кто он?

— Что ты ему ответил, Александр?

— Я вынужден был согласиться, так как он утверждает, что это в моих интересах. Он будет здесь через час.

— Любопытно... — Женщина задумчиво закусила полную нижнюю губу. — Я попозже объясню тебе, кто этот господин и откуда ему известен мой номер... Тут Егор Николаевич расспрашивал меня о дочери Ильина. Как ты думаешь, почему Володя мог так ею увлечься?

Глядя на профессора, я ждал ответа, но из головы у меня не шел звонок.

— У сына, — донесся до меня размеренный голос Александра Семеновича, — все так непросто складывалось с Гелей Кудимовой, о чем вы, безусловно, уже знаете, что естественным было стремление к прочности и стабильности отношений. Ему показалось, что в Ильиной он нашел именно эти качества...

— А его связь с Ангелиной Кудимовой? Как вы к этому относились?

Профессор бегло взглянул на жену, лицо которой мгновенно стало непроницаемым, а затем покосился на мою опустевшую кофейную чашку. Он молчал, и я понял, что, в общем, ответа мне не дождаться. Все здесь решала Леля. И именно она подтолкнула его баллотироваться в Думу, причем эти выборы Варшавин-старший, человек достаточно безвольный, проиграет в любом случае, независимо от того, как закончится история с сыном. Она была чертовски хороша и честолюбива. У меня даже мелькнула мысль: а не входило ли в ее планы сократить предвыборной нервотрепкой жизнь супруга на десяток лет?

Мне ничего не оставалось, как попрощаться и напомнить о теплых вещах для моего клиента. Я сообщил профессору свои координаты, поблагодарил за кофе и направился к выходу.

Провожал он меня холодно, но я уже твердо знал, что еще сегодня мы снова увидимся. Хочет этого Людмила Аркадьевна или нет.

Когда бронированная дверь квартиры захлопнулась за мной, я поднялся на два марша вверх, на четвертый, выбрал позицию у окна и принялся ждать.

Соболь появился у дома ровно через двадцать две минуты. Куртка на нем, между прочим, была все та же — рыжая, на голове круглая твидовая кепочка, руки он держал за спиной, сцепив пальцы в замок. Олег Иванович так торопился, что на третий поднялся почти бегом. В нетерпении он даже легонько пнул дверь профессорской квартиры, однако ждать ему не пришлось. Через несколько секунд он уже был внутри.

Я мог представить, как его встретили; уж во всяком случае, Леля просветила профессора, что он за птица. Но с чем явился приближенный Ильина к сопернику босса — тут мое воображение давало сбой.

Я не курил, памятуя о собачьем нюхе Соболя. Не хватало, чтобы он меня здесь засек. Подъезд был уютным, чистым и теплым, из-за массивных дверей квартир не доносилось ни звука. За те полчаса, что я здесь околачивался, никто, кроме Соболя, не вошел и не вышел.

На тридцать седьмой минуте мое ожидание закончилось. Олег Иванович выскочил от Варшавиных как ошпаренный, грохнул дверью и скатился вниз, не дожидаясь лифта.

Я выждал еще чуть-чуть, спустился на третий и позвонил.

Мне открыла Людмила Аркадьевна; комментарий по поводу выражения ее лица я опускаю.

— Что вам еще нужно? — процедила она сквозь зубы.

Мадам Варшавина не успела переодеться и предстала передо мной в платье, очевидно надетом к приходу Соболя, — оно подходило скорее для вечернего коктейля, чем для деловой беседы с пресс-секретарем кандидата в депутаты Ильина.

Стоя на пороге, я нагло рассматривал старинный кулон в ложбинке ее высокой груди.

Это занятие прервал сам профессор. Как ни странно, он мне обрадовался.

— Замечательно, что вы вернулись, Егор Николаевич! — воскликнул Варшавин. — Я даже собирался с вами связаться. Прошу в кабинет!

Все повторилось в той же последовательности, как и два часа назад: мы миновали анфиладу просторных комнат, меня усадили в кресло, придвинули пепельницу и предложили коньяку, однако теперь я чувствовал, что Леля не спускает глаз с моего затылка. Она поместилась на низком сафьяновом диванчике в трех метрах от меня.

— Я возвратился потому, что забыл задать вам, Александр Семенович, один важный вопрос: почему ваш сын открыл именно мексиканский ресторан?

Людмила Аркадьевна закашлялась, поперхнувшись дымом, а профессор далеко не сразу сообразил, о чем это я. Пришлось повторить.

— Все очень просто, — сказал он. — В девяносто первом, кажется, его мать вздумала взять с собой Володю в поездку в Мексику, чтобы показать ему там вулкан... ну этот, как его?..

— Попокатепетль, — внятно произнесла Леля за моей спиной.

— Там есть еще Истаксиуатль. — Я обернулся и послал ей самую светскую улыбку.

— Не важно, — продолжал профессор. — Подобные дикие идеи были в характере Ани. Она его всю жизнь баловала... Вас удовлетворил мой ответ, Егор Николаевич?

— Вполне, — сказал я.

— Теперь о том, зачем вы мне понадобились, — нетерпеливо произнес Варшавин-старший. — Имя Олега Соболя вам что-нибудь говорит?

— Нет, — предпочел солгать я.

— Послушайте, — воскликнул профессор, — вы обязательно должны с ним встретиться, только на меня ни в коем случае не ссылайтесь! Дело в том, что этот человек может выступить свидетелем защиты и подтвердить, что видел моего сына, отъезжающего в машине от дома Кудимовых задолго до преступления!

— А кто такой этот Соболь? — Я изобразил на физиономии величайшую заинтересованность и даже вытащил блокнот.

Позади меня предостерегающе зашипели, но Александр Семенович досадливо махнул рукой в сторону жены.

— И это еще не все! Представьте себе, данный молодой человек потребовал за свою услугу ни больше ни меньше как две тысячи долларов. Он сказал, что если я не располагаю средствами, то у моего сына они есть. Дал мне сутки на размышление и порекомендовал проконсультироваться с Володей по этому вопросу.

На некоторое время я утратил дар связной речи. И тут Людмила Аркадьевна не выдержала.

— Неужели, — она вскочила, устремляясь к мужу, — неужели ты, глупец, не понимаешь, что это примитивная ловушка? Зачем ты весь этот бред выкладываешь адвокату своего сына? Соболь — такая же грязная личность, как и его работодатель. И ты думаешь, что, получив деньги, он явится в суд?

С этим трудно было не согласиться. Я проговорил, перебивая женщину:

— Я встречусь с этим человеком, однако советую вам до моего разговора с Соболем никаких действий не предпринимать.

Леля мое замечание полностью проигнорировала.

— Неужели ты не понимаешь, Александр, — повторила она, — что все это — очередной ход Ильина с целью скомпрометировать тебя? — Она схватила профессора за плечо и с силой встряхнула. Бедняга болезненно поморщился.

Я призвал обоих к спокойствию.

— При чем тут Ильин? — спросил я, как бы недоумевая.

— При том. — Она презрительно прищурилась в мою сторону. — Соболь — сотрудник предвыборного штаба Ильина и, по моим сведениям, вхож в его дом. Я предупредила об этом Александра Семеновича после его звонка, но он не пожелал меня как следует выслушать. И что же? Вы оба полагаете, что после того, как мы выложим требуемую сумму, Ильин не объявит, что Варшавин покупает свидетелей, чтобы вытащить сына из камеры? А Соболь побежит давать показания в пользу сына соперника своего шефа?.. Неужели вы так и не поняли, ради чего закручена вся эта история с Володей?

Что-то подобное и мне пришло в голову, только под несколько иным соусом.

— Значит, мне не следует встречаться с этим типом? — пробормотал я.

— Не знаю! — отрезала Людмила Аркадьевна. — Это ваша головная боль. Мы, во всяком случае, с ним никаких дел иметь не намерены. Я готова была задушить его собственными руками и не скрывала этого...

— Но, Лелечка, — жалобно простонал муж, — ведь если Соболь и в самом деле видел Володю, это единственный шанс его спасти!

— А зачем его спасать? — произнесла профессорша.

Она наклонилась, плеснула себе в бокал коньяку и молча удалилась в свой угол.

— А ты, Александр, совершенно не умеешь держать язык за зубами! — донесся до нас ее раздраженный голос.

Пока я поднимался с уютно насиженного кресла, вконец растерянный джентльмен смотрел на меня скорбным взглядом старого нашкодившего кота.

Я получил все, что хотел, и теперь с этими людьми меня ничего больше не связывало.

Пока я расшаркивался с Варшавиным-старшим в прихожей, Людмила Аркадьевна энергичным властным голосом, перекрывая шум воды в ванной, заказывала в ближайшем от дома ресторане столик на двоих.

Мы обменялись рукопожатием, и я спросил напрямик:

— Александр Семенович, скажите, до того, как ваш сын был арестован, вам не предлагали некую материальную компенсацию за то, чтобы вы отказались баллотироваться?

Глаза профессора округлились, рот приоткрылся, будто я предложил ему немедленно отправиться вместе со мной в подпольный притон.

— Ни-ког-да! — раздельно произнес он. — Что за дикая идея?

Я вышел, дверь за мной захлопнулась.

На четвертом, где я караулил Соболя, уже устроилась какая-то любовная парочка.

«Мать честная! — подумал я. — Конец рабочей недели — сегодня пятница... Где мое гарантированное право на отдых?»

Внизу я остановил машину, назвал свой адрес и, пока ехал, в полудремоте вспомнил, что на завтра у меня назначена встреча со свидетелем обвинения, показавшим, что видел «судзуки» Владимира Варшавина возле пятиэтажки в проезде Слепцова после семи вечера.

Свидетель по фамилии Буй утверждал, что водителя в это время поблизости не было.

Глава 14

Звонить в квартиру Буя оказалось бесполезно.

Еще на подступах к пятиэтажке, стоявшей под прямым углом к дому №8 по проезду Слепцова, я услышал хриплый звук аккордеона. Для половины девятого субботнего утра — рановато. Звук доносился из распахнутой форточки в первом этаже.

В подъезде, сверившись с адресом, я нажал кнопку, измазанную чем-то липким, и некоторое время стоял, вслушиваясь в удалой казачий напев за дверью.

Исполнитель токовал, как глухарь по весне, и на слабое дребезжание звонка никак не реагировал.

Я тронул ручку — и дверь распахнулась сама собой, впустив меня в крохотную полутемную прихожую. Аккордеон затрубил как издыхающий мамонт, хрюкнул и повел жалостливую одноголосную мелодию. Басы вздыхали наподобие группы херувимов, оплакивающих грехи пропащего человечества.

В помещение я проник со словами:

— Извините, Степан Рустамович, но у вас все открыто...

Прямо передо мной расстилался необъятный стол, покрытый червонной бархатной скатертью, на которой золотом значилось: «Переходящее кра...» В центре круглился герб покойного Союза. На этом поле в беспорядке толпились четыре бутылки пива «Балтика» №9 — из них одна пустая, — графинчик синего стекла, такая же стопка, открытая банка печени минтая и тарелка серой квашеной капусты.

Хозяин располагался в дальнем торце стола, ближе к окну. При виде меня он свел мехи, грохнул двухпудовый, сверкающий перламутром «Вельтмейстер» на стол и поднялся из-за него, сразу оказавшись как бы на трибуне.

Больше всего Степан Рустамович Буй походил на битое молью чучело ястреба-тетеревятника. Хрящеватый нос крюком, неподвижные янтарные глаза, щеки, ввалившиеся как у вяленой чехони, и седые, шнурком, усы, свисающие над углами рта. На плешивой макушке стояла дыбом одинокая мокрая прядь.

Махнув рукавом синей черкески, свидетель поймал равновесие, широко распахнул объятия и закричал пронзительным фальцетом — будто мы с ним находились по разные стороны глубокого ущелья:

— Седай, станишник! Гость к дому — Бог к дому!

Слегка оторопев, я протиснулся поближе и опустился на зыбкий табурет.

— Не хотелось бы мешать, но я к вам по делу, — начал я, но был остановлен приказом:

— Во-первых — прими. Потом дела. Как тя величать-то?

— Башкирцев, Егор Николаевич. Я, собственно...

— Обидишь! — пригрозил хозяин.

Передо мной уже колыхалась налитая стопка граммов на сто пятьдесят, не меньше.

Я содрогнулся, но влил в себя все до капли. Водка оказалась ужасающая. Будто ее добывали из докембрийских пластов вместе с нефтью. В букете преобладал вкус горелой резины.

— Молодцом! — крякнул Буй. — Это вот по-нашенски, по-терски...

Отдышавшись, я огляделся. В красном углу я обнаружил с полдюжины отпечатанных типографским способом портретов наказных атаманов, а на потертом настенном коврике — клинок в ножнах, который при ближайшем рассмотрении оказался самой обыкновенной «селедкой» — из тех, что в начале века служили табельным оружием нижних полицейских чинов. Тем временем проглоченная мной бодяга начала действовать — медленно и неотвратимо, как изощренный византийский яд.

— Споем, товарищ! — крикнул Буй, ударив в пол каблуком офицерского ялового сапога. — Или еще по махонькой?

Содрав колпачок с пивной бутылки, он наспех влил в себя больше половины.

Во что бы то ни стало нужно было перехватить инициативу.

— Любите музыку? — быстро спросил я.

— Обижаешь! Полвека, считай, в самодеятельности. С малолетства. В консерваторию звали — и без всяких там экзаменов. Профессор Жариков — может, слышал? Э, да что там гутарить... Ноне разве песни? Одну только Машку Распутину я уважаю. Красивая женщина и смелая-а — ух! — Свидетель грохнул кулаком по столу. — А пидеров и жидов вроде этого... Моисеева я бы своей рукой да доброй казацкой шашкой!.. Чтобы и помину ихнего не было! — Он люто сверкнул глазом в сторону коврика с ножнами. — Портют, понимаешь, суки, российский народ... Дыхнуть скоро нечем будет. Как истинно русский человек, скажу по чести...

— Рустамыч, — фамильярно перебил я, борясь с подступающей тошнотой. — Отчество у вас интересное очень. Вы по батюшке какой национальности будете?

Желтые глаза Буя вспыхнули, будто в них плеснули бензину. Сухие синие губы скорбно поджались. Выкатив тощую грудь и кривя щетинистую челюсть, он проверещал:

— Батька мой, Рустам Байрамович, были доподлинный бакинский комиссар и потому беспощадно расстреляны мусаватистской сволочью в борьбе за советскую власть! Герой, стало быть. Кто же я, потвоему, после этого, если не русский? Скажи!

Тут и спорить было не о чем. Тем более что на вид свидетелю не было и шестидесяти, так что к моменту его рождения все бакинские комиссары уже полтора десятка лет мирно покоились в прикаспийском песочке.

— Истинно православный, к тому же единственный в нашем городе полномочный представитель славного Терского казачьего войска! Передовой, можно сказать, пикет!

Еще один фрик, мелькнуло у меня в голове. Как же это Гаврюшенко прозевал? Ведь у него наверняка справка в кармане...

Однако, присмотревшись, я понял, что поторопился с заключением. Мой собеседник явно валял дурака — и не без вдохновения. Время от времени я ловил на себе его косые испытующие взгляды.

Тогда, прервав монолог о неминуемой погибели отечества от кровавых лап жрецов Сиона и ихних прихлебателей, я спросил:

— Степан Рустамович, а где вы находились вечером второго сентября?

— Как — где? — изумился свидетель. — А то вы у себя в милиции не знаете!

Я отдал должное. Ему и полсекунды не потребовалось, чтобы переключиться. Тем не менее опровергать его мнение насчет ведомственной принадлежности моей персоны я не стал. Милиция так милиция.

— Нужно кое-что уточнить. Начальство жмет, — веско проговорил я, отодвигая снова возникший передо мной стопарь. — А с этим повременим. Служба есть служба.

— Понимаем! — Буй закивал так, что клюв его едва не врезался в столешницу. — Порядок нам известен. Дело — вперед все!

— Так точно, — бодро подхватил я. — Вперед все. Так что там со вторым числом, Степан Рустамович?

Какое-то мгновение Буй сидел в задумчивости, а затем начал докладывать. Голос у него звучал теперь совершенно трезво.

— Сижу это я, значит, как обычно, работаю с молодежью...

— Что значит — работаю? — встрял я.

— Ну, это самое... Объясняю про жизнь. Как и что.

Я кивнул.

— Там беседочка есть, за мусоросборником. Лавочки, стол. В общем, заходит народ посидеть, не одни козлятники. Оттуда восьмой дом как на ладошке. Ну, стало быть, в половине шестого этот душегуб на своей лайбе подкатил, как по часам. Вылез, закрыл двери и подался в подъезд...

— В половине?

— В половине.

— Марку машины хорошо запомнили?

— Ну. Эта, как ее — «судзуки», белая. Дорогая, наверное, сволочь... И скажи ты мне, Николаич, за каким таким хреном он баб порешил? Забава, что ли, такая у них?

— Как стоял автомобиль к беседке?

— Чего?

— Как, говорю, машина стояла к вам — кормой, передком?

Буй поразмыслил, затем щелкнул толстым ногтем по графину и воскликнул:

— Передком, Николаич, точно передком! Фары я запомнил, фары у нее косые, и вся морда японская, у «судзуки» этой...

— Кто еще видел машину? Вы же не один там были?

— Пацаны видели.

— Какие пацаны? Вы их знаете?

— Мелюзга. Всех и не упомнишь.

— Значит, водитель вышел из машины и скрылся в подъезде. Как он выглядел?

Буй описал Варшавина, причем довольно точно.

— Вы к этой машине не подходили?

— А на кой? Что я там забыл? Я же сказал — из беседки и так все видать.

— Так... А когда он появился снова, было уже темно?

— Не очень. — Что-то уловив, свидетель вдруг быстро взглянул на меня из-под кустистых бровей. Во взгляде светился вопрос.

— Вы хорошо его видели во второй раз?

— Как тебя, Николаич. Вышел, отключил сигнализацию, сел, развернулся и уехал. Не спеша, будто так и надо.

В отличие от потомка неопознанного бакинского комиссара я точно знал, что Варшавину не потребовалось разворачиваться перед отъездом. Потому хотя бы, что машину он поставил ровно наоборот — кормой к беседке, а передком к дороге. Иначе при развороте он оказался бы вплотную к тому месту, где, по его словам, он заметил Соболя. Настолько вплотную, что мог бы обменяться с ним вежливым приветствием. Однако Варшавин видел Олега Ивановича только в зеркале заднего обзора.

— В котором часу это было?

— Может, чего не так? — чутко подобрался Буй. — Мы же договорились: когда отъехал — точно не помню, но после семи. На часы последний раз смотрел в семь — белая машина еще стояла, в салоне никого. Точно?

— Как в аптеке. Так и держать, Степан Рустамович!

Прощаясь с ним, я испытывал чувство глубокого удовлетворения. Будто это лично мне вручили переходящее плюшевое «зна...» с бахромой и кистями. Потому что терский казак Буй врал как сивый мерин. Врал то, что ему приказали врать, и в любую минуту я мог его вывести на чистую воду.

Но сейчас мне это не требовалось.

Я уже был на полпути к двери, когда он спохватился:

— А посошок! Посошок-то, Николаич!

— В другой раз, Рустамыч, дорогой, — отмахнулся я. — Бог даст, свидимся.

Голова раскалывалась. За чашку кофе я отдал бы сейчас коренной зуб, но времени у меня оставалось в обрез. Не позже половины одиннадцатого я должен оказаться у входа в кинотеатр «Стахановец», где на десять назначено выступление кандидата в депутаты Ильина перед избирателями Центрального округа. Эту сходку я никак не мог пропустить.

К началу я, разумеется, опоздал. Те, кто явился вовремя, получили по банке пива «Бавария» и пакету крекеров. Дамы, для разнообразия, — фанту. И судя по тому, что в тесном и сумрачном фойе старого здания все подоконники и мусорные корзины были завалены сплющенными жестянками и целлофаном, народу собралось немало.

Я проскочил одного за другим дюжих охранников, таскавших пустые картонные коробки, миновал фойе и ткнулся в первую попавшуюся дверь, задрапированную зеленым сукном. Из-за двери доносился усиленный микрофоном голос оратора.

Зал оказался заполнен на три четверти. Я двинулся по боковому проходу вдоль стены, ловя на себе косые взгляды молодцов, топтавшихся за колоннами, — служба безопасности кандидата не ела хлеб даром, — и уселся с краю примерно в десятом ряду. Происходящее на импровизированной сцене, задником для которой служил экран, было отсюда отчетливо видно.

Моим соседом слева оказался потертого вида гражданин лет тридцати в стальных очках, с неопрятной бородкой и в красной бейсболке. Лицо его сохраняло стойкое выражение отвращения, которое только усилилось, когда он покосился на меня. Но в целом публика была приличная, бомжей и халявщиков охрана отсеяла сразу.

В президиуме восседали сам кандидат, будто сошедший с плаката, да еще пара-тройка упитанных господ в деловых костюмах с замороженными лицами. С трибуны вещало доверенное лицо, оказавшееся мне известным, — некто Аксентьев, кандидат филологии и доцент, он же автор дурно пахнущих статеек в желтом еженедельнике «Центр». К моему появлению он как раз добрался до корней кризиса банковской системы, инспирированного, ясное дело, тайным мировым правительством в целях окончательного захвата власти и геноцида братских славянских народов. Ей-богу, у Степана Рустамовича выходило и живее, и доходчивее.

Галиматью эту слушали плохо, зал откровенно скучал. Если бы не старичок пенсионер во втором ряду, то и дело порывавшийся к трибуне с криком: «Долой черную клику Гайдара!» — мероприятие походило бы на какой-нибудь партхозактив догорбачевских времен.

Досконально осветив политический момент, доверенное лицо сладко улыбнулось и сообщило:

— А теперь наш кандидат ответит на вопросы избирателей. Прошу вас, Юлий Андреевич!

В зале захлопали, а пенсионера мгновенно и бесшумно убрали через запасный выход..

Ильин поднялся к микрофону, и тут я смог рассмотреть его как следует.

Это был очень аккуратно скроенный господин почти без возраста. Виски серебрились сединой, но кожа была идеально гладкой, покрытой ровным загаром и отлично ухоженной. Из-под русых бровей — спокойный, абсолютно лишенный выражения взгляд прозрачных глаз, настолько светлых, что издали радужки сливались с белками. Дело немного портил только нос — сухой, стеариновый, как у покойника. Костюм на его недавно начавшем полнеть теле сидел будто влитой — и это был очень дорогой костюм от классного английского мастера.

Ясно, что Юлий Андреевич вовсе не имел намерения изображать народного заступника с сорванной глоткой, в косухе и мятых китайских штанах. Он был сдержан, собран, по-деловому лаконичен в речах. Потому что перед своими избирателями он представлял Силу в чистом виде — без партийных и фракционных примесей. Силу — и авторитет. Такой ему сработали имидж его умельцы, и в зале это понимали не хуже меня.

Вопросы задавали преимущественно пожилые дамы, группировавшиеся в районе третьего-четвертого ряда. Звучали они осмысленно и вполне конкретно: о зарплате, о местных налогах, о рабочих местах, о реконструкции аэропорта. Ильин отвечал со знанием дела, будто не первый год занимался всеми этими проблемами, тщательно подбирал слова и избегал лозунгов и политической трескотни. Он уже порядком покрутился во власти и твердо знал, что порожним обещаниям сегодня не верит никто.

Он был «проходной» по всем параметрам, если пользоваться терминологией системных менеджеров. Своими вопросами активистки из передних рядов работали на него, а ведущий собрание Аксентьев полностью игнорировал редкие руки, поднимавшиеся в тылах зала.

Вытащив блокнот, я вырвал листок и торопливо нацарапал: «Уважаемый господин кандидат! Известно, что ваша дочь выходит замуж за некоего Владимира Варшавина, находящегося в следственном изоляторе по обвинению в убийстве трех человек. К тому же Варшавин является сыном вашего политического противника, также баллотирующегося по Центральному округу. Готовы ли вы прокомментировать эту ситуацию? Если вы не намерены дать ответ публично, прошу уделить мне несколько минут по окончании встречи. Независимый журналист».

Проследив взглядом, как записка путешествует по рядам, я отметил, что она на некоторое время застряла перед самой сценой, где, очевидно, находились гости и обслуга из избирательного штаба. В последний раз я заметил ее в руках у яркой блондинки, одетой в синее. Она обернулась, приняла записку и сейчас же наклонилась, что-то шепча сидящему рядом с ней господину, чьего лица я не видел.

Судя по этому, содержание записки пристально изучалось. Затем спутник блондинки поднялся, шагнул к трибуне и подал сложенный листок кандидату, обменявшись с ним несколькими фразами вполголоса.

Олега Ивановича Соболя нельзя было не узнать. Пока он возвращался на место, шаря глазами по рядам в поисках автора записки, мне пришлось наклониться, прячась за спинами, однако я успел заметить, как он иронически пожал плечами, перед тем как опуститься в кресло.

— Мразь! — с внезапной ненавистью произнес мой сосед в бейсболке. — Гнида непотопляемая!..

— Кто? — Я повернулся к нему. В голосе соседа звучало сильное чувство.

— А вам какое дело? — окрысился сосед. — Вас-то это не касается!

— Башкирцев, юрист, — представился я. — Не отношусь к числу поклонников почтенного кандидата.

— Какого же дьявола вы тут торчите?

— Обычное любопытство. Слежу, знаете ли, за течениями губернской политической мысли.

Сосед снял запотевшие очки и взволнованно протер их несвежим носовым платком. Вид у него при этом оставался настороженным и недоверчивым. Я уставился на сцену, и тогда он, понизив голос, пробормотал:

— Вы видели человека, который только что подходил к трибуне?

Не поворачивая головы, я кивнул.

— Вы знаете, кто это?

Я выразил слабую заинтересованность.

— Убийца! — шепотом закричал мой сосед. — Это самый настоящий убийца!

— Что вы говорите? — удивился я. — И у вас есть основания это утверждать?

— Еще бы! — Он заерзал, будто кресло под ним раскалилось. — Я имел несчастье несколько лет назад учиться с ним на одном курсе. Именно тогда это и произошло...

Вот тебе раз! На мгновение я испытал что-то похожее на раздвоение личности. Потому что не далее как в среду сам ходил в «однокурсниках» Соболя.

— В театральном? — спросил я.

Человек в бейсболке впился в подлокотники и прошипел:

— Так вы все-таки его знаете?

— Я не говорил — нет. Однако того, что мне о нем известно, недостаточно, чтобы обвинить в убийстве.

Я уже начал понимать, что мы говорим о совершенно разных событиях. Да и не могло быть такого везения. Следующие слова соседа в бейсболке это полностью подтвердили.

— На третьем курсе этому негодяю пришлось уйти из института. К тому времени ему уже никто даже руки не подавал. Он был в приятельских отношениях с Веней Симоновым с театроведческого, а Веня у нас числился в факультетских гениях. Уже на втором его работы печатали толстые журналы. К тому же он был не от мира сего — как и положено гению. Питался чем Бог пошлет, ходил в каких-то обносках — такой, знаете, нестеровский отрок. Так вот, именно Соболь распустил грязный слух, что Веня своими успехами обязан декану, некоему Поликарпову, про которого давно было известно, что он неравнодушен к молодым людям. Дескать, Веня сожительствует с ним еще с первого семестра, хотя какое отношение это имело к Вениным статьям — Аллах знает, потому что Поликарпов был полный болван... Поразительно, но многие поверили. Веню начали избегать, случилась какая-то нелепая драка, а затем все утихло. А месяца через два Веню обнаружили в подворотне соседнего с общежитием дома, где шел капитальный ремонт... У него был такой длинный, знаете, шарф — так вот, он был обмотан вокруг фонарного кронштейна в подворотне и захлестнут за шею парня. Шарф растянулся так, что Венины ноги доставали до верхушки кучи битого кирпича, но сам он давно уже был мертв. Следствие установило самоубийство, хотя имелось множество сомнительных обстоятельств. Во-первых, Соболя видели вместе с ним в тот же вечер, во-вторых, шарф он никак не мог приладить к кронштейну в одиночку, не говоря уже о том, что в Вениной комнате не смогли обнаружить ни клочка бумаги, исписанной его рукой. Тем не менее прокуратура это дело закрыла...

Он сделал паузу, потому что народ вокруг зашумел. Встреча закончилась под грохот кресел и жидкие аплодисменты. Ильин спустился с трибуны, но внезапно вернулся, постучал пальцем по сетке микрофона и произнес:

— Еще раз желаю всем моим избирателям доброго здоровья и душевной бодрости! На записку, подписанную «Независимый журналист», я отвечу в кабинете директора кинотеатра ровно... — он взглянул на часы, — ровно в двенадцать ноль пять. Успехов вам во всем, друзья!

На моих было без пяти, в обрез, поэтому я не стал вдаваться в полемику с театроведом в бейсболке о том, кто тут убийца, а кто — нет. Похоже, он и не догадывался, что он и его однокурсники виноваты в гибели этого бедняги не меньше, чем тот, кто запустил слушок в оборот. Даже если все это и было чистой правдой.

Что до Соболя, то для него это было обычной репетицией перед отъездом на гастроли.

Извинившись, я торопливо протолкался в фойе, где дородная тетка с крахмальной наколкой в волосах указала мне, как пройти в директорский кабинет. В дальнем конце, рядом с игровыми автоматами, виднелась еще одна задрапированная сукном дверь, ведущая в административное помещение.

Я ткнулся туда — и оказался в тесном полутемном предбаннике. В ту же секунду я почувствовал, как мои ноги отрываются от пола, а локти, рывком заведенные к лопаткам, пронизывает острая боль.

Со спины, если судить по ощущениям, меня держали двое. Еще одна фигура маячила прямо передо мной.

— Досмотри его, Толян, — произнес голос, и я снова ощутил под каблуками опору. Один из державших меня вполне профессионально прошелся по всему моему телу — от подбородка до носков и ботинок, а затем пощупал карманы пальто и пиджака, не извлекая содержимого. Не обнаружив даже завалящего комплекта двухлезвийных металлических ножей, обыскивавший что-то буркнул своему начальнику, и меня отпустили даже раньше, чем я успел запаниковать.

— Документ есть? — поинтересовалась фигура.

Я отвечал утвердительно.

— Дай сюда! — Он протянул руку. — Не двигайся. Стой где стоишь.

На поясе у него засигналила рация, но он оставил сигнал без внимания. Приоткрыв одну из дверей, выходивших в темный коридор, он поднес мое удостоверение к освещенной щели и изучил до последней буквы. И только после этого сцапал рыжей мохнатой лапой зуммерящую трубку и продиктовал в микрофон мои данные.

С той стороны, похоже, дали добро.

— Оставайся на месте. Я скажу, когда можно двигаться.

Несколько минут я простоял, как гипсовый муляж, слушая сопение охранников позади.

Наконец их старшой произнес:

— Пошел. И не вздумай дернуться!

Он захватил своей клешней мой локоть и подтолкнул к другой двери — прямо по коридору.

Мне пришлось зажмуриться, заново привыкая к дневному свету.

В длинном, как «Икарус», кабинете за пустым столом в одиночестве сидел Юлий Андреевич Ильин, насмешливо разглядывая мою помятую персону. Записки нигде не было видно.

Первым делом он отпустил доставившего меня бойца, а затем указал на один из стульев, выстроившихся шеренгой вдоль залепленной афишами стены.

Представляться не было необходимости — на столе рядом с Ильиным лежал такой же переговорник, как и у охранника.

— Итак! — Кандидат поднял бровь, продолжая изучать мою физиономию. — Кто вы и зачем вам понадобилось морочить мне голову?

Тот еще был вопрос. Поэтому я сказал:

— У меня не было выбора. Вы практически недоступны, а мне необходимо побеседовать с вами, Юлий Андреевич. Я адвокат Владимира Варшавина и представляю его интересы.

Это не произвело на Ильина сколь-нибудь заметного впечатления. Он слегка поморщился и перевел взгляд с меня на крышку допотопного чернильного прибора, украшавшего директорский стол.

— Независимый журналист! — Он беззвучно прищелкнул пальцами. — Что же вам от меня понадобилось? По-моему, с вашим подзащитным давно все ясно. И то, о чем вы написали в записке, не имеет никакого отношения к делу. Я прав?

Я пожал плечами и нагло ухмыльнулся:

— Может быть — да, может — нет. Кто знает, как повернется ход судебного разбирательства... Любой факт можно оценить разными способами.

— Какой именно факт вы имеете в виду?

— Я изложил это в записке. Там ясно сказано.

Наверняка Ильин просчитывал ситуацию гораздо быстрее меня. Убедившись, что я не представитель прессы и с этой стороны опасности нет, теперь он прикидывал, каким образом наиболее эффективно исключить вероятность того, что история взаимоотношений его дочери с подсудимым всплывет на суде. Это не входило в его планы, на что я и рассчитывал.

— Откуда у вас информация? — внезапно спросил он.

— Различные источники.

— Точнее? Варшавин?

Он с ходу брал быка за рога.

— Ну нет. Только не он. — Я чуть-чуть расслабился. — Владимир Александрович ведет себя как джентльмен. Выяснить обстоятельства известной вам помолвки оказалось далеко не так просто.

— Не просто, значит? — Ильин, посмеиваясь, наклонил голову, как бы признавая мои заслуги. — Тогда попробуем иначе. Вы совершенно верно поняли, что мне не хотелось бы, чтобы отношения моей дочери с этим человеком стали широко известны. В этом вопросе, я думаю, существует возможность компромисса. Например, так: вы назовете мне прямо сейчас ваш источник и дадите гарантии, что данная информация не будет обсуждаться в суде. Вы адвокат, и не мне вам указывать, как этого избежать. Со своей стороны могу предложить достойную компенсацию. Просто назовите цифру.

Я раздумывал ровно столько, сколько нужно, чтобы досчитать до пяти.

— Источник я отдам вам совершенно бесплатно, — сказал я. — Остальное несущественно. Единственное, что меня сейчас интересует, — судьба Варшавина.

— Сколько он вам предложил?

Я покачал головой:

— Без комментариев. Отношения с клиентом — дело интимное.

Теперь пришел и мой черед полюбоваться сменой выражений на его лице. Стивен Кинг дорого бы дал, чтобы оказаться на моем месте.

Наконец Ильин выпрямился за столом и произнес:

— А вам не кажется, уважаемый, что вы обратились не по адресу? Вы грубо ошибаетесь, считая, что я тоже заинтересован в том, чтобы вытащить вашего клиента. Однако мое предложение остается в силе.

— Понимаю. — Я поднялся, чтобы взглянуть в окно. — Мое тоже.

Этого, очевидно, не следовало делать. С первым моим движением дверь кабинета бесшумно распахнулась и на пороге возник охранник. Ильин снова удалил его неприметным жестом.

Я опустился на место и, разминая сигарету, произнес:

— Необходимые сведения для того, чтобы разобраться в отношениях вашей дочери и моего подзащитного, я получил от вашего пресс-секретаря. Если не ошибаюсь, его зовут Соболь. Олег Соболь. Мы имели беседу, и он несколько увлекся... э-э... психологией. Мне даже показалось, что он в прошлом был неплохо знаком с семейством Кудимовых. Это была чрезвычайно полезная беседа. Вашему сотруднику не откажешь в проницательности...

На мгновение глаза Ильина сузились, став похожими на смотровую щель в броне.

— Олег не глуп, — произнес он. — И я не вижу причины, по которой он стал бы откровенничать с вами. Я высоко ценю его. Единственный его недостаток — склонность к самодеятельности. Но это должно пройти. Тем не менее спасибо. — Выражение раздраженного удивления скользнуло и исчезло. — В любом случае, — продолжал он, — не вы, так кто-нибудь другой докопался бы, что моя дурочка помолвлена с Варшавиным. Не такая уж это и тайна. Дело в другом. Я был и остаюсь противником этого бессмысленного брака. Вопрос в том, чтобы избежать шумихи и раздувания данного обстоятельства. Несмотря на то что отец вашего клиента по всем показателям уже сегодня проиграл выборы...

— Мне нет дела до этих выборов, — перебил я. — Это ваши с ним проблемы.

— Тем лучше! — отрезал он. — Что касается суда, то и мне нет дела, что вы там собираетесь болтать в защиту убийцы. Единственное, что для меня крайне нежелательно, — чтобы имя дочери, а вместе с ней и мое трепали газеты. Вы должны это усвоить. Тут я полагаюсь на ваше благоразумие... как вас там... да, Егор Николаевич...

Фраза была вежливой и округлой, как и все, что он говорил. Но я всей кожей ощутил, на каком неустойчивом камушке балансирую.

Аудиенция явно окончилась. И вопросы здесь задавать не было принято.

Я поднялся, и меня тем же манером выпроводили в фойе.

На ступенях у главного входа я едва не столкнулся с Соболем, сопровождавшим блондинку в синем, направляющуюся к серо-стальному «саабу», притертому почти к дверям.

Он меня опознал сразу, но отвернулся, сделав вид, что занят исключительно своей спутницей.

«Погоди, голубчик!» — злорадно пробормотал я, направляясь к остановке.

Кровь из носу, до трех мне нужно было попасть в «Щит». Прежде чем снова повидаться с моим подзащитным и разыскать старшего следователя Гаврюшенко, я должен был кое-что выяснить с адвокатом Малявиным — единственным из юристов нашей фирмы, который относился ко мне по-человечески. Несмотря на то что и он отказался взяться за дело Варшавина. А может быть, именно поэтому.

Информационное поле, на котором я блуждал, в данный момент больше всего походило на поле какой-то исторической битвы, где трупы павших в кровавом беспорядке перемешаны с изломанным оружием и пожитками из разбитых обозов. Зато теперь я твердо знал, что единственный человек, который впрямую заинтересован в аресте и осуждении Владимира Варшавина, — господин Ильин. Именно у него имелся весомый мотив угробить троих обитателей квартиры в проезде Слепцова, одним махом уложив двух зайцев — подставив соперника по выборам и разрушив неугодный ему брак дочери.

Ему ничего не стоило мигнуть — и подставное лицо заплатило бы сколько требуется киллеру и вывело его на цель... Вопрос в другом — почему он оставил в живых Варшавина-младшего?

У Ильина было достаточно времени до момента ареста и возможностей, чтобы убрать и его, создав полную иллюзию того, что мой подзащитный и есть убийца, осознавший всю тяжесть содеянного. Инсценировать самоубийство для профессионала не составило бы особого труда. И никаких проблем. Тогда почему он не сделал этого? Из-за дочери?

Между прочим, Соболь вполне годился на обе роли сразу. Наводчика и исполнителя.

Если бы это было так!

Ни тем, ни другим он не был. Я не мог доказать даже факт его пребывания в доме Кудимовых, не говоря уже о вещах более серьезных. И у меня не было ни единого средства заставить его говорить.

Абсурдные комбинации множились в моей голове как кухонные тараканы, но в них снова и снова недоставало одной фигуры, чтобы задачка сошлась с ответом. Если бы я мог знать, какой сюрприз ждет меня еще сегодня!..

Глава 15

Когда я заглянул в приемную, Нелечка, все еще дувшаяся на меня, сухо сообщила:

— А тебе, между прочим, звонили.

— Кто?

Она пожала плечами, сохраняя официальный тон:

— Откуда мне знать? Голос женский. Оставили номер — я записала. Лежит у вас на столе, Егор Николаевич.

Не снимая пальто и перчаток, я рванул к своему рабочему месту. Набрал обозначенные на листке цифры и после замысловатой трели услышал резкое, как щелчок, «да!».

— С вами говорят из юридической фирмы «Щит». Моя фамилия Башкирцев. Мне передали, что вы пытались со мной связаться. Добрый день...

— Отец сообщил мне, что вы — адвокат Варшавина, — не отвечая на мое приветствие, проговорил высокий женский голос, звучавший как перетянутая альтовая струна. — Мне необходимо поговорить с вами.

— Слушаю вас.

— Нет. — Голосок окреп, в нем послышались раздраженные нотки. — Вы могли бы приехать ко мне?

— Кто вы? — Я уже наверняка знал ответ.

— Дарья Ильина, — слегка удивившись, проговорила девушка. — Так как поступим?

— Еду.

— Когда?

— Прямо сейчас. Диктуйте адрес, Дарья Юльевна.

Прежде чем сообщить, как к ней добраться, дочь Ильина поинтересовалась, не прислать ли за мной машину. Я вежливо отказался, на что она сказала:

— Жду вас в течение полутора часов. Охрана будет предупреждена. Назовите свою фамилию, и вас проведут ко мне.

Не прощаясь, она повесила трубку.

Расписание электричек у меня имелось, и на встречу я успевал. По моим расчетам, именно так добираться было удобнее всего: до вокзала отсюда — пятнадцать минут, еще двадцать на электричке. Станция называлась Ягодное, и эти места я знал. Судя по адресу, дом Ильиных находился ближе к ростовской трассе, но автобус туда не доходил, брать же частника и тащиться по окружной, а затем еще двадцать километров по трассе до Ягодного мне не позволял кошелек.

Несмотря на прохладный день, я оставил пальто, сменив его на джинсовую куртку, которую держал в стенном шкафу, служившем офисным гардеробом, обмотал шею шарфом и переложил изрядно отощавший бумажник, сигареты, ключи и удостоверение в один из многочисленных карманов.

Натянув перчатки, я еще раз заглянул в приемную и сообщил Нелечке, что сегодня больше не появлюсь.

— Ты похож на захудалого лоточника, — хихикнула она оттаивая. — Представляю выражение лица шефа, если б он сейчас тебя увидел... С кем свидание?

Я заговорщически подмигнул ей и ретировался.

Уже через полчаса я стоял в тамбуре полупустой электрички, изучая пейзаж через рыжее от пыли стекло. Там не было ничего такого, что могло бы согреть мое сердце. Чернели заплаты огородов, мелькали голые перелески, продувались ветрами поля, исполосованные колеями грунтовок. Единственное разнообразие привносили выстроенные за последние годы загородные резиденции обеспеченных граждан. Чего там только не было: краснокирпичные замки с зубчатыми башнями, четырехэтажные палаццо с колоннами, боливийские ранчо и ампирные ротонды... На их фоне небольшие типовые игрушечные домики, как в какой-нибудь там Голландии, выглядели бедными родственниками.

В Ягодном я выпрыгнул из вагона, подождал, пока электричка отъедет, и перешел на противоположную сторону — уточнять у местных, как пройти на нужную мне улицу. Ожидавшие поезда в город отвечали невразумительно, и тогда я догадался поинтересоваться, как найти дом Ильина.

Сработало мгновенно. Я получил подробные указания и совет, как почти вдвое сократить дорогу. Плюс ориентиры.

По короткой дороге я и двинулся. Мимо шеренги гаражей, обходя зады чьих-то участков, по кладке через мутный ручей я поднялся к колодцу и вышел на улочку, полукольцом охватывавшую старую часть поселка. Начался подъем — и через несколько минут передо мной открылась лощина, за которой, на верхушке холма, я мог обозреть жилище будущего депутата.

Надо признать, увиденное производило сильное впечатление. Юлий Андреевич не пожалел ни сил, ни средств — его гнездо было воздвигнуто на века: не дом, а монолит. Бетон, асфальт, анодированный металл, гранит, трехметровая ограда из мелкоячеистой стальной сетки, по верху которой белели шишечки изоляторов сигнализации. Складывалось впечатление, что главное строение комплекса простирается вниз, под землю, на столько же, насколько и вверх.

Вход в эту рейхсканцелярию располагался где-то с противоположной стороны, и я, опасаясь увязнуть в сырой и топкой низине, густо поросшей орешником, все-таки решил вернуться и искать дорогу верхом, через поселок, ориентируясь на шум трассы. Никакого желания тащиться вдоль ильинского забора еще с полкилометра, чтобы наткнуться в конце концов на какой-нибудь блокпост, у меня не было.

Поплутав еще с четверть часа по тихим улочкам, я наконец-то выбрался к месту, откуда дом Ильина предстал передо мной с фасада. Подъезд к нему был выложен мелкой бетонной плиткой, а сам дом уже гораздо больше напоминал обычное комфортабельное жилище: с балконами, солярием, подземным гаражом на четыре машины, клумбами, ухоженным садом, оранжереями и прочими атрибутами загородной недвижимости стоимостью в полтора миллиона долларов.

При входе маячил дюжий молодой человек в свитере и овчинной безрукавке; еще парочка таких же качков виднелась во дворе через приоткрытые автоматические ворота.

Я приблизился и назвал свою фамилию. Меня тут же впустили, охранник вместе со мной проследовал к дому, позади мягко защелкнулся электронный замок ворот.

В вестибюле первого этажа меня сдали с рук на руки другому парню, и тот отконвоировал меня на второй этаж — причем в таком темпе, что я не успел толком рассмотреть интерьер, отметив лишь, что внутри тепло, даже душновато, и пахнет какими-то тропическими цветами.

В верхнем холле я насчитал не меньше десятка дверей, но меня провели к самой дальней; раздутыми костяшками мой провожатый дважды стукнул в ее ясеневую поверхность и исчез, оставив меня в одиночестве.

Дверь распахнулась.

Дарья Ильина подняла на меня слегка раскосые зеленые глаза под короткими, блестящими, как вороненая сталь, ресницами. Она была невысока, с узкими полудетскими плечами и походила на японскую фарфоровую статуэтку замысловатой прической и длинным домашним платьем, запахнутым на боку, как кимоно.

Впрочем, выражение лица Дарьи Юльевны никак не вязалось с представлением о восточном гостеприимстве.

— Входите, — произнесла она своим высоким ломким голосом. — Верхнюю одежду оставьте здесь.

Ей было не больше двадцати, и круглая комната, куда меня пригласили войти, все еще носила отпечаток ее счастливого розового детства: множество забавных картин, игрушки, цветы... Широкое окно за палевыми, тонкими, как паутина, гардинами выходило прямо в сад; оно было открыто, несмотря на сырость и ощутимую прохладу. Зато в настоящем первоклассном камине полыхали всамделишные дрова, распространяя легкий фруктовый аромат. Между узким длинным диваном и книжным шкафом висело зеркало и стоял кеттлеровский тренажер.

Комната была безукоризненно чистой, почти стерильной. На письменном столе, кроме телефонного аппарата, виднелась пара-тройка книг да стояла фотография самого Юлия Андреевича в самшитовой рамке.

Не без тайной досады я вновь ощутил на себе цепкий тяжеловатый взгляд его странных глаз. Мои пыльные бутсы сорок второго размера попирали пушистый ворс персикового ковра наследницы престола, пока Дарья Юльевна, не произнося ни слова, рылась в верхнем ящике своего стола...

На звук открываемой двери она только гневно боднула черноволосой головкой.

— Мама, настоятельно прошу тебя не входить! Я занята! — воскликнула девушка.

Я оглянулся. На пороге стояла еще одна мадам Баттерфляй — только на славянский манер. Та самая пышная блондинка в синем, которую я уже видел сегодня в «Стахановце», со жгучим любопытством разглядывала меня. Ее почти театральный макияж и обилие драгоценностей на пухлых пальцах и глубоко открытой груди резко контрастировали со спартанской обстановкой комнаты дочери. Пока дверь оставалась открытой, в коридоре мелькнула какая-то мужская фигура.

— Мне просто интересно, почему это ты отказалась обедать? — произнесла женщина. От звука этого голоса мне почудилось, что в комнате запорхали бумажные бабочки.

— Мало ли что тебе интересно! — грубо пресекла ее попытку Дарья. — Пожалуйста, уйди отсюда...

— Деточка, — выдохнула старшая Ильина, — нельзя же так!.. Отец будет недоволен...

Дочь наконец-то рывком задвинула ящик и, шагнув к женщине, бесцеремонно развернула ее лицом к двери. Ильина еще раз окинула меня через плечо скользящим взглядом медовых глаз и выплыла из комнаты.

Пока девушка возилась с замком, я успел поразмыслить над тем, действительно ли в коридоре, пока закрывалась дверь, мелькнула физиономия Олега Соболя или мне померещилось.

— Сядьте же ради Бога, — велела мне девушка.

Я послушно опустился на указанное мне место и стал ждать продолжения. Она так нервничала, что никак не могла остановиться и все кружила по комнате — ненакрашенные бледные губы сжаты в линию, маленькие кулачки в карманах платья, на тонкой шее пульсирует голубая жилка.

В конце концов Дарья Ильина остановилась передо мной.

— Я познакомилась с Варшавиным, — сказала она, — весной этого года, и уже через три месяца мы обручились... Я отказалась от учебы в Англии, пошла на конфликт с отцом, которого чрезвычайно уважаю, весь образ моей жизни резко изменился — и все потому, что... Володя мне понравился. Меня даже не смущало то, чем он занимается...

— В каком смысле? — перебил я девушку.

От неожиданности она отшатнулась от меня, затем побежала к стулу, схватила его и уселась напротив.

— Я имею в виду ресторанный бизнес, — произнесла Ильина. — Больше не перебивайте меня. У Варшавина хороший вкус. Он хотел бы... нет, ну, это не важно... В общем, его идеи меня увлекли. И потом... мне было приятно, что он в меня влюблен... Я сказала — не перебивайте меня! Мы обручились против воли моего отца. Папа говорил о Володе... нехорошие вещи, но я ему не поверила. В те дни, когда произошла эта чудовищная история, меня не было в городе... Однако и это уже не важно... Я пригласила вас, Егор Николаевич, в качестве адвоката Варшавина. Чтобы вы передали своему клиенту вот это!

Она выхватила из кармана алую бархатную коробочку и протянула мне.

Я взял ее и открыл. На розовом атласе мерцало простое золотое кольцо с небольшим аккуратным бриллиантом. Тут и гадать не приходилось: эту вещицу, хорошей заказной работы, Варшавин преподнес Даше, делая предложение.

— Вы хотите это вернуть? — спросил я.

— Да, — сказала девушка, и глаза ее потемнели. — Я разрываю нашу помолвку, и вы должны ему об этом сообщить. Кроме того, сразу после выборов я уезжаю из страны...

— Я не смогу передать Владимиру Александровичу кольцо. Это запрещено. Также мне не хотелось бы сообщать моему подзащитному то, о чем вы меня просите, Дарья Юльевна.

— Причина?

— Разве это не понятно?!

— Ничего такого... сверхсложного... от вас не требуется. Передайте ему мои слова буквально — и все.

— Вы могли бы, например, написать...

— Не хо-чу! — отчеканила она, жестко и раздельно выговаривая слоги. — У меня с Варшавиным нет ничего общего. Можете отдать ему кольцо позже. При других обстоятельствах.

— Каких?

— Ну, когда он окажется на свободе... После суда. У меня уже не будет возможности сделать это... Вернее, так: я не хочу даже слышать о нем.

— Погодите! — поморщился я. — Попробуем без эмоций. Следует ли мне понимать ваши слова таким образом, что вы считаете Варшавина невиновным?

Она как бы даже изумилась моему вопросу.

— Конечно! — Девушка пожала плечами. — Варшавин никого не убивал...

— В чем же причина такой внезапной неприязни к нему? — Я повысил голос. — Не понимаю... Вы не поддержали человека в самую тяжелую минуту его жизни — вы, единственная, кто у него остался. Вы хотя бы понимаете, какой удар ему наносите?..

— Прекратите! — Девушка застыла, ее губы сложились в гримасу отвращения. — Он предал меня — и это хуже, чем убийство. Варшавин лгал, все время мне лгал... Он не поставил меня в известность, что был близок с этой ужасной семьей, что до меня он был любовником... Ангелины. Как я могу ему доверять после этого?..

Она не казалась ни сумасшедшей, ни патологической ревнивицей. Только теперь я начал понимать, что имела в виду Людмила Аркадьевна Варшавина: Дарье Ильиной суждено было и в замужестве оставаться старой девой.

Что-то она прочитала на моем лице, и это ей сильно не понравилось. Она сухо произнесла:

— Вы мне не верите?

— А какие основания у меня для этого? — усмехнулся я.

— Хорошо! — воскликнула девушка. — Я предоставлю вам доказательства, хоть и не собиралась этого делать!

Она вскочила, подбежала к письменному столу, а через минуту вновь опустилась на стул передо мной. В ее пальцах прыгал диктофон, который она держала на отлете, словно ядовитое насекомое. Еще секунда, щелчок клавиши, и я услышал голос Олега Соболя:

«...— Почему такое уныние в доме? Чем вы так расстроены, Лариса Борисовна?

— Ты же прекрасно знаешь о наших проблемах, Олег. Хочешь выпить?

— Благодарю, но мне сегодня еще работать. Так значит, вы не нашли денег?

— Нет, дорогуша... Геля, иди к нам! Хватит метаться по квартире... Она, знаешь, курит одну за одной, особенно после ухода Варшавина.

— Он был у вас?

В голосе Соболя прозвучало совершенно неподдельное изумление, будто десять минут назад он видел за рулем «судзуки» бестелесный дух, а не моего клиента. Надо отдать должное — этот тип направлял разговор с большой ловкостью. Голос старшей Кудимовой звучал низко, с картавой хрипотцой и легким придыханием. Ее дочь была немногословна, но даже в диктофонной записи слышалось, как за ее нарочитой резкостью медленно накручивается пружина истерики...

— Ты, Соболь, всегда появляешься вовремя. Так выпьешь с нами?

— Он не хочет, Геля. Брезгует.

— Все нами брезгуют, мама...

— А что тут делал Варшавин?

— Тебе-то зачем?

— Перестань собачиться, Гелька... Человек спрашивает по-хорошему. Ну, попросила я Владимира Александровича дать нам взаймы. Подумала: что ему станется, ведь не обеднеет же... Знаешь, сколько в городе людей, которые запросто швыряют деньги на ветер? На девок, на жратву... Может, и ты, Олег, из таких?

— Лариса Борисовна, вы же знаете — я гол как сокол. Если бы у меня водились хоть какие-то бабки, разве я не помог бы вам?.. Значит, Варшавин отказал? Почему?

— Не знаю. Он изменился... С тех пор как бросил Ангелину...

— Мама, это не так!

— Так или не так... Она до сих пор сохнет по нему. Еще бы — как он ее баловал! Когда они трахались, ничего для нее не жалел... Варшавин был у нее первый, да... Ты разве не знал, Соболь?

— Мама, заткнись!

— Я ее спрашивала: почему твой Володечка на тебе не женится? Ведь красавица, а? Молода. Ноги у нее, фигура... Ну, не стала балериной. Так они все там сучки. Кто-кто, а я в курсе... Вот, побежала в комнату... Сидит, курит. Увидела его и затрепыхалась. А он четко: «Нет, свободных денег у меня нету...»

— Может, и в самом деле нет? Бывает.

— Ты что, дурачок? Все они, богатенькие, гребут под себя, все по уши в грязных делишках, и твой Варшавин не исключение... Мне рассказывали, как его мать орудовала на телевидении... Да и сам он тот еще мальчик... Выпьешь, Соболь?

— Нет, спасибо. Мне по делам бежать.

— Тогда налей мне вон из той бутылочки. Там еще осталось немного... Есть хочешь?

— Нет.

— Как хочешь... Знаю я твои дела. Сплошная туфта. И ты тоже врешь, что у тебя нет денег... Что же мне делать? А, Соболь?

— Может, еще раз попросить Варшавина?

— Можно бы, да он сказал, что у него скоро свадьба!..»

Девушка с силой ударила по клавише и воскликнула:

— Как он мог им говорить о нашей свадьбе! Зачем?

Я наклонился, осторожно отодвинул ее руку и снова включил запись.

«...— Да, он женится на Дарье Ильиной. Чего вы смеетесь, Лариса Борисовна?

— Геля, послушай, твой Варшавин — ты знаешь, с кем он собрался породниться? Иди к нам!.. Не слышит. Конечно, теперь мне ясно, почему у него было такое странное лицо. Мальчик пристраивается к большой кормушке. К очень большой... Ты говоришь, Олег, у Варшавина нету денег? Много ты понимаешь! После того как он женится на папиной дочке, курочке, несущей золотые яйца...»

Дарья Ильина дернулась, вскочила и нажала «стоп». Запинающийся женский голос оборвался.

— И вы считаете, что я должна все это стерпеть? — выкрикнула девушка. Ее возбуждение достигло крайней точки.

Однако самочувствие дочери Ильина сейчас меня абсолютно не занимало. Мне нужна была эта кассета. Совершенно очевидно, что Соболь записал разговор с Кудимовыми специально для Даши. С разрешения или по приказу ее отца. И они добились своего: девушка приняла решение порвать с Варшавиным.

9-4

Что там дальше — ведь мы прослушали едва треть ленты?

Я панически боялся прямо попросить Ильину отдать мне запись. Девушка могла заупрямиться и отказать. Я мог бы соврать, что эта кассета для Варшавина — спасательный круг, ведь там все еще живы после его ухода, но доказательством в суде без документированной привязки ко времени она не являлась, о чем несложно догадаться. В конце концов, она не отдала бы мне пленку из чистого упрямства и мазохизма. Она была из тех, кто всегда готов положить все лучшее на первый попавшийся алтарь.

Я не придумал ничего умнее, чем взять ее измором. С этой целью я принялся занудно уговаривать девушку не бросать жениха.

Результат последовал мгновенно. Ильина вскинулась словно ужаленная и произнесла длинную обвинительную речь, во время которой я лихорадочно размышлял о том, что еще может оказаться на кассете и кто из семейства Ильиных прослушал запись полностью.

Наконец девушка осеклась и гневно спросила:

— Вы слушаете меня? Эй, что с вами?

Я поднял на барышню глаза и, стараясь казаться равнодушным, спросил, указывая на диктофон:

— Вы не могли бы на время дать мне эту штуковину? Ненадолго?

Расчет оказался верным — девушка швырнула в меня диктофон и произнесла:

— Убирайтесь! Вы все мне осточертели! Скажите Варшавину — я его ненавижу!.. А эту гадость оставьте себе. На память.

Дважды просить ей не пришлось. Не дожидаясь, пока девушка изменит решение, я сгреб свое имущество и выскочил из круглой комнаты.

Коридор был пуст.

Удача, что в последние дни я таскал именно эти высокие шипованные ботинки, похожие на обувь американского спецназа. В считанные секунды я извлек из диктофона кассету и сунул ее как можно глубже в носок с внутренней стороны голенища. Затем небрежно бросил пустую машинку в один из карманов куртки. В критической ситуации это не поможет, и все же...

Происходящее отдавало фантастикой. Мой блеф в разговоре с Соболем оказался чистейшей правдой — он и в самом деле кое-что позабыл уничтожить. О перезаписи я позабочусь позже, а теперь необходимо как можно быстрее выбраться из этого лепрозория.

Миновав входную дверь, я по прямой зашагал к воротам, в каждое следующее мгновение ожидая, как в крутом триллере, поймать пулю в затылок. Никто не знал, куда я отправился, номер телефона Нелечка вряд ли запомнила, а после смутных угроз моего шефа, а затем и самого господина Ильина мои шансы дожить до суда над Варшавиным резко пошли на убыль...

Однако охранник в безрукавке вполне равнодушно выпустил меня, скользнув взглядом по моему лицу и пустым рукам.

На улице не было ни души, кроме какого-то старика с целым выводком коз. Я двинулся напрямик к станции, что заняло у меня минут двадцать. По дороге я дважды останавливался: первый раз — чтобы прикурить, второй — чтобы перемотать шарф, который в спешке комом запихнул за пазуху. И оба раза у меня было отчетливое ощущение, что за мной присматривают.

Электричка прибыла через семь минут. Она была почти пустой, безлюдной оставалась и платформа. И тут я его углядел: парня, который вел меня по дому Ильина с первого этажа на второй. Он стоял спиной ко мне на три вагона ближе к хвосту поезда, руки в карманах. Бритый затылок, тяжелые плечи, под кожаной курткой толстый свитер — гораздо длиннее куртки. Этот качок и не пытался маскироваться. Просто торчал на платформе, равнодушно глазея.

Я закурил и быстро пошел к головному вагону. По второму пути из города приближалась, визжа тормозами, встречная электричка. Я резко прибавил скорость и перескочил колею перед самым носом моего поезда, когда он уже тронулся.

Машинист беззлобно выматерился мне вслед, и махина поползла, набирая скорость. Пригнувшись, я нырнул под высокую противоположную платформу, а еще через считанные секунды возле нее остановилась встречная.

Я немного пробежался, вскочил в последний вагон и выглянул из тамбура. Чисто. Я перевел дух и ввинтился в самую глубину набитого под завязку вагона.

Через несколько остановок, на узловой станции Боровое, я вышел. Там я покрутился на вокзале, якобы изучая расписание, затем неторопливо обошел вокруг какого-то пустующего санатория, снова вернулся на вокзал и неожиданно выяснил у буфетчицы, что если пройти километра полтора через сосняк, то можно выйти на трассу и, если повезет, сесть на городской автобус.

Мое везение стоило двух часов времени, чтобы попасть в город, и еще полутора, чтобы посетить «Щит» и воспользоваться имевшейся у моих коллег аппаратурой.

Домой я добрался только к ночи.

Диктофон и кассета, которыми одарила меня Дарья Ильина, покоились во внутреннем кармане моего пиджака; копия записи была надежно спрятана.

Не то чтобы я устал — просто напряжение последних часов сменилось вялой апатией. Поэтому я испытал глубокое облегчение, не обнаружив у подъезда незваных гостей.

Окна моей квартиры были, как и полагается, темны, вахтер Кузьмич, дежуривший с восьми утра, сказал, что мной никто не интересовался.

Я поднялся к себе на пятый, и, пока возился с замком, лифт, скрежеща, пошел вниз.

Глава 16

Я не большой любитель мистических сериалов, но то, что внезапно остановило меня перед дверью, совсем не походило на обычное ощущение опасности.

Логически для этого не было основания: соседка по тамбуру уже месяц как отсутствовала, балкон был задраен, а в форточку на кухне можно было забраться разве что с летающей тарелки.

Конечно, профессионалу ничего не стоило проникнуть в подъезд мимо поста вахтера и вскрыть замок квартиры, однако следовало принять во внимание малозначительность моей особы и никчемность проблемы. К тому же замок был нетронут...

Казалось, что дом затаился, напряженно ожидая моих дальнейших действий. Некоторое время я продолжал стоять в тамбуре, не решаясь повернуть ключ в замке. Мне пришлось сделать над собой усилие, чтобы справиться с ним, и когда я шагнул в темную прихожую, ноги у меня были ватные.

Не раздеваясь, я прошел в комнату и наотмашь ударил по клавише выключателя. Вспыхнула люстра. Я рухнул на стул.

Вокруг стояла оглушительная тишина. Сердце колотилось как ночная бабочка в стекло, губы пересохли; от необъяснимого животного страха у меня не было сил подняться и осмотреть квартиру полностью.

Нечто подобное я уже когда-то испытывал: в давней командировке, в чужом доме, где провел ночь с покойником по фамилии Скалдин, который напоил меня чаем, а потом заперся в своей спальне, чтобы быть обнаруженным сутки спустя с перерезанным горлом и вспоротой накрест брюшиной.

Как ни странно, это воспоминание вернуло меня к реальности.

Холодными пальцами я расстегнул пальто и вынул диктофон, чтобы еще раз прослушать запись, сделанную Соболем. С того места, где он стучит в двери комнаты Ангелины, перед тем как войти.

Я немного отмотал пленку назад и, узнав хрипловатый голос Ларисы Борисовны, сказавшей: «...ну, не стала балериной...», — щелкнул клавишей, продвигаясь дальше.

Кудимова захочет рюмку водки, Соболь ей нальет, возьмет двумя пальцами за резьбу пустую бутылку и поставит на пол туда, где у батареи уже выстроилась шеренга других; затем, не выключая диктофона, отправится к Ангелине.

Зачем он записал последующее? Чтобы Дарья Ильина, прослушав, окончательно поняла, с кем был связан ее жених? Или из чистой любви к искусству?

Я нажал «стоп», положил диктофон на журнальный столик и, перед тем как заняться делом, решил сварить себе чашку кофе, несмотря на то что время приближалось к полуночи.

Сняв пальто и шляпу, я понес их к вешалке.

И снова я стоял в прихожей, однако, к стыду своему, снова не мог сделать ни шагу. Из кухни донесся неясный шорох, затылок мгновенно заныл. Я наклонился было расшнуровать ботинки, но вместо этого стал бессмысленно шарить по полу в поисках тяжелого предмета.

Звонок в дверь застал меня именно в этом положении. Звука дверей лифта я не слышал, но тут же вспомнил, что в тамбуре у наружной двери на гвозде висит старая теннисная ракетка, которую я поленился выбросить.

Когда звонок дважды настойчиво взорвал тишину, я выглянул в освещенный тамбур, протянул руку к противоположной стене, сорвал ракетку, щелкнул замком и ударом ноги распахнул входную дверь.

На пороге стоял старший следователь Гаврюшенко собственной персоной и, недовольно щурясь, разглядывал меня. Я спрятал ракетку за спину, отступил на шаг и проговорил:

— Проходите, Алексей Валерьевич...

Он окинул меня хмурым взглядом исподлобья, молча вошел в прихожую, включил там свет и, пока я запирал дверь, снял куртку, перчатки и свою лужковскую кепку. Все это время я лихорадочно раздумывал, почему старший следователь оказался у меня в гостях в такое, прямо скажем, нерабочее время.

— Если ты, Башкирцев, не хочешь быть отстраненным от дела Варшавина — и по очень веской причине, — то немедленно отдашь мне диктофон и запись, полученные тобой обманным путем, — монотонно произнес он, проходя в комнату.

Я обогнал его в дверях, сунул диктофон в карман пиджака, уселся верхом на стул и возмущенно заявил:

— Она же сама швырнула мне его в лицо!

— Ну и что это тебе даст? — Гаврюшенко устало опустился в кресло, высоко подняв худые колени. — Все равно на суде ты не сможешь использовать запись.

— Там зафиксировано, что Варшавин уже покинул двадцать седьмую квартиру...

— Когда? — скривился следователь. — Когда? Там и время указано? А где гарантии, что он не вернулся?

— Да не возвращался он! — заорал я, хватаясь за сигарету. — Хотите послушать запись, Алексей Валерьевич?

— Зачем? Дай-ка мне лучше зажигалку... Дурень. — Он посмотрел на меня без всякого выражения. — И что теперь? Ты чего-то там накопал и берешься совать под нос прокуратуре доказательства ее некомпетентности? А что у тебя есть, кроме этого? Ни-че-го. И ничего не будет.

— При чем тут прокуратура? — Я вытащил диктофон. — Мы дождемся суда и там докажем полную невиновность моего клиента. С реабилитацией его доброго имени. Я отдам вам запись — вы же не собираетесь применять силу? — при условии, что вы, Алексей Валерьевич, вместе со мной прослушаете пленку.

Я включил перемотку и поставил самое начало.

— Место действия, — сказал я, — квартира Кудимовых, время — начало седьмого. Варшавин только что покинул помещение. В доме трое: Лариса Борисовна, Ангелина и некий мужчина, пока назовем его «икс».

Гаврюшенко заинтересованно следил за моими манипуляциями.

— Слушай, Егор, давай без этих твоих штучек. Кто такой «икс»?

— А кто вас прислал? — ответил я вопросом на вопрос и нажал клавишу.

Пленка пошла.

В том месте, где явственно слышались бульканье жидкости, шаги и звяканье стекла, Гаврюшенко глазами показал мне на «стоп» и снова вынул сигарету.

— Я так понимаю, что это не Лунц?

— В точку, — сказал я. — Дама с мопсом приняла за фотографа кого-то другого.

— Кого? Кто такой Олег Соболь? — рявкнул он.

— Этого персонажа ваши ребята прошляпили, господин инспектор, — усмехнулся я. — Слушайте дальше. Сейчас Соболь приблизится к двери Ангелины Кудимовой и постучит.

Я снова нажал кнопку.

«...— Геля, это я. Открой... Ф-фу, ну и накурено у тебя... Можно мне присесть рядом с тобой?

— Чего она там делает?

— Кто?

— Мать.

— Ждет. Лариса Борисовна пребывает в ожидании.

— Кого, интересно, еще она ждет?

— Лунца.

— Напрасно. У него не получится. Откуда ему взять денег?

— А зачем она ему дала полторы тысячи?

— На дело... Что ты все вынюхиваешь, Олег? Без тебя тошно. Она впутала в наши семейные дела Варшавина, а я не хотела, чтобы Володя к нам приезжал... Ты еще спроси, где я порезалась...

— Где?..»

Презрительный смешок Ангелины прозвучал совершенно неожиданно, резко оборвавшись.

«...— Ты ведь знала, что он обручен с Ильиной? Знала?

— Да. Ну и что?

— И тебе... Тебя это не печалит?

— Меня уже ничего не печалит. Не тот случай.

— Слушай, Геля, мне, наверное, никогда тебя не понять. Как ты после Варшавина, который тебя обожал, который тебе ни в чем не отказывал, снял для тебя квартиру, — ты, повидавшая полмира, женщина, знающая себе цену, красавица, могла связаться с таким ничтожеством, как Лунц?

— После Володи мне уже было все равно. Мама права — Варшавин бросил меня...

— Почему он на тебе не женился?

— Так вышло. Тебе, Соболь, этого не понять. Ты слишком любопытный, как старухи у подъезда... Можешь считать Лунца каким угодно ничтожеством, но он любит меня и готов ради меня на все. Что ты скривился? Не веришь? Я впервые встретила мужчину, которого не интересует ни мое прошлое, ни мой характер, ни моя карьера. Он не давит на меня. Он меня по-настоящему любит.

— Неужели? Удивляюсь я этой твоей наивности. Я считал тебя вполне здравомыслящей женщиной. С опытом...

— У меня этот опыт вот где сидит. Я хочу иметь семью. Я устала. И я верю, что Сережа обеспечит мне нормальную жизнь.

— Лунц был женат?

— По-моему, нет. Он, знаешь ли, не любит пускаться в воспоминания. В конце концов, какая разница? Дай мне сигарету... вон там, на столике. Спасибо...

— А я тебе скажу, Ангелина, что Лунц был женат. У него есть сын, который проживает в семье матери его бывшей жены...

— Ну а если и так? Что из этого? Мне хорошо с ним.

— А где вы будете жить?

— Не знаю. Здесь, наверное. Что ты так смотришь?

— А тебе известно, что Лунц был любовником Ларисы Борисовны? Об этом весь оперный в свое время знал.

— Неправда! Ты врешь! Театр — это такая клоака...

— Ты, Геля, спроси у них: у Лунца спроси и у матери. Ты всегда твердила, что ненавидишь, когда тебя держат за дурочку. Во всем тебе нужна ясность. Не любишь, когда темнят... Помнишь, я просил тебя остаться у меня, а ты сказала, что избегаешь двусмысленных отношений? Я тебе не по вкусу, и ты честно об этом мне сообщаешь...

— Ты все врешь о Сергее. Именно потому, что я тебе тогда отказала. Ты сам бы хотел оказаться на его месте. Не трогай меня! Ты жуткая тварь, ты лжешь, лжешь!..

— Да ладно, угомонись. Как раз сейчас я бы с Лунцем не поменялся ни на каких условиях. К тому же я не такой сексуальный гигант, чтобы управляться с двумя партнершами одновременно.

— Что ты имеешь в виду, Соболь? Договаривай! Ну же!

— Геля, ты ослепла, да? Ты что, не видишь, как она себя ведет? Когда Лунц должен явиться?

— Обещал к семи...

— Сходи на кухню, посмотри, с каким лицом она его ждет.

— Замолчи!

— Нет, сходи. Взгляни, как твоя мать поджидает твоего будущего мужа, словно собачонка. Представь, что она испытывает, когда Лунц остается на ночь в твоей комнате. Ты, кажется, радовалась, что у твоего Сергея не будет проблем с тещей — ведь они такие друзья...

— Мать сама нас познакомила.

— Догадалась почему? С трех раз. Еще бы — так гораздо проще контролировать своего любовника. Они часто остаются вместе, когда тебя нет? Ты то в отъезде, то на репетициях, то у подруг. Ты счастлива, что он тебя преданно ждет... Нет ничего страшного в том, что оба они уже успели усидеть бутылочку, что Лунц чуть-чуть вяловат, тебе даже льстит, что ты всегда в состоянии его расшевелить. Ты считаешь — он классный парень, душа, хоть и не бог весть какой любовник. Но это ведь не главное... Признайся, ты и не догадывалась, что Лариса Борисовна контролирует каждый твой шаг? Нет? Геля, твоя мать — сильная женщина, и запомни одно: Лунца тебе она никогда не отдаст.

— Принеси мне выпить, пожалуйста...»

Мы с Гаврюшенко услышали, как Соболь плотно прикрыл дверь комнаты Ангелины и почти неслышно оказался на пороге кухни.

«... — Скучаете, Лариса Борисовна?

— Мне не до этого. Так... размышляю. Геля, наверное, заснула?

— Нет. Она просила принести ей вина. Налейте вон в тот фужер, я загляну к ней и побегу по делам... Спасибо. Вы ждете Сергея?

— А что? Тебе-то зачем знать?

— Просто интересуюсь. Геля сказала, что вы всегда ожидаете его с нетерпением. Кстати, от кого она могла узнать, что вы с Лунцем — давние любовники?

— Это... это она тебе сказала, Олег?

— Кто же еще?

— Веселые новости... Это плохо, что она узнала... Поверь, у нас нет никаких отношений очень давно, с тех пор как Сергей решил жениться на моей дочери. Я смирилась, хотя он был мне очень нужен. Такой как есть... Э, что ты в этом смыслишь... Мы обе с ней невезучие...

— Вы можете его вернуть.

— Могу! Но зачем? Все равно он никуда не денется... Ох, это жутко неприятно, что Гельке обо всем стало известно... Она страшно ревнива и неумна к тому же...»

Я в последний раз услышал осторожные шаги, ровное дыхание мужчины, стук в дверь, далекий всхлип и голос Соболя: «Возьми, мне пора бежать», — и сейчас же, одновременно со звуком захлопнувшейся двери, раздался отчетливый щелчок клавиши диктофона.

Запись оборвалась.

Смотав пленку обратно, я протянул диктофон Гаврюшенко.

Он взял его, как берут раскаленный чугунный утюг, опасаясь обжечься или уронить на ногу. Лицо у старшего следователя стало задумчивым. Он явно мучился дилеммой: забыть или нет?

Но мне-то было наплевать, как он поступит. Главное — Гаврюшенко узнал, что именно записано на кассете, прежде чем возвратить ее хозяину.

— Вас по-прежнему интересует Соболь? — нарушил я затянувшееся молчание.

— Нет, — сказало мне бывшее начальство, — мне и так ясно, что он собой представляет.

— Что-то я не видел его имени в списке вызываемых в судебное заседание. А зря.

— Может, ты его выдумал? — вздохнул старший следователь.

— А вы поинтересуйтесь, кто передал Дарье Ильиной диктофон с записью, сделанной у Кудимовых.

— Думаешь, он?

— Алексей Валерьевич, дорогой мой, — воскликнул я, — может, в час ночи и соображается с трудом, но ведь вы только что прослушали запись, которую вручила мне Ильина!

— Да-да... — рассеянно произнес мой гость, как бы вновь впадая в транс. — Мне пора. Машина ждет... Ты, Егор, того... поосторожнее, в общем.

Я проводил Гаврюшенко до двери и с чувством исполненного долга запер за ним все наличные замки. В доме стало тихо, чисто и гулко, как в кладбищенской церкви. Будто вместе с голосом Соболя выветрилась вся нечистая сила.

Я влез под душ, все-таки сварил себе кофе, включил ночник и стал ждать.

Заснуть мне сегодня уже не дадут.

Воображение подсунуло картинку: Лунц, спешащий к дому в проезде Слепцова в тот вечер. Время около семи, но у подъезда ни души... Он поднимается, сталкивается на втором с соседями с четвертого этажа, затем останавливается перед дверью двадцать седьмой квартиры и, открыв ее, бросает ключи в кофр. Затем поворачивается и блокирует дверь защелкой. Лунц никуда не собирается. Он делает это всякий раз, когда намерен здесь заночевать, — по привычке, а также когда остается в доме с одной из двух женщин, чтобы не быть застигнутым врасплох. Ему и в голову не приходит...

Резкий, как пощечина, звонок телефона прервал мои размышления без четырех минут два.

— И что же вы вынюхали, господин адвокат? — раздался бодрый голос Соболя.

— Ваши пальчики, многоуважаемый. — К такому вопросу я был готов. — На водочной бутылке, на бокале, на двери...

— А также то, что моя скромная особа не имеет отношения к убийству. Когда возвратился Лунц, меня там не было.

— А я и не собирался доказывать обратное. Обычная констатация. Мне доставило истинное удовольствие познакомиться с вашими методами работы, попутно поставив под сомнение вашу деловую репутацию. Между прочим, с точки зрения закона, вы теперь один из участников процесса судопроизводства.

— Вы имеете в виду босса, — засмеялся Соболь, — когда что-то там болтаете о репутации? В этом мире существует множество людей, кроме него, которые не способны обойтись без моей дружбы...

— Таких, как Лунц?

— Дался вам этот Лунц... — В голосе Соболя прозвучала настороженность. — Я мог бы уничтожить его одним щелчком. Без всяких усилий.

— Интересно, чем это бедняга вам не угодил, Олег Иванович? Неужели только тем, что Ангелина предпочла его, а не вас?

— Вы, Егор Николаевич, может, и не плохи в роли начинающего адвоката, но в этих делах — полный профан, — проговорил Соболь. — Ежу понятно, что Геля всем мужчинам раз и навсегда предпочла Варшавина. Так что у меня не было ни малейших оснований ревновать ее к Лунцу, несмотря на то что девочка меня очень и очень занимала... Больше, чем остальные. Она была... податливая — и в то же время недоступная. Вы и не догадываетесь, какое это наслаждение — овладеть женской душой...

— Лунц мешал вам?

— Да, он мне все испортил. Все. До сих пор не пойму, как этому дряблому кобелю удалось завоевать ее симпатию, причем без всяких усилий. И несмотря на то что кайф он получал исключительно с Ларисой, они были идеальной парой.

— Как вы догадались?

— О, это было забавно... Я уже много знал о получившей отставку девушке Варшавина, когда супруга моего босса познакомила меня с Ларисой Борисовной — та изредка навещала ее, чтобы сделать укладку или что-то в этом роде... Я, в общем, без особого труда установил с ней приятельские отношения. Иногда выполнял и мелкие поручения Ларисы Борисовны. У меня ведь знакомых — полгорода... В тот день меня послали... ну, не важно — мне нужен был Лунц, вернее услуги фотографа-профессионала для одной довольно деликатной цели. Вы слушаете? — Соболь внезапно умолк. — Все равно, слушайте дальше, пользуйтесь моим настроением. Ночью я свободен от всего и от всех. Это мое время, и если бы вы могли увидеть то, что вижу я...

— Вы искали Лунца, — напомнил я.

— Какой вы, право... узкий человек, Егор Николаевич, — с досадой проговорил Соболь. — Я позвонил Геле домой, она сообщила, что Лунц у себя в студии, и я пошел туда. Вы там, безусловно, тоже побывали. Любопытное местечко, но мне совершенно не хотелось сталкиваться с напарником Лунца, бородатым мазилой, — вы наверняка знаете этот тип крайне живучих отщепенцев и циников. Слава Богу, его не оказалось. Я, значит, спускаюсь, открываю дверь — пусто, пытаюсь позвать Лунца и вдруг слышу то ли стон, то ли задыхающийся женский вскрик. Тот самый, общеизвестный. И голос Ларисы Борисовны: «О мой дорогой... еще, еще секундочку... вот так!» — а следом утробное рычание Лунца.

— Почему вы решили, что это фотограф?

— На полу валялись его джинсы, носки, ну и прочее... Через пару дней я сказал этому кобелю, что если он... не важно... не оставит Ангелину в покое, то я сообщу ей о его связи с Ларисой.

— Вы его шантажировали, — вздохнул я, внезапно теряя интерес ко всей этой дешевой лирике. — Как все это банально, Олег Иванович. Вся ваша власть, оказывается, держится на мелких провокациях. Не тянет даже на серьезную драму...

— Много вы понимаете, — обиделся Соболь. — Вы, наверное, считаете, что человеческие отношения строятся по Шекспиру и Еврипиду? А они в большинстве своем движутся крохотными страстишками. Это я вам говорю. Глубоко внутри вас сидит ма-аленький червячок и только и ждет своего часа, чтобы сожрать вас с потрохами. Я, собственно, звоню вам по поручению Юлия Андреевича, — успокоившись, сказал он. — И на этом свернем обмен мнениями. Мой патрон хотел бы, чтобы Варшавин, со своей стороны, отказался от намерений в отношении его дочери. Вы должны убедить его в этом.

— Значит, она передумала? — усмехнулся я в микрофон.

— Не знаю. Она непредсказуема. Скажите Варшавину, что упрямство будет стоить ему жизни. Думаю, и вам пока радоваться нечему. Прощайте! — Он раздраженно швырнул трубку.

— Что верно, то верно, — вслух пробормотал я, отключая телефон. Не пройдет и шести часов, как я увижусь со своим подзащитным. И что я ему скажу? Что Соболь был-таки в квартире Кудимовых сразу после него, видел его, Варшавина, в машине, однако подтвердить ничего из этого не желает? И это значит, что Ильин намерен потопить моего клиента во что бы то ни стало. А я, действуя официально, ничего не добьюсь. Ни с какой стороны Соболь не похож на то, что называется «вновь открывшимися обстоятельствами».

Я прилег и закрыл глаза. Я перестал думать о Варшавине. Изгнал всех этих персонажей: крутых и не очень, плененных собственными амбициями или чьей-то волей, волков в овечьей шкуре и рабов, боготворящих хозяев, — из своей памяти.

Передо мной остались две женщины — мать и дочь. У обеих ничего не было: ни прошлого, ни настоящего. У них остался только Лунц. Маленький бездарный фотограф.

Будущее же у них кто-то отнял — с тупой, почти механической жестокостью.

Глава 17

Владимир Варшавин встретил меня на удивление энергичным рукопожатием. В отличие от меня, недоспавшего, с мутными от бесплодных размышлений мозгами, он, казалось, ни о чем не беспокоился. На его губах играла младенческая улыбка — как у мучеников за веру, без колебаний спускавшихся в львиный ров. Мне же предоставлялось его из этого рва вытаскивать.

Еще одной новостью было и то, что в камеру к нему меня не пустили. Наш разговор должен был состояться в помещении для свиданий, куда вскоре после меня контролер доставил Варшавина, однако не вышел, как бывало раньше, а остался торчать у двери, равнодушно глазея в мутное зарешеченное окно, выходившее в крытый прогулочный дворик.

Мне пришлось усадить моего подзащитного так, чтобы конвоир не мог видеть его лица. В помещении ничего не было, кроме стола, обитого жестью, как в морге, и двух привинченных к полу табуретов. Варшавин уселся напротив, спиной к двери, одновременно закрывая и меня от взгляда вертухая.

Первое, что я сделал, — приложил палец к уху, показывая, что не исключена возможность прослушивания. Именно этим скорее всего вызвано изменение места свидания. Похоже, Варшавин меня понял, но только иронически пожал плечами.

Минуты три мы просидели молча. Наконец он произнес вполголоса:

— Меня посетил отец. Передал одежду, пару книг, кое-что из еды. Вы ему понравились. Он сказал, что вы, Егор Николаевич, — настойчивый молодой человек.

— Александр Семенович дипломатично смягчил впечатление, оставшееся от моего визита. В частности, у Людмилы Аркадьевны. — Я заставил себя улыбнуться. — О Соболе он не упоминал?

— Было дело. — Варшавин надменно выпятил нижнюю губу. — Я пресек всякие разговоры об этом прохиндее и его предложении. У нас не может быть с ним никаких дел. А у вас новости имеются?

— Еще какие, — сказал я, с осторожностью доставая круглую бархатную коробочку. — Эта вещица вам знакома?

Я открыл футляр.

Хорошо, что парень у двери не мог видеть выражения Варшавина. Недоумение, яростная боль и отчаяние стерли с его лица всякий след напускного благодушия.

— Где вы это взяли? — выдохнул он.

— Спокойнее, Владимир Александрович, — предупредил я, пряча кольцо в карман. — Вы получите его, когда выйдете на свободу. Не исключено, что в день суда. Почему вы скрыли от девушки свою связь с Кудимовой?

— Вы ее видели? — прохрипел Варшавин.

— Ильина сама меня разыскала, чтобы попросить передать вам: она разрывает с вами всякие отношения.

— Значит, и она меня предала? — пробормотал он. — Вы не ошиблись? Даша точно просила вас сделать это?

— Куда уж точнее... Неужели вы полагали, наивный человек, что, если вас посадят, она станет вас дожидаться? Это просто смешно... Вы знаете, зачем Соболь приходил к Кудимовым в тот вечер?

Он бессмысленно, вряд ли понимая, о чем речь, взглянул на меня. Как человек, которому ампутируют ногу без наркоза.

— Очнитесь, Владимир Александрович! — Я придвинулся вплотную к столу и выложил кулаки на его исцарапанную ледяную поверхность. — Не делайте трагедии из того, что произошло. Я понимаю, вы оберегали свою девушку от грязных пересудов, подставляясь, как жертвенный ягненок, придумали себе какие-то особенные отношения с ней и в результате все-таки запутались в иллюзиях... Соболь пришел к Кудимовым с разрывом в три—пять минут после вас: он следил за вами и ждал этого момента...

— Соболь убил всех троих?!

— Нет. Он физически не мог это сделать. И это почти доказано. Я еще не знаю, кто совершил преступление... Но с вами все оказалось гораздо проще — Соболю поручили скомпрометировать вас в глазах Дарьи Ильиной любым способом. Он грубо, но толково исполнил это задание.

— Кому это понадобилось?

— Ее отцу.

— Бред... — криво усмехнулся Варшавин. — Этот человек решает свои проблемы другими средствами. Ему ничего не стоило просто устранить меня.

— Вы забываете, что речь не только о вас. Накануне выборов ваше дело — туз в рукаве. Причем козырный. А характер его дочери? В случае вашей внезапной гибели она могла выкинуть все что угодно...

— Даша клялась, что любит меня...

— Не знаю. Я не специалист.

Варшавин только слабо махнул рукой и добавил:

— Ерунда... Все это уже не имеет никакого значения... Никакого...

Он разваливался прямо на глазах, а то, что осталось от моего подзащитного, как при первой встрече, уползало в привычную непроницаемую раковину.

— Ильина не верит, что вы убийца.

— Мне теперь все равно, что она думает по этому поводу, — глухо произнес он.

— Вы даже не спросите, что сделал Соболь? — Мне внезапно нестерпимо захотелось схватить Варшавина за горло и придушить. Прямо здесь. Чтобы разом закончить всю эту канитель. Он опять загонял меня в угол, где я был бессилен ему помочь. «Нас обоих на суде смешают с грязью», — подумал я и в ярости прошипел: — Где вы, черт вас побери, все-таки шлялись, когда покинули дом Гели Кудимовой? Где?

Он вздрогнул и затравленно на меня посмотрел.

— На даче... Я был на даче!..

— Говорите тише. Кто это может подтвердить? Что вы там делали? — Я быстро взглянул в сторону двери.

Вертухай исчез — пошел помочиться или доложить по начальству, что, судя по нашему виду, дела у нас идут хуже некуда.

— Вас кто-нибудь видел в тот вечер? — Я повысил голос. — Почему вы сразу не сказали, что поехали за город?

— Не кричите, Егор. — Он поежился. — Кому это все теперь интересно? Был ли на даче, крутился ли по городу — никому в эти два часа до меня не было дела. Даже сотовый молчал — ни единого звонка... Я поехал туда совершенно без всякой цели. Просто мне нужно было избавиться от стресса и спокойно подумать. Это место у меня связано с памятью матери.

Мы там подолгу жили вместе. Она любила сад, много возилась с ним, была очень привязана к нашему старому дому... Что еще?.. Я вернулся в «Тихуану», а по дороге решил дать Ларисе Борисовне эти проклятые деньги. Позвонил, но никто не взял трубку...

— Мне нужны подробности, — перебил я Варшавина. — Что конкретно делали, сколько это заняло времени, куда потом поехали.

— Ну, я вошел в дом — ключи у меня были в машине. На первом этаже у нас три небольшие комнаты, длинная галерея, откуда лестница ведет на второй этаж... Заглянул в комнату матери, выкурил сигарету... Егор, что вы от меня хотите услышать? Я не помню, а на часы не смотрел.

— На даче есть телефон?

— На зиму линию отключают. С октября до начала лета там никто не бывает. Весной я нанимаю кого-то из местных, чтобы привели сад в порядок и прибрали дом... Посадили немного цветов, как любила мать.

— Ваш отец не занимается дачей?

Варшавин пожал плечами.

— А Людмила Аркадьевна?

— Она вообще там не бывает.

— Где это находится? — спросил я. Конвойный уже стоял у двери, нетерпеливо переминаясь. — Говорите быстро!

— В сорока километрах на юго-запад. Поселок «Научный». Улица Скрябина, двенадцать. Двухэтажный кирпичный старый дом. Калитка на замке, рядом с домом — гараж, на фасаде — небольшой незастекленный балкон.

— Так, — сказал я вставая. — Больше ничего не припоминаете? Нет? Тогда до моего следующего посещения сидите в камере тихо. По возможности — без эмоций. Вероятно, к вам заглянет старший следователь Гаврюшенко. Будет задавать вопросы о Соболе. Без протокола. Сообщите ему то, что рассказали мне. — Одними губами я добавил: — О предложении продать свидетельские показания — ни звука. Пусть думают, что я знаю нечто такое, что даст нам возможность развалить дело в самый последний момент.

— А вы действительно знаете?

— К сожалению, нет. Надеюсь, что до вас, Владимир Александрович, наконец-то дойдет элементарная вещь — из-за вашего бездарного упрямства мы потеряли не только время, за которое можно было бы вычислить настоящего убийцу, но и возможности маневра. Теперь вы понимаете, в какой опасности находитесь?

Лицо у Варшавина было асфальтово-серое и жалкое. Я оставил его буквально нагишом, и ему ничего не оставалось, как спасать собственную жизнь. Меня это устраивало.

Пока я ехал домой, чтобы подготовиться к очередной загородной прогулке, в голове у меня вертелся ночной разговор с Дегустатором. Этот малый ни в чем не походил на сумасшедшего. В маньяки и роковые злодеи Соболь также не годился. С точки зрения обычной морали никакой оценке он не подлежал: он был зыбкий, как сухой песок, и такой же вездесущий. Наоборот — его пищей было чужое безумие, которое, как вирус, настигало людей, смертельно напуганных бесплодностью собственных усилий выжить.

Я поежился, представив себе клонированного Соболя...

Первой и главной проблемой было раздобыть ключи от дачи. Я уже знал, что они имелись в машине младшего Варшавина, но этот вариант не годился. Что вообще я надеялся там обнаружить? У меня не было ответа. А что там может быть, кроме старых следов протекторов «судзуки»?

Я лихорадочно рылся в шкафу в поисках кроссовок и носков, когда под руку мне попался фотоаппарат. Какое-то время я тупо разглядывал старый «Кодак», а затем отшвырнул его в угол. К лешему! Что за бред, в конце концов...

Одновременно со звуком падения «мыльницы» раздался телефонный звонок.

— Вот это да! — сказал я, услышав в трубке обеспокоенный голос Варшавина-старшего. — А я уже собирался вам звонить, Александр Семенович!

— Егор! — Профессор лихорадочно глотал слова. — Извините мое неофициальное обращение. Я пытался дозвониться к вам все утро... Вы не можете ко мне приехать? Немедленно?

— Уже выезжаю, — ответил я. — А вы могли бы мне дать на пару часов ключи от вашей дачи? Есть некоторые обстоятельства в деле вашего сына, которые...

— Да, да, — нетерпеливо перебил он меня. — Я жду вас. Если можно — скорее.

Я с недоумением взглянул на внезапно умолкшую трубку и снова нырнул в шкаф.

Спустя четверть часа пойманный на проспекте ржавый «жигуль» с литовскими номерами нехотя тащился в сторону центра. В спешке я даже оставил дома сигареты...

Профессор встретил меня настолько взволнованно, что совершенно не обратил внимания на мою экипировку. Его холеная физиономия показалась мне осунувшейся и несколько растерянной. Однако я сразу же напомнил ему о ключах, осторожно обойдя причину моего интереса к ним.

По-моему, в данный момент судьба сына его совершенно не интересовала. Александр Семенович выдал мне небольшую связку, сообщив скороговоркой, что замки достаточно просты, входная дверь обычно немного разбухает в морозы, но пока в дом попасть сравнительно легко. Затем, поколебавшись мгновение, профессор оглушил меня известием об исчезновении Людмилы Аркадьевны.

— То есть? — изумился я. — С чего вы взяли, что ваша жена исчезла?

— Леля не ночевала дома. Такое бывало и раньше, редко, но обычно я знал, где она находится... Иногда она гостила у родителей...

— Как долго Людмила Аркадьевна отсутствует?

— Вторые сутки, — жалобно проговорил он.

— Вы звонили ее родным?

— Да. Лели там нет, и я даже не пытался расспрашивать, чтобы не пугать их.

— Вы обращались в милицию?

— Что вы, Егор! Только этого нам не хватало...

— А вам никто не звонил по этому поводу? Вам угрожали?

— Нет.

— Где же она может быть? У нее есть подруги, знакомые?

— У Людмилы Аркадьевны есть только я, — насупился профессор. — Вы должны мне помочь ее отыскать.

Я взглянул на несчастного собственника. Ему и в самом деле больше не к кому было обратиться. Информация просочится мгновенно. Нового скандала не избежать.

— Людмила Аркадьевна взяла машину и уехала по делам вчера утром: в издательство, в институт, затем позвонила и сказала, чтобы я обедал без нее. Вечером я работал у себя, когда она еще раз позвонила, чтобы сообщить о поломке машины. Где-то на московской трассе. Не предупредив меня, она поехала в районную типографию, где постоянно печатаются материалы моей предвыборной кампании. На обратном пути «девятка» забарахлила. Она сказала, что остановилась в мотеле, там рядом автосервис и заправочная. Утром, по ее словам, все должно быть готово, и чтобы я не беспокоился... Она оставила номер телефона владельца этого заведения.

— Значит, утром Людмила Аркадьевна не появилась и вы забеспокоились?

— Больше того, — проговорил профессор, как бы недоумевая. — Когда я позвонил туда в девять утра, решив, что девочка уже должна проснуться, мне сообщили, что она уехала еще ночью, где-то около четырех. Я спросил о машине — и получил вполне непечатный ответ.

— И больше никакой информации?

— Нет.

— Где находится эта ваша типография? — спросил я. — Дайте мне ее координаты, номера телефонов, имя директора и всех тех, к кому в течение дня могла обращаться ваша жена. В ближайшие часа два я с вами свяжусь, однако не исключено, что Людмила Аркадьевна появится дома раньше.

— Я очень на это надеюсь! — воскликнул профессор и тут же сник. Сутулясь, он побрел к письменному столу, бормоча: — Хуже всего, что мы с Лелей поссорились, когда она звонила в последний раз... Я упрекнул ее за то, что она остается на ночь в подозрительном месте, о котором я и понятия не имею...

Я промолчал и отвел глаза от его бесконечно старой спины, обтянутой домашней фланелевой курткой. Надеюсь, с Людмилой Аркадьевной ничего особенно плохого не случилось, даже если у нее и впрямь сломалась машина и она вынуждена была заночевать в кемпинге для дальнобойщиков, больше похожем на придорожный бордель. Не тот человек.

Я получил от профессора все необходимое и заторопился — кроме посещения дачи Варшавиных, теперь мне предстояло заняться поисками пропавшей профессорши.

На вокзал пришлось ехать в такси, которые в центре города кишели, словно голодная саранча. Всю дорогу меня разбирала досада, что я так и не успел купить сигарет, что водитель не курит, а электричка может отправиться с минуты на минуту и мне придется битый час околачиваться на платформе...

Перед очередным светофором я развернул карту области, которой предусмотрительно снабдил меня Варшавин-старший, и взглянул на отрезок трассы между райцентром, где находилась типография, и городом.

У Александра Семеновича были основания нервничать.

Карта была совсем свежая, этого года. Однако сколько я ни всматривался в ее пеструю путаницу, на всем протяжении шестидесятикилометрового участка дороги мне не удалось обнаружить ничего похожего ни на мотель, ни на кемпинг.

10-4

Глава 18

Улица Скрябина оказалась пятым поворотом направо, если считать от железнодорожной платформы. Этот километр по немощеной Ленинской, вдоль которой катился бурный ручей из лопнувшей где-то трубы, я одолел почти бегом, хотя дорога все время шла в гору. Русло ручья причудливо петляло, и то и дело приходилось перебираться с одной стороны на другую, чтобы не влететь в самую трясину.

«Научный» когда-то был дачным поселком сотрудников городских НИИ, но со временем большую часть дачников вытеснили новые застройщики. Теперь здесь обитал самый разношерстный люд, а кандидаты и доктора вместе с их семействами стали анахронизмом.

Участки были просторными, сады старыми, большей частью запущенными — или вырубленными подчистую ради картошки и овощей. Прыгая через лужи под собачий брех, я цеплялся взглядом за всякую всячину вроде голых сизо-розовых хлыстов малины, затейливых оград, грузных кистей ржавого рябинника, обещавших холодную зиму, и пляшущих на ветру на недосягаемой высоте мелких яблок.

После полудня небо очистилось и в мутной, как младенческое око, голубизне показалось прохладное белое пятно солнца.

Я дышал глубоко и ровно, вместе с воздухом вбирая запахи горькой палой листвы, перепревших диких груш и дыма костров. Осень — легкое время, по крайней мере для меня, когда все само дается в руки, голова ясная, а сил, кажется, хватит горы свернуть, — но сейчас я чувствовал себя словно одинокий бесхозный пес.

В сумасшедшей гонке последней недели я кое-что упустил из виду. В первую очередь то, что все мои усилия направлены против меня самого. Если трезво смотреть на вещи, единственное, чего мне следовало опасаться, — это выиграть дело Варшавина. Этого мне не простят. Классик прав — положение хуже губернаторского. Фемида отдыхает. Однако остановиться я уже не мог.

На углу Ленинской и Скрябина я притормозил, распустил молнию куртки и постоял, остывая и осматриваясь.

Двенадцатый номер был вторым от угла по правой стороне. Метрах в ста впереди Ленинская упиралась в крымскую трассу, откуда доносился гул дизелей тяжелых грузовиков. К трассе, следовательно, выходили и тылы всех участков, расположенных по правой стороне Скрябина. От полотна шоссе их отделяла лесопосадка, состоявшая из рослых акаций и ясеней, издали заметных сквозь поредевшие кроны садов.

Я колебался. Курить хотелось смертельно, а вдоль шоссе должны были отыскаться какие-нибудь лотки или забегаловки. В поселке по случаю воскресенья все было закрыто. Однако тяжесть ключей в кармане напомнила: дело прежде всего.

Я ухмыльнулся, вспомнив физиономию Степана Рустамовича Буя, перепрыгнул через ручей и зашагал по Скрябина. Минутой позже я уже был у цели.

Дача Варшавиных, обнесенная легкой сетчатой оградой не выше моего плеча, в точности соответствовала описанию, которое дал мне младший из них. Небольшой кирпичный дом, оштукатуренный «под шубу», беседка в глубине участка, оплетенная диким виноградом, стол и длинная скамья у крыльца, левее — гараж из стандартных бетонных блоков с воротами из листового железа, выкрашенными ядовитой зеленью. Дорожки и въезд в гараж выложены желтым огнеупорным кирпичом, сквозь щели которого пробиваются сухие метелки травы.

Явного запустения нет, но присмотревшись, легко установить, что дачей пользуются не часто. Калитка на замке, перед воротами гаража, ясное дело, никаких следов — да и откуда им взяться, если только в сентябре выпало не меньше десятка дождей... Перед крыльцом — кусты желтых георгин, прихваченных заморозками.

В замке калитки оказалось полно воды, и когда я справился с этим смехотворным механизмом, руки у меня были сплошь в ржавчине. Прикрывая калитку за собой, я заметил, как на участке по другую сторону улицы, где, по всем признакам, жили постоянно, между теплицей и покосившимся сарайчиком мелькнула фигура полной женщины в ватнике. В руках у нее были короткие вилы и ведро. Она быстро взглянула в мою сторону и скрылась.

Пучком сухой травы я вытер руки и по дорожке прошел к крыльцу, стараясь не наступать на гнилые яблоки, сплошь устилавшие площадку перед домом.

Обитая стальными полосами дверь имела проушины для навесного замка, однако запиралась на врезной, к которому подходил длинный ключ с двумя бородками, имевшийся в связке. Окна первого этажа в доме были зарешечены и везде, кроме галереи, закрыты изнутри ставнями. За цветными стеклами галереи виднелись складки плотно задернутых штор.

Дважды повернув ключ, я дернул тяжелую створку на себя, удивившись, с какой легкостью она поддалась.

Первое, что я почувствовал, — слабый, но совершенно явственный запах хорошего табака. Из-за штор на галерее, в переплетах которой чередовались желтые, синие и красные стекла, стоял пестрый полумрак, и я еще какое-то время потоптался у порога, чтобы глаза привыкли.

Здесь было гораздо теплее, чем на улице. Прямо передо мной находилась полуоткрытая дверь, ведущая в комнаты, справа — лестница на второй этаж с легкими металлическими перилами. Плетеное кресло-качалка в углу, пластиковый садовый столик, на крашеном дощатом полу — домотканая дорожка.

Тишина стояла оглушительная, только с трассы слабо доносился шум моторов. Что касается запаха, то он улетучился настолько быстро, что мог быть отнесен к разряду галлюцинаций закоренелого курильщика.

И все-таки что-то меня удерживало от того, чтобы войти. Выждав еще с полминуты, я негромко свистнул, а потом позвал: «Эй, есть здесь кто-нибудь?» — естественно, не получив никакого ответа.

Чертовщина! Я вел себя как безмозглая пуганая ворона.

Шагнув в галерею, я резко захлопнул за собой дверь, решив начать осмотр с дальних помещений, постепенно продвигаясь к выходу, чтобы затем подняться на второй этаж, где всего две комнаты, и проделать все в том же порядке.

Протянув руку, я щелкнул выключателем. В галерее вспыхнула лампочка под плоским стеклянным колпаком — очевидно, хозяин не считал нужным отключать автоматический предохранитель на щитке на время своего отсутствия. Сам щиток находился в углу под лестницей. Я приоткрыл дверь, ведущую в коридор, куда выходили комнаты первого этажа, и двинулся вперед, по пути включая везде свет — из-за ставней в комнатах было почти совершенно темно.

Весь первый этаж — две комнаты поменьше и одна большая, просторная, хороших пропорций, с окнами на обе стороны дома, — был обставлен тем отслужившим старьем, которое обычно сплавляют на дачу из городских квартир. Тонконогая чешская мебель начала семидесятых, расшатанные кровати с плоскими деревянными спинками, разнокалиберные стулья и пуфики. Монгольский войлочный палас в большой и потертый туркменский коврик в дальней маленькой, которая, когда я пригляделся, показалась мне принадлежавшей женщине.

Очевидно, это и была та самая комната матери, о которой упомянул мой подзащитный. С нее я и начал.

Здесь действительно давно не жили. Равномерный налет пыли покрывал все поверхности. Узкая девическая кровать, туалетный столик перед овальным зеркалом. На подзеркальнике — полупустой флакон хороших, но уже вышедших из моды духов, еще какие-то мелочи. Рядом с зеркалом на стене — цветная таблица с комплексом упражнений гимнастики у-шу. Кроме двери, эту комнату отделяла от коридора завеса из окрашенных бамбуковых палочек.

Если Владимир Варшавин и побывал здесь, то практически ничего не касался. Пыль лежала нетронутым слоем равномерной толщины повсюду. Никаких предметов, выпадавших из обстановки, не было. Тем более что я понятия не имел, что, собственно, ищу.

Погасив свет, я переместился в большую комнату, оставив спальню профессора на закуску.

Здесь все выглядело иначе. Круглый стол с видавшим виды телевизором на нем, телефонный аппарат на тумбочке в углу, просторный диван, обитый мышиного цвета лысоватым велюром, чьи пружины давно нуждались в починке. Стенной шкаф, полки которого были наполовину забиты старыми номерами экономических журналов, наполовину — упаковками самых разнообразных лекарств, от мощных американских антибиотиков до шведских витаминов и слабительного. Этого добра вполне хватило бы, чтобы заполнить витрину небольшой аптеки.

Не сказать, чтобы Варшавин-старший халатно относился к собственному здоровью.

Я бегло просмотрел надписи на упаковках и вернулся к столу, где рядом с телевизором стоял глиняный подсвечник и валялся растрепанный роман Хайнлайна. Я перелистал загнутые и замусоленные страницы и даже встряхнул книжку в дурацкой надежде, что оттуда что-нибудь выпадет. Уж очень этот Хайнлайн не походил на собственность аккуратнейшего Александра Семеновича.

Ничего.

Я отбросил книгу и пересек комнату по диагонали, направляясь к телефону. Палас скрадывал шаги, и мое перемещение сопровождал только легкий скрип половиц. Сняв трубку, я прижал ее к уху, вслушиваясь в пустое молчание отключенного аппарата и небрежно скользя взглядом по самодельному электронагревателю, втиснутому между тумбочкой и диваном.

Это был обычный «козел» — кусок асбестовой трубы на металлических опорах, обмотанный толстой нихромовой спиралью киловатта на два. При виде такой штуковины с инспекторами пожарной охраны обычно случаются приступы неконтролируемой агрессии.

Я опустился на корточки и потрогал «козел». После чего резко выпрямился, беззвучно опустил трубку на место и замер, затаив дыхание.

Спираль была теплой. Ощутимо теплой. Не прошло и четверти часа, как нагреватель отключили от сети.

В двух метрах передо мной находилась неплотно прикрытая дверь в коридор, и я знал, что десяти секунд будет достаточно, чтобы покинуть дом, проскочив отрезок коридора и галерею. Однако не мог сделать ни шагу. Спираль. Запах табачного дыма... Это в помещении, где два месяца не было ни души! Как последний кретин, я сам себя загнал в мышеловку...

Другой вопрос — кому и каким образом могло стать известно, что я направляюсь именно сюда?..

Не дыша, я продолжал вслушиваться в пустоту стареющего дома, которая больше не была пустотой.

С галереи донесся осторожный, едва уловимый звук, поставивший точку во всех моих дальнейших размышлениях.

Через короткое время звук повторился — он походил на приглушенный звук детской трещотки, только более мягкий, почти маслянистый.

Что это? Что-то хорошо знакомое, но сейчас я не мог вспомнить, занятый лихорадочными поисками какого-нибудь укрытия. Мне подошла бы любая ниша или щель, откуда я мог бы первым увидеть, с кем или с чем имею дело. Это давало хоть ничтожный, но шанс. Однако моя мышеловка была оборудована по всем правилам и скрыться здесь сумел бы разве что паук. Про решетки на окнах тот, кто находился на галерее, отлично знал и потому не торопился.

И тут я вспомнил, что это за звук. Мне приходилось слышать его десятки раз. Слитные щелчки револьверного барабана, проворачиваемого в гнезде. Спутать их нельзя ни с чем.

Я прижался к стене за дверью — и в ту же секунду половицы под моими подошвами дрогнули. Кто-то перемещался вдоль галереи, бесшумно ступая в мягкой обуви по домотканым дорожкам. Направление этого перемещения я не смог определить и поэтому только ждал, обливаясь потом и чувствуя, как от напряжения начинают мелко подрагивать мышцы ног. Скорее всего там занимали позицию, чтобы блокировать наружную дверь.

Единственное, что я сейчас мог сделать, — вырубить свет. Щелчок выключателя прозвучал как выстрел, и комната погрузилась в темноту, прорезанную косыми полосами дневного света, пробивающегося сквозь щели ставен.

Вряд ли это могло мне помочь, потому что у меня не было ничего, чтобы защитить себя, кроме связки ключей.

Осторожно скрипнула дверь, ведущая из галереи в общий коридор, и, словно в ответ на мои действия, щелкнул другой выключатель, погрузив коридор в темноту. Это, значит, была такая игра. Мне давали понять, что дергаться бессмысленно, однако сомневались, действительно ли я безоружен.

Затем дверь распахнулась полностью, впустив в коридор цветные сумерки с галереи — я видел это через стекло в двери комнаты, — и все стихло.

Предполагалось, что сейчас я поползу сдаваться.

Ну что ж. По крайней мере хоть какая-то ясность. Не сидеть же здесь как кот в мешке, в ожидании, пока придут и вышибут мозги, забрызгав ковер и светло-зеленые стены.

Ни о чем я так не жалел за всю свою двадцатипятилетнюю жизнь, как о наполовину выкуренной сигарете, которую три часа назад, сразу после звонка Варшавина-старшего, безжалостно расплющил в пепельнице на моем кухонном столе. Почему-то все остальное сейчас потеряло всякое значение.

Я шагнул к проему и толкнул дверь от себя. Она качнулась и открылась, перекрыв просвет коридора.

Ничего не произошло, и тогда я, стараясь не делать резких движений, осторожно выдвинулся из-за нее так, чтобы меня было видно с галереи почти полностью.

— Эй! — негромко сказал я. — Ребята! Лучше пого...

Последнее слово застряло где-то между диафрагмой и связками.

В освещенном прямоугольнике галереи, слегка расставив ноги и покачиваясь с носка на каблук, стоял Олег Иванович Соболь в своей рыжей кожаной куртке и мятых джинсах, целясь мне прямо в переносицу. Очко девятого калибра с никелированным дульным срезом чуть-чуть гуляло, следуя за его движениями. Левая рука прочно поддерживала локоть правой, а на губах Соболя играла по-детски открытая улыбка. Он откровенно наслаждался ситуацией.

— Опустите оружие, — сказал я. — Ведь не собираетесь же вы и в самом деле меня прикончить?

— Это еще почему? — засмеялся Соболь.

— Не ваш стиль. — Я уже почти взял себя в руки.

— Бывают и исключения, Егор Николаевич, — проговорил он, и я увидел, как глаза у него косят, будто у пса, заклещенного сучкой.

Я промолчал. Убить меня здесь и сейчас — не в его интересах. Он наверняка уже догадался, что я здесь с ведома Варшавина-старшего. Вокруг полно народу — та же тетка с вилами напротив... Но какого дьявола он тут делает? Неужели на даче и в самом деле есть нечто, что может доказать непричастность моего клиента к убийству?

Соболь сделал короткое раздраженное движение — и я моментально догадался, что на галерее находится кто-то еще, кого я не могу видеть. Движение относилось не ко мне. Улыбка с лица Соболя испарилась, уступив место брезгливому оскалу.

— Ну хватит! — вдруг жестко произнес он. — Сворачиваем дискуссию. Вас, господин адвокат, трижды предупреждали. Лимит исчерпан.

И плавно нажал курок.

В ту же секунду голос Людмилы Аркадьевны истерически взвизгнул:

— Нет! Нельзя! Олег!..

Я успел сделать все, чему меня учили, еще до того, как негромко хлопнул выстрел. Просто мгновенно отключил все мышцы и рухнул одновременно вниз и назад, рванув на себя дверь. Но опоздал самую малость.

Висок и щеку обожгло, будто кто-то наотмашь хлестнул меня жгутом раскаленной добела колючей проволоки. Перед глазами затрепыхалась какая-то мутно-багровая завеса, а когда она разодралась, я обнаружил, что лежу скрючившись на полу у самого края ковра, по которому лениво ползают световые пятна и полосы. Правый глаз не открывается, кажется, что его нет вовсе, а из живота и гортани толчками поднимается тошнотворный спазм. Хуже всего, что я не могу пошевелить даже пальцем — словно угодил в толщу быстро схватывающегося цементного раствора. При этом слышу я все совершенно отчетливо.

— Выйди, Людмила! — донесся до меня резкий голос Соболя. — Необходимо проветрить.

Каблуки профессоровой пропажи простучали по доскам галереи, дверь на крыльцо распахнулась. Соболь чего-то ожидал, не двигаясь с места.

Я почувствовал движение воздуха у самого пола, а вместе с ним — характерный металлический запах, кислый и въедливый.

Так вот почему на ковре нет ни капли крови!.. Он стрелял газовым патроном, и у этого патрона была та самая начинка, которую в последнее время стали использовать эфэсбэшники... Значит, меня все-таки зацепило...

Я попытался пошевелиться, но только застонал от бессилия.

Дозы, которую я получил, судя по первым ощущениям, должно хватить минут на двадцать — двадцать пять. И это еще семечки, потому что боль начнется потом. Если, конечно, это «потом» будет иметь место, потому что сейчас со мной можно сделать все что угодно.

Бессмысленно таращась здоровым глазом в стену прямо перед собой, я снова рванулся, чувствуя, что каждый следующий вдох дается все с большим трудом. От напряжения сознание стало заволакиваться серой пеленой.

Чтобы окончательно не отключиться, необходимо соблюдать полное спокойствие. Тогда, может быть, я еще кое-что увижу на этой импровизированной сцене.

Я услышал шаги Соболя. Открыв пошире дверь в большую комнату, он снова вернулся на галерею — дожидаться, пока остатки газа окончательно улетучатся из помещения.

Наконец он решил, что атмосфера очистилась. В том, что я полностью парализован, он убедился еще раньше. Судя по его поведению, он безоговорочно доверял своему оружию.

Теперь он неподвижно стоял у меня за спиной — я слышал размеренный звук его дыхания — и молчал. Я закрыл глаза, имитируя глубокое отключение. Все равно я не мог видеть его лица. Да и на кой оно мне сейчас?

В ту же секунду я получил сильнейший удар носком ботинка в область почек. Настолько резкий, что мое тело перевернулось и я оказался лежащим лицом вниз, уткнувшись носом в ворс паласа.

Я не издал ни звука. И вовсе не потому, что так уж вынослив. Просто я ровным счетом ничего не почувствовал. Будто пнули не меня, а совершенно посторонний мешок с мокрыми опилками. Сильная встряска — и следом очередная волна тошноты.

Соболь отступил на шаг и удовлетворенно хмыкнул. Затем повернулся и снова вышел, но теперь уже в комнату профессора.

В поле зрения моего единственного глаза не осталось ничего, кроме не первой свежести поверхности ковра.

Соболь вернулся очень быстро, что-то свалив на диван, прошелся по комнате, а затем я услышал, как он со скрежетом тащит по полу что-то довольно увесистое. Тут я как бы слегка отключился и потерял всякий интерес к его деятельности. Достаточно того, что он на время оставил меня в покое.

Когда он закончил, дыхание его стало неровным, зато в голосе прозвучало удовлетворение.

— Отлично! — проговорил Соболь. — Жаль, что вы, Егор Николаевич, не можете порадоваться вместе со мной. Ну, да это не важно... Прощайте. Желаю с пользой провести время...

После чего вышел, захлопнув за собой дверь комнаты. Уже с улицы до меня донесся его оживленный голос:

— Нам пора, детка. Все прошло нормально... Просто мы с Егором Николаевичем сняли кое-какие вопросы...

Женский голос что-то негромко спросил, потом, почти сразу, прозвучал возмущенный возглас Людмилы Аркадьевны.

— Иди в посадку и прогрей мотор! — распорядился Олег Иванович. — Я догоню тебя. И поторапливайся. Не стоит обращать внимания на всякие пустяки...

Грохнула входная дверь, ключ дважды провернулся в замке, и все стихло.

Не могу сказать, что я испытал большое облегчение. По-прежнему совершенно беспомощный и неподвижный, я лежал ничком посреди комнаты, как ошпаренный кипятком таракан. И мне не оставалось ничего другого, как максимально расслабиться и дождаться, пока функции мышц начнут восстанавливаться. Соболь провел рядом со мной не больше пяти минут. Значит, минут через десять можно попытаться хотя бы изменить позу.

Однако и этого времени мне не было отпущено.

Потому что в следующее мгновение я почувствовал запах дыма. По комнате распространилась тяжелая удушливая вонь паленой шерсти и тлеющего тряпья.

Что это могло означать? Я не знал.

Скосив вправо здоровый левый глаз, я вдруг обнаружил, что и правым вижу какие-то зеленые и розовые пятна. Зрение возвращалось, но от запаха дыма, который становился все ощутимее, начало першить в горле.

Необходимо выяснить, что происходит. Я попробовал повернуть голову. Поначалу казалось, что сделать это — все равно что сдвинуть с места в одиночку стоящий трамвай, но потом что-то щелкнуло и внезапно я почувствовал, как ноют от напряжения шейные сухожилия, как саднит опаленная газовой струей щека, как неудержимо растет опухоль вокруг пораженного глаза... Неподъемная махина моего черепа перекатилась влево. С ног до головы покрытый липким потом, я попытался вдохнуть поглубже — и не смог.

Самым лучшим для меня было бы вовсе этого не видеть.

Прямо передо мной, в ближнем к двери углу, стоял сдвинутый со своего места «козел», поверх которого, полностью закрывая трубу и спираль, лежало старое женское пальто из синтетики. Вторым слоем на него было наброшено толстое ватное одеяло. Вилка нагревателя торчала в розетке, «козел» трудился на все свои киловатты, и плотные, как непромытая овечья шерсть, пряди дыма сонно выползали сквозь зазоры ткани, устремляясь к потолку. С каждой секундой их становилось все больше.

Я скосил глаза — грязно-серая мгла колыхалась вверху непроницаемой толщей. Ее нижняя граница достигала уже середины оконных проемов. Соболь оставил включенной лампу, но ее свет едва сочился сквозь слои ядовитого дыма, который прибывал и прибывал.

При этом у меня не было ни единого шанса сгореть. Вся эта дрянь будет тлеть, пока я не захлебнусь дымом, а потом погаснет сама собой. Спираль через какое-то время выгорит — но лично меня это уже не будет касаться. Проклятый сукин сын все вычислил мгновенно. В том числе и то, что имеет дело с полным, законченным идиотом.

Жаль, что такие вещи о себе узнаешь, как правило, тогда, когда от этого никакого толку. Дым накроет меня раньше, чем я что-либо успею предпринять.

Соболь недаром веселился. Случай подбросил ему почти идеальный вариант. Газ улетучился. Гильза осталась в барабане. Дом заперт, но ключи у меня в кармане куртки. Все остальное — результат неосторожного обращения с нагревательными приборами. Сверхмощное алиби Олег Иванович организует себе уже в ближайшие часы. На улице они с Людмилой Аркадьевной не показывались, оставив машину в лесополосе и через тылы участка пробравшись в дом — очевидно, еще прошлой ночью.

На лоскутной поверхности одеяла тем временем проступило бурое пятно сантиметров тридцати в диаметре и начало постепенно темнеть. Достигнув угольной черноты, оно вдруг налилось в центре алым огнем, лопнуло, края его осыпались искрами, и дым тлеющей сырой ваты повалил клубами.

Чего бы это мне ни стоило, нужно выбираться отсюда.

Не стану говорить, как мне это удалось. Если хотите — как-нибудь попробуйте сами. Не меньше пяти минут у меня ушло только на то, чтобы переместиться на полметра в сторону дымящего, как вулкан, нагревателя. Что, в сущности, было ошибкой. Я направлялся к шнуру, чтобы обесточить «козла», тогда как мне следовало продвигаться к двери.

Когда я это понял, было почти поздно. Вокруг клубилась сплошная сизая мгла, сквозь которую едва пробивался багровый свет лампочки. Видимость отсутствовала на расстоянии тридцати сантиметров. По моему лицу безостановочно текли слезы, но я даже не замечал этого.

Я не отдал Богу душу только по единственной причине — от злости, которая просто распирала меня изнутри. Последние отрезки пути до двери я протащился только на этом горючем, потому что в комнате не оставалось больше ни грамма кислорода.

Ничего не видя перед собой, я только держал направление, а когда пальцы моей левой руки уперлись в деревянную поверхность, подтянул все еще не повинующееся мозгу тело и из последних сил боднул ее головой.

Дверь распахнулась. Дым волной хлынул в нее, устремляясь по коридору к галерее. Еще одним рывком я до половины выбросился из комнаты в проем и перевернулся на бок.

Господь всемогущий, здесь было чем дышать! Дым уходил верхом, оставляя у самого пола просвет. Воздух показался мне сладким, как парное молоко в июне.

Но ровно на минуту. Потому что у меня начался рвущий в клочья все внутренности кашель и меня дважды вывернуло — да так, что я едва опять не потерял сознание.

Зато теперь у меня уже снова были руки и ноги — чужие, вялые, как позавчерашние спагетти, они все-таки позволили мне выбраться на галерею, где, лежа на спине и чувствуя во рту горечь желчи, я стал бессмысленно следить за тем, как дым постепенно поднимается вверх, на второй этаж. Если бы кто-нибудь в эту минуту сказал мне, что с момента, когда Соболь нажал гашетку, прошло не больше пятнадцати минут, я бы расхохотался ему в лицо. По моим подсчетам, я полз часа четыре без остановки.

Но теперь это уже не имело никакого значения.

Преодолевая головокружение, я поднялся и сел. Правый глаз постепенно начал различать смутные контуры, окруженные радужным сиянием, и это меня несказанно обрадовало. Еще немного погодя я сумел стать на колени и, опираясь на руки, добрался до входной двери, воткнул ключ в скважину и повернул.

Замок щелкнул, дверь немного отошла от косяка, но осталась на месте. Я приподнялся и массой всего корпуса ударил в филенку, застонав от напряжения.

Дверь дрогнула и, хотя замок был открыт, устояла.

Это означало, что снаружи в проушины был вставлен болт или какой-то другой металлический предмет. И сделать это мог только Соболь.

Я снова поразился. Нет, не тому, что он это сделал. Такие штуки для Соболя в порядке вещей. Управившись со мной, он попутно решил еще одну задачку. Попросту говоря, подставил Людмилу Аркадьевну Варшавину, с которой провел предыдущую ночь здесь же, на даче, на случай, если в ближайшее время обнаружится мой труп. Все будет похоже на несчастный случай, кроме железки в двери. Вот тогда милиции и пригодятся следы протекторов варшавинской «девятки» в лесополосе и многое другое. А ему — его железное алиби.

Я сплюнул и огляделся. На подоконнике галереи стояла трехлитровая бутыль с минеральной водой, забытая хозяином. Дотянувшись и открутив ей голову непослушными пальцами, я влил в себя с пол-литра, после чего почувствовал, что в состоянии доковылять до щитка и обесточить дом.

Затем, дождавшись, пока дьявольская тварь в большой комнате начнет остывать, а приток дыма хоть немного уменьшится, я, согнувшись в три погибели, заполз обратно в комнату и принялся кропить оставшейся минералкой тлеющую груду тряпья, заодно отсекая жар от ковра и обивки дивана.

Наверняка профессор Варшавин одобрил бы мои героические усилия по спасению его недвижимости, хотя ее судьба меня нисколько не занимала. Мне необходимо было выбраться из дома, и единственный путь вел через второй этаж, заполненный дымом.

Я загасил тлеющий край паласа и обуглившиеся доски пола. Одеяло превратилось в вонючую кучу лохмотьев вперемешку с золой и пеплом. Синтетика еще дымилась, но и с ней я покончил довольно быстро. Напоследок я выдернул из розетки шнур обогревателя. Его изоляция сгорела полностью и осыпалась кусками.

Теперь пришла пора позаботиться о себе. Я уже вполне прилично передвигался и, если бы не резь в глазу и тупая боль в спине, чувствовал бы себя вполне сносно. Дыму я, конечно, хватанул, и следствием этого были головокружение и странная рассеянность, которая временами охватывала меня. Не исключено, что и газ еще продолжал действовать.

Смочив остатками воды подвернувшуюся под руку тряпку, я вытер лицо и шею, а затем встал на четвереньки и пополз вверх по лестнице, цепляясь за стойки перил.

Тряпка мне пригодилась, когда я достиг второго этажа. Зажав рот и нос мокрой тканью, я закрыл глаза и на ощупь пробрался к окну, выходящему в сад, рванул задвижку, а сам, скорчившись, опустился на пол, пряча лицо в коленях.

Пока остывший дым лениво вытягивался наружу, я сидел неподвижно, надеясь, что никому из соседей не придет в голову вызвать пожарную команду. Только этого мне сейчас не хватало для полноты ощущений.

Когда воздух в верхних комнатах просветлел, я поднялся и выглянул в сад. До земли было не меньше шести метров. Далековато.

Я обошел комнаты. Мебель состояла из двуспальной тахты со смятыми простынями, двух плетеных стульев, письменного стола и старой пишущей машинки «Ремингтон». Кроме перечисленного, на письменном столе находилась почти пустая бутылка коньяка «Двин», обертка от шоколада, пол-лимона, остатки какой-то еды и початая пачка сигарет «Труссарди № 1». Личных вещей ни один из посетителей дачи не оставил.

Странное дело, но после всего случившегося курить мне хотелось еще сильнее, чем по дороге сюда.

Я вытащил сигарету из пачки, щелкнул зажигалкой и с жадностью затянулся. Однако не успел даже почувствовать вкуса. Свирепый приступ кашля едва не сбил меня с ног.

Я сунул пачку в карман, все еще тяжело дыша, и распахнул дверь на балкон, выходивший на улицу. Прямо подо мной покачивалась верхушка молодого вишневого дерева, кое-где еще сохранившего листву. Отсюда было далеко видно — почти до самой станции. У горизонта в голубоватом мареве дымили градирни ТЭЦ, похожие издалека на перевернутые стаканы для кока-колы.

Сделав еще одно усилие, я перекинул ногу через ограждение балкона, за ней вторую и в следующее мгновение уже стоял по ту сторону, слегка покачиваясь и чувствуя, как распухший правый глаз снова застилают слезы.

«Что, черт побери, я делаю? — спросил я себя. — Если я прямо сейчас сломаю себе шею, то Соболь получит именно то, чего добивался».

На этой мысли я отпустил ограждение и шагнул вниз.

Я пролетел через тонкие ветви верхушки, обломил всей тяжестью довольно внушительный сук, ободрал бедро и продолжал скользить вниз, пока мой ботинок не застрял в развилке. Я успел перехватиться, завис на мгновение, высвободил ботинок и почти плашмя рухнул на сыроватую землю.

И только тогда понял, что — уцелел...

Видели бы вы лицо соседки напротив, той самой женщины в ватнике, когда несколькими минутами позже я ввалился к ней в дом, заклиная разрешить воспользоваться телефоном. Только шок не позволил ей взяться за вилы, чтобы выставить меня оттуда в два счета.

Аппарат находился в тесном закутке, заставленном банками с соленьями. Я набрал городской номер и, когда на другом конце провода взяли трубку, вдруг начисто забыл, что же такое срочное собирался сообщить. Больше того — имя абонента также вылетело у меня из головы.

— Говорите! — забубнил в трубке взвинченный мужской голос. — Говорите же, я слушаю! Але!..

Что-то сдвинулось у меня в голове.

— Александр Семенович, — произнес я, насколько сумел, невозмутимо. — Это Башкирцев. Можете не беспокоиться. В течение часа Людмила Аркадьевна будет дома...

Глава 19

Пока я говорил, хозяйка дома ни на миг не выпускала меня из поля зрения.

И правильно. На ее месте я поступил бы точно так же.

Покончив с профессором и его супругой, я положил трубку, развернулся и с некоторым опозданием представился:

— Егор Башкирцев, с вашего разрешения. Спасибо.

— Валентина, — проговорила женщина, продолжая изучать мою физиономию. — Вы Александру Семеновичу кем приходитесь?

— Никем, — сказал я. — Просто меня попросили съездить взглянуть, все ли в порядке в доме... А тут у меня вышла маленькая неприятность.

— Вижу. — Эта Валентина вдруг улыбнулась, ее смуглое кареглазое лицо с тугим темным румянцем смягчилось. На вид ей было не меньше пятидесяти. — Вы в зеркало на себя смотрели?

— Какое там зеркало! — Я сокрушенно махнул рукой. — Из-за чертова обогревателя чуть до пожара дело не дошло. Замыкание, а потом...

Она сочувственно кивнула, но по выражению ее глаз совершенно ясно читалось, что видела она куда больше, чем мне бы хотелось. Скорее всего наблюдала за домом Варшавиных с того самого момента, как я вошел в калитку. А значит, от нее не укрылся и мой полет с балкона.

Между тем мне еще предстояло задать ей кое-какие вопросы, и в моем положении лучше выкладывать все начистоту.

— То-то я чую — гарью потянуло... — насмешливо щурясь, произнесла она. — Зеркало слева за дверью. И умыться бы вам не мешало. Сейчас я горячей в рукомойник плесну.

Пока она ходила за чайником, я исследовал свое отражение в зеркале. Правая скула, висок и часть щеки выглядели так, будто их обожгло кварцевой лампой большой мощности. Веки распухли и покраснели, особенно правое, глаз с этой стороны все еще видел нерезко, причем опухоль делала его вдвое меньше, чем левый. Все это неблагообразие было местами покрыто жирными мазками копоти, в волосы набился мелкий древесный сор. Общее выражение лица господина в зеркале оставляло желать лучшего. И разило от меня пожарищем.

Если сейчас я назовусь адвокатом, репутация целого сословия будет поставлена под сомнение.

Тем не менее, умывшись и пригладив волосы, а затем отдельно промыв пораженный глаз слабым содовым раствором, приготовленным Валентиной по моей просьбе, я рискнул.

— Валентина... э-э...

— Ивановна, — подсказали мне.

— Валентина Ивановна, должен признаться, что невольно ввел вас в заблуждение. Экстремальные обстоятельства... В общем, вы и сами видите. Я действительно приехал в «Научный» по поручению вашего соседа, но, кроме того, я являюсь еще и адвокатом его сына...

— Что это вы говорите? — испуганно воскликнула женщина, снова недоверчиво впиваясь в меня взглядом. — У Володи неприятности?

Кажется, обошлось без демонстрации документов.

— Да. Он находится в следственном изоляторе. Против него выдвинуто серьезное обвинение...

Женщина хотела что-то спросить, но осеклась. Ее пухлые губы так и остались сложенными в форме испуганной буквы «о».

— И у меня очень мало времени. Я приехал, чтобы выяснить некоторые подробности.

— В чем его обвиняют?

— Сейчас это не существенно. — Мне очень не хотелось выкладывать ей формулу обвинения. Обычные люди от такой информации, случается, впадают в транс. А Валентина Ивановна была мне нужна в здравом уме и трезвой памяти. Поэтому я продолжал: — Дело пустячное. Просто Владимир Александрович кому-то помешал. Я хочу...

— Вы когда приехали? — вдруг поинтересовалась женщина.

— Точно не помню. — Я пожал плечами. — Да вы, наверное, видели меня. Час назад, может, чуть больше.

Женщина кивнула, что-то соображая.

— А ночью? — снова спросила она. — Ночью тут были не вы?

— Нет, — твердо сказал я. — Не я. А что такое?

Значит, Валентина Ивановна не видела, как уходили Соболь с Людмилой Аркадьевной.

— В половине пятого — еще темно было — у них свет зажегся на втором этаже. Я мужа разбудила — спросить, не приезжал ли кто с вечера. Странно както, ведь с августа никого не было. Как Александр Семенович перебрался в город.

— С августа? — спросил я, пытаясь увести ее внимание от событий сегодняшней ночи.

— Ну да. Числа с двадцать пятого. Александр Семенович в это лето больше двух месяцев тут прожил. Безвыездно... Так кто ж это мог быть, ночью-то?..

— Понятия не имею, — пробормотал я, однако вышло это у меня довольно неубедительно. Женщина снова взглянула на меня с подозрением.

— А чего ж это вам понадобилось с балкона сигать? — ехидно поинтересовалась она.

Будь на моем месте старший следователь Гаврюшенко, уж он бы нашел способ дать понять, кто здесь задает вопросы. Мне же ничего не оставалось, как продолжать лепить свою версию с коротким замыканием, захлопнувшейся дверью и ключами, забытыми на садовом столе. Врать всегда особенно противно, когда ни одному твоему слову не верят. Да и соображал я еще неважно.

Покончив с этим, я спросил:

— Валентина Ивановна, а кто в это лето жил с профессором в доме?

— Сам, — последовал ответ. — Как перст.

— Без жены?

— Это новой-то? — Женщина явно удивилась. — Да мы ее и в лицо не знаем. Муж говорит, что в прошлом году вроде бы и приезжала на день, но я не видела, нет. Может, и ошибся. Мы же тут напротив, все на виду...

— А сын? Владимир бывал здесь?

— Ох, — вздохнула женщина, — и его что-то видно не было. Один только раз заехал на этой своей белой машине — и все. Где-то в июле.

— Когда, вы говорите, профессор перебрался в город?

— Двадцать пятого августа. Помню точно, потому что мужу в этот день как раз пенсию принесли. За май.

— И больше он здесь не появлялся?

— Нет. Вот только вчера ночью кто-то...

— Хорошо, Валентина Ивановна. Бог с ней, с этой ночью. А в начале сентября? Помните, еще жара стояла... Никого не было?

— Ни души. Я в эти дни дома сидела. От жары яблоки вдруг начали сыпаться — столько добра пропало...

— Значит, никого?

— Нет. Говорю же — здесь все на виду.

— Понял, — сказал я. — Действительно... Ну, тогда у меня все. Еще раз спасибо. Мне пора.

— Скажите, — осторожно спросила женщина, — а Володю не посадят?

Что я мог на это сказать? Особенно теперь, когда обнаружилось, что мой подзащитный снова врет. Причем совершенно бессмысленно.

Я пожал плечами и спросил:

— А где у вас тут магазин? Такой, чтоб работал?

— На трассе, — сказала женщина. — С Ленинской направо, а там метров триста вдоль асфальта. Найдете. У них до семи.

Во дворе я вытряхнул куртку, натянул ее, попрощался и, волоча ноги, побрел по Ленинской. Настроение у меня было похоронное. Соседка Варшавиных, стоя у ограды, смотрела мне вслед, пока я не скрылся за углом. Бог знает, кем я ей показался, однако морочить мне голову насчет профессора и его сына у нее не было никаких причин.

Скорее всего Варшавин-младший действительно не появлялся в «Научном» вечером второго сентября. А значит, все это время потрачено впустую. Кроме того, сегодня у меня был хороший шанс отправиться в лучший мир — и только потому, что

11-2

Владимиру Александровичу вздумалось поводить меня за нос. За что ему наша горячая признательность.

За углом я вытащил из кармана пачку «Труссарди», осмотрел ее со всех сторон, одним движением смял в ладони и швырнул в сухой бурьян у забора.

Интересно, Соболь успел стереть отпечатки своих пальцев на втором этаже дачи? Наверное, успел. С его-то опытом... Хотя не исключено, что и сексом он занимается не снимая перчаток. Впрочем, кого это могло теперь интересовать, кроме меня да, вероятно, еще господина профессора...

В придорожную стекляшку, именовавшую себя «Прогрессор», я ввалился минут через десять. Здесь были налицо вчерашний хлеб, шесть сортов мусорного чая «Импра», четыре вида водки, серая колбаса «Шахтерская», а также сигареты в ассортименте. И ни одного покупателя.

Продавщица, грубо накрашенная брюнетка в ветровке поверх свитера, клевала носом над романом в бумажной обложке.

Я спросил «Ротманс», но ассортимент их не предусматривал. Тогда я взял пачку «Лаки страйк» и бутылку «Спрайта». О еде даже думать не хотелось. В «Прогрессоре» стоял крепкий дух размороженной и подпорченной морской рыбы, перемешанный с резким запахом освежителя воздуха для туалетов.

Когда я рассчитывался, продавщица вдруг сказала, постреливая подведенными глазками на мою багровую физиономию:

— А вы не местный. Я вас не знаю.

— В точку, — буркнул я, не расположенный к разговорам.

— Что это у вас с лицом? — поинтересовалась она. — Обожглись?

— Производственная травма, — мрачно сообщил я. — Аварийная остановка реактора.

Продавщица захохотала, делая большие глаза и держа полные руки так, чтобы толстые рыжие перстни оказались на самом виду. Но смех у нее был симпатичный — очень искренний.

— Нет, взаправду, — сказала она, — вы к кому приехали? Я тут всех знаю.

— К Варшавиным. Слыхали про таких?

— А-а, профессор. — Продавщица отложила книжку, явно нацеливаясь потрепаться. — Так они ж в городе давно... Их и вообще в это лето видно не было, один Александр Семенович за хлебом забегал. И то не всякий день. А разве их в городе нету?

— Нету, — твердо сказал я. — Телефон не отвечает. А у меня к нему дело. По старой памяти решил: дай загляну — может, на даче сидит.

— В отъезде, — рассеяла мои сомнения продавщица. По-видимому, слух об избирательной кампании Варшавина-старшего еще не достиг поселка. — Он человек видный, такие теперь все разъезжают. А чего, если возможность есть? Как женился второй раз, взял молодую — другая жизнь пошла. Раньше-то он все лето с женой и сыном на даче. Сына я тоже знаю — Володькой зовут, упитанный такой паренек был... А в последние годы — да, редко стали бывать. Иной раз и в дом не зайдут.

— Это как же? — рассеянно спросил я.

— Да так. Прямиком на кладбище и обратно.

— Какое еще кладбище?

— Да поселковое же, какое еще. У них там мать похоронена. Дом ей от родителей достался, она наши места очень любила.

Одним глотком я допил «Спрайт» и спросил:

— А где оно, это кладбище?

— Рядом. Трассу перейти, потом вдоль посадки. За топливным складом сразу налево. Как раз под лесом. Там всех местных хоронят, а теперь и других тоже — по договоренности.

В «Прогрессоре» было тепло, сонно гудели лампы дневного света, а за стеклами тем временем небо затянуло какой-то кашей и начало накрапывать. Скоро стемнеет, а мне еще тащиться к платформе.

Я отдал пустую бутылку продавщице, кивнул и вышел, на ходу закуривая. Ветер тащил по земле пустые стручки акаций вперемежку с клочьями мертвой травы. Вместо того чтобы повернуть налево, к Ленинской, я поднял воротник куртки и двинулся прямо туда, где, по словам женщины, должен был находиться топливный склад.

Он и в самом деле там был, в чем я убедился, когда лесополоса кончилась и потянулся косой щербатый забор, черный от угольной пыли. Сразу за ним грунтовая дорога сворачивала и спускалась вниз по самому краю неглубокого оврага.

Вокруг не было ни души, только на территории склада рычал и ворочался погрузчик. Колея обогнула забор — и почти сразу я увидел кладбище.

От пустыря его отделяла только двойная шеренга посаженных лет десять — пятнадцать назад кленов. Дорога ныряла под них, описывая еще одну дугу, и превращалась в центральную аллею, делящую его небольшую территорию примерно пополам.

Насчет аллеи — явное преувеличение. Только дальняя часть этого покатого участка земли площадью гектара полтора была покрыта какой-то нерегулярной растительностью. Две трети погребений возникли в самые последние годы и не успели обзавестись собственной зеленью.

Тут и в самом деле хоронили местных, но только теперь я понял, что означало сказанное продавщицей «по договоренности». Поселковая администрация вовсю приторговывала местами на вверенном ей погосте. Покупателями же были не самые малоимущие из соотечественников. Те, кто не пожелал раствориться в необъятных просторах городских некрополей.

По правую руку от входа сразу бросалось в глаза скопление лабрадоровых плит, мощных обелисков из серого гранита и чугунных цепей, среди которых одиноко торчал даже какой-то мрачный бюст, изображавший низколобого господина с короткой челкой, как у римлянина времен упадка империи, и челюстями орангутанга. Римлянина звали Хупения Д.М. Эти два десятка безобразно пышных погребений на сельском кладбище выглядели почти непристойно.

Обменявшись неприязненными взглядами с изваянием, я проследовал дальше, где валом пошли сиротские крестики да жестяные тумбочки фронтовиков, обросшие мхом и заячьей капустой.

Левая сторона аллеи относилась уже к новым временам поселка и примыкавшей к ней деревни Водяное. Тут большей частью стояли цементные надгробия фабричного производства. Стандартные плиты, цветники, изголовья тянулись до самой опушки смешанного леса, спускающегося к оврагу. Оград как таковых не наблюдалось. Среди могил попадалось немало совсем недавних.

Где-то здесь должно располагаться то, что я ищу.

Свернув, я побрел между квадратами, читая надписи и даты на плитах. По ногам хлестал вымахавший за лето по пояс бурьян, дождь так и не разошелся, но ветер все усиливался.

Какого дьявола меня сюда занесло? Допустим, Варшавин действительно приезжал на кладбище, о чем он отказывается говорить. Как я могу это доказать? Да никак. Разве что бронзовый Хупения согласится засвидетельствовать. Но на это полагаться не приходилось.

Могилу первой жены профессора я увидел метров за двадцать. Ничего особенного. Небольшую площадку, выложенную дерном, обрамлял низкий бордюр из необработанного камня, из того же материала была сложена скамья, едва возвышавшаяся над бордюром. Плиту я отсюда не видел — только травянистый холмик, немного смещенный от центра площадки. В ограде оставалось еще одно место.

Протиснувшись между полковником ВВС в отставке и четой штатских Дмитриенко, я переступил бордюр.

С плиты, лежащей вровень с дерном, на меня смотрела та же женщина, что и на фото в кабинете Варшавина-старшего. Твердо, без намека на улыбку. Текст гласил: «Аня, мы тебя помним». Ниже — даты: 1940–1995. В покрытой рыжей пылью банке стояли давно засохшие астры, в траве рядом с холмиком валялся кусочек яркого пластика.

Прошло не меньше месяца, как здесь прибирались в последний раз. Особого запустения, как и на даче, не было, но дожди и ветер неукоснительно делали свое дело.

Я опустился на скамью и закурил, вглядываясь в женское лицо на камне.

Чем было это место для Владимира Варшавина? Трудно сказать. Оно не упоминалось в наших беседах. О его существовании я не имел понятия еще полчаса назад. Чем оно вообще могло быть? Что ищут взрослые несентиментальные люди на могилах близких? Клочки памяти, защиту от одиночества в этом мире?

Какая разница... Впервые за этот день я не чувствовал ничего, кроме отупляющей усталости.

Быстро смеркалось. Казалось, лес придвинулся ближе. В кронах ясеней завозились, устраиваясь на ночь, галки.

Я поднялся, отшвырнул наполовину сгоревшую сигарету и напоследок еще раз окинул взглядом участок Варшавиных.

Как я этого сразу не заметил? Ума не приложу. Я шагнул вперед и остановился, глядя под ноги.

В голове могилы Анны Варшавиной, перпендикулярно к ней, как бы образуя крест, располагался еще один, совсем невысокий холмик, почти скрытый травой. Он был вдвое меньше обычной могилы, без цветов, а вместо плиты на нем лежала отшлифованная дощечка из черного мрамора. Рядом из земли торчал металлический штырь, к которому медным проводом была прикручена детская игрушка — пластиковая улыбающаяся панда. Красная с синим. У панды недоставало правой передней лапы.

Я наклонился, чтобы прочитать надпись, но не смог. В сумерках отчетливые курсивные литеры двоились и прыгали перед глазами.

Тогда я чиркнул зажигалкой и поднес ее к мутному, со следами дождевых брызг мрамору.

Там было написано: «Анечка Кудимова. 27 июня — 2 сентября». И ниже — год: 1996.

Глава 20

Чтобы оправиться от шока, мне понадобилось время. Ощущение было такое, будто я схватился обеими руками за оголенный провод.

Так вот что лежало на кону в игре, которую Варшавин-младший вел со мной, со следствием, с собственной судьбой, но прежде всего — с девушкой по имени Дарья Ильина... Именно это, а не факт его отношений с Ангелиной Кудимовой.

У них был ребенок, о существовании которого знали только Лариса Борисовна, отец Варшавина и две-три бывшие подруги Ангелины. И все они молчали, а мой подзащитный больше суда и приговора боялся, что об этом станет известно кому-либо еще. Очевидно, даже вторая жена профессора была не в курсе, иначе Соболь заполучил бы такой козырь, что ему не понадобилось бы разыгрывать ту многоходовую комбинацию, которую он провернул.

Владимир Александрович Варшавин почему-то решил, что прошлое и будущее могут существовать независимо, даже не подозревая друг о друге. И ошибся.

Поэтому в настоящем у него имелись только койка в СИЗО, суд в ближайший четверг да колечко с камушком в полкарата, спрятанное у меня дома среди хлама в коробке из-под тостера. Принцип «суп отдельно, мухи отдельно» работает только в ресторанном бизнесе.

И все равно, когда я приду к нему с этим, он будет стоять на своем. Потому что вбил себе в голову, что его прошлое принадлежит ему одному — и никому больше. Как принадлежит ребенок, не достигший и трех месяцев, похороненный здесь и названный именем матери Владимира Александровича. Это произошло два года назад второго сентября, и ровно второго сентября случилась жуткая история в квартире Кудимовых...

Только слепой не увидит связи между этими двумя датами.

Значит, мой клиент все-таки побывал тут в этот вечер. Не мог не побывать. Теперь я знал его достаточно хорошо, чтобы утверждать это определенно. Полтора часа — до без чего-то там восемь, минус время на дорогу — он находился здесь, на этом унылом загородном погосте, и мне было наплевать, чем он тут занимался. Главное, что он поехал сюда сразу же, как только вышел от Кудимовых.

Полсотни километров для приличного водителя на «судзуки» — двадцать, максимум двадцать пять минут, тем более что большая часть пути проходит по трассе. В первых числах сентября в это время еще совершенно светло. На кладбище он въехал по центральной аллее и оставил машину примерно там, где и я свернул в узкий проход между могилами.

И его появление наверняка не осталось незамеченным. Здесь вам не город, и он провел у могилы достаточно времени, чтобы кто-нибудь из местных обратил на него внимание. Тем более что профессора Варшавина и его сына в поселке знают многие.

Я оглянулся, словно и в самом деле кого-нибудь надеялся обнаружить поблизости. Вокруг было совершенно пусто, в сумерках тускло мерцали белесые пятна плит и камни надгробий, звук моих шагов глох в волглом воздухе.

Кто мог явиться сюда в эту будничную среду второго сентября под вечер? Те, кто ухаживает за могилами близких? Нет, для этого обычно выбирают субботний или воскресный день. Кто-то из местных, кому платят, чтобы он поддерживал порядок и гонял с кладбища поселковых гопников? Возможно, но еще вопрос, существует ли такой человек. Кто еще?

«Думай, Егор! — скомандовал я сам себе. — Думай, черт тебя побери!..»

Легко сказать. Я стоял у выхода на главную аллею, покачиваясь и тараща глаза, как зомби, только что выбравшийся из земли, и ничего не соображал от усталости. В колее прямо передо мной валялась растоптанная хризантема. Минимум трехдневной давности.

И тут меня осенило. Свежие могилы! Одну я заметил у самого входа — холм, заваленный бумажными венками и сосновым лапником, другую — где-то в глубине левой стороны кладбища. Должны быть и еще. Если дата погребения близка ко второму сентября, рядом с ними мог кто-то находиться. На второй-третий день после похорон родственники обычно наведываются на кладбище, чтобы придать могиле пристойный вид.

Идея казалась вполне бредовой, и тем не менее я направился к выходу — туда, где на «коммерческом» участке находилась первая из замеченных мной могил.

Найти ее оказалось несложно. Груда венков даже в неверном свете сумерек сразу бросалась в глаза. Я пробрался поближе, спотыкаясь о цепи и какие-то тумбочки из красного порфира, и оказался как раз позади чугунного бюста. Здесь не было даже временного креста. Обойдя холмик, я обнаружил жестяную табличку, свидетельствующую, что здесь покоится некий Сережа М. Луговой, двадцати восьми лет, безвременно скончавшийся 15 августа сего года.

Даже если накинуть дня три, все равно далековато от второго. Тем не менее, подсвечивая зажигалкой, я тщательно перенес данные с таблички на сигаретную пачку.

Теперь — налево, ближе к лесу, где в самом начале я зафиксировал боковым зрением еще одно скопление венков.

Вторую могилу я обнаружил на пригорке у самого края кладбища. За ней уже не было видно ни плит, ни оград — клубилась черная гуща терновника, переходящая в лес. Под ногами — плотно утоптанная глина. Присмотревшись, я и здесь обнаружил фанерку с наспех нацарапанными фломастером цифрами 1914—1998 и имя покойной: Копытина Е. Р. Точная дата отсутствовала, но по состоянию могилы можно было предположить, что она посвежее предыдущей, — и с таким же успехом ошибиться.

Третье захоронение располагалось поблизости от второго; я наткнулся на него совершенно случайно, уже уходя. Некто И.М. Филь. Пол устанавливался короткой эпитафией — «Спи, Ваня, спокойно». Дата — двадцать третье августа. Гражданин Филь скончался сорока восьми лет от роду и, судя по состоянию захоронения, больших симпатий у родных и близких не снискал.

Все. Дальнейшие попытки отыскать что-либо в темноте становились все более бессмысленными. Так я проторчу здесь до утра. К тому же собственное упрямство уже начинало меня бесить.

Я снова выбрался на центральную аллею и зашагал по грунтовке к топливному складу. Когда кладбище осталось позади, я остановился и произвел краткую ревизию наличных фактов. Результаты показались мне малоутешительными.

Под ногами гремела палая листва, ближайший фонарь слепо помаргивал над воротами склада. Какая-то тень метнулась через дорогу прямо у меня под носом. Не сразу угадав в ней тощего бродячего кота, я вздрогнул и выругался вслух...

«Прогрессор» был уже закрыт, когда я снова оказался перед его стеклянной дверью. Сквозь нее было видно, как знакомая мне продавщица возится за прилавком.

Я постучал. Женщина выпрямилась, отбросила крашеную прядь с раскрасневшегося лица, вперевалку пробежала к двери и отодвинула засов.

— Быстренько, — слегка задыхаясь, проговорила она. — Чего тебе?

— Ничего, — сказал я, входя. — У меня к вам лично один вопрос.

И тут она меня узнала.

Ее озабоченный взгляд остановился на моем лице, брови взлетели, а в глазах расплылся самый настоящий страх. В одно мгновение она очутилась по другую сторону прилавка.

— Митрофаныч! — жалобно позвала она, не сводя с меня глаз. — А, Митрофаныч! Иди сюда. У меня сахар кончился...

— Как это кончился? Ты что, ошалела, Татьяна? — Из подсобки боком выдвинулся красномордый детина в засаленном синем халате и раскорячился в проеме, как застрявший двустворчатый шкаф. — Кто ж его, падлу, раскупил, когда он насквозь мокрый?

Я засмеялся:

— Да вы не беспокойтесь, Таня. Ваша касса меня не интересует. Я не по этой части.

Как Миклухо-Маклай перед аборигенами, я вытащил руки из карманов, наглядно демонстрируя, что ствола при мне нет.

— А по какой? — простодушно поинтересовалась продавщица. Подсобник, или кем он там был, мрачно уставился на меня. — Неужто налоговая? Так уже были ваши на этой неделе...

Перед тем как произнести «нет», я сделал крохотную паузу. Крохотную, но достаточную, чтобы эта Татьяна усомнилась в моей искренности.

— Нет, — сказал я. — Обычное частное лицо. Имею маленькую проблемку, с которой мне не справиться без человека, который в «Научном» знает всех и все.

Тут она решила, что окончательно меня раскусила. Не знаю, за кого она меня приняла. Может, и в самом деле в этих краях сотрудники спецслужб имеют обыкновение выполнять служебные обязанности с ободранной мордой. Начальство им судья. Однако Татьяна отложила сумочку из кожзаменителя, за которую до сих пор цеплялась мертвой хваткой, опустилась на вертящийся табурет у холодильника и со вздохом облегчения произнесла:

— Ну?

Слышали бы вы эту неповторимую интонацию!

Я лениво рассматривал полки позади нее, как бы сразу потеряв интерес к делу, с которым явился. Плохая водка, очень плохая водка, ядовитая настойка «Жимолость», портвейн «Морской» в картонных пакетах... Все это я уже видел. И среди всех этих убийственных снадобий — почему-то золотистая головка очень хорошей текилы. Той самой, что предлагалась посетителям в варшавинской «Тихуане».

Я прищурился, высматривая цену.

Только сумасшедший мог решиться завезти это сюда и выставить в «Прогрессоре» в ожидании другого сумасшедшего, который явится и купит. В здешних местах вероятность такого события была равна нулю.

— Кто такой Филь? — спросил я, отрываясь от бутылок.

— Как кто? — удивилась Татьяна. — Пьянь, само собой. Ах да, — спохватилась она, — он же помер недавно!

— Когда? — Я перевел взгляд на лоток с книжками — любая пятнадцать рублей.

— В сентябре. На Предтечу.

— То есть числа десятого, так?

— Да, — кивнула она. — А в чем дело-то?

Филь явно не годился.

— Пустое, — сказал я. — Просто вспомнилось. А из Луговых вы кого-нибудь знаете?

Ответ я мог угадать заранее. Там, где лежал Сережа М. Луговой, местных не хоронили в принципе. Разве что он принадлежал к поселковой элите.

Продавщица поджала губы и развернулась всем корпусом к двери подсобки.

— Митрофаныч, а? — проговорила она. — Не слыхал таких?

Митрофаныч на сантиметр приподнял плечо, сохраняя каменное безмолвие. Его свиные глазки равнодушно ощупывали мою физиономию.

— Хорошо. — На руках у меня оставалась всего одна фамилия. Очень пожилой женщины. — Допустим. Ну а Копытина? Имеется такая?

— Нету у нас Копытиных. — Продавщица помотала вороной гривкой, однако в лице ее появилось острое любопытство, смешанное все с той же подозрительностью. — Вообще-то...

— Как это нету, Татьяна? — вдруг подал голос подсобник. — Ты что, Генку не знаешь? Это же мамаша его. Как зовут, говоришь?

— Копытина Е. Р.

— Ну вот, Катерина Романовна. Точно. Покойница резкая была старушка, палец в рот не клади. И Генке спуску не давала. А как похоронили — неделю ходил сам не свой. У него ж больше ни души. Жинка слиняла, детей нету...

— Ты бы язык придержал, Митрофаныч, — посоветовала Татьяна. — Чужой человек. На кой ляд ему Генкины дела? У них, городских... — Она осеклась. — И вообще — мы уже закрыты. Восьмой час, гражданин.

— Танечка, — небрежно обронил я, — а что это у вас там на полке? Не текила, случайно?

— Она, зараза, — буркнула продавщица. — С весны стоит.

— Дайте-ка взглянуть.

Женщина смахнула пыль с квадратной темной бутылки и сунула ее мне в руки. Напиток был фирменный, не какая-нибудь там восточноевропейская подделка.

— Сколько? — спросил я.

— Что — сколько? — удивилась продавщица.

— Сколько стоит?

Она назвала цену. И пока я отсчитывал деньги, смотрела на меня с молчаливым недоумением.

— Берете, что ли? — наконец спросила она.

— Угу, — промычал я, запихивая бутылку во внутренний карман куртки. — Так где, вы говорите, Копытины живут?

— На Первомайской. Тридцать шестой номер, — как под наркозом, произнесла Татьяна. — Третий поворот по Ленинской...

— Знаю. — Я задернул молнию. — Спасибо. А матушка Геннадия скончалась двадцать седьмого?

— Тридцатого, — поправила продавщица. — В понедельник. Как раз первого сентября и похоронили. Баба Катя у Генки была кремень. Огонь и воду прошла...

Пока она все это излагала, я уже был у дверей. Засов оставался открытым. На пороге я обернулся, чтобы попрощаться, и тут женщина, словно спросонок, окликнула меня:

— Эй, дак вы чего хотели спросить, молодой человек?

Я махнул рукой — мол, ерунда, успеется — и спрыгнул с бетонной площадки перед магазином в темноту.

И только добравшись до раскисшей Ленинской, задал себе резонный вопрос: на кой мне сдалась эта кактусовая самогонка?

Ответ на него, однако, не лежал на поверхности.

Тридцать шестой номер по Первомайской я обнаружил без всяких усилий, несмотря на то что фонари в поселке горели через один. Его было видно издалека, потому что на крыше дома располагалась оранжерея. То есть это потом я узнал, что стеклянный куб, водруженный на плоскую кровлю и налитый изнутри светом мощных ламп, является оранжереей. Или, иначе, зимним садом. Так, во всяком случае, называл его сам хозяин.

С самого угла Ленинской я держал курс на этот маяк и, как оказалось, попал в точку. Вблизи дом выглядел как избушка лесника, на которую по навигационному недоразумению совершил посадку НЛО.

Избушка не избушка, но и не те хоромы, которые я почему-то ожидал увидеть. Четыре окна по фасаду, веранда, скат крыши на одну сторону, остальное —

12-4

стекло и блеск электричества. Зато в окнах первого этажа — совершенно темно.

Я толкнулся в калитку, оказавшуюся открытой, и, озираясь в ожидании, что вот-вот сбоку вынырнет здоровенная дворняга, направился к веранде.

Отступать, однако, было некуда. Я нажал щеколду и шагнул на веранду, где и сбылись мои опасения насчет дворняги. Здоровенная рыжая тварь, помесь колли с кавказцем, лежала плашмя на полу прямо передо мной, мерно постукивая хвостом по доскам. Глаза ее горели, как зеленые свечки.

— О! — сказал я, круто тормозя. — Привет! А где хозяин?

Пес заколотил хвостом еще энергичнее, выгнул спину и зевнул, обнажив пятисантиметровые клыки. После чего с глухим стоном рухнул на бок. По-моему, я его совершенно не заинтересовал.

Выждав немного, я по большой дуге обогнул храпящее животное и заглянул в первую попавшуюся дверь. В темноте, где ни черта не было видно, кроме рубинового глазка телевизора, под ноги мне попалась какая-то увесистая скамеечка, которую я с грохотом опрокинул, а сам шарахнулся в противоположную сторону.

Меня уже подмывало заорать: «Эй, люди, есть тут кто живой?» — когда позади меня что-то скрипнуло и низкий мужской голос деловито распорядился:

— Стой где стоишь. Подними руки... Двинешься — стреляю без предупреждения!

Только этого мне и не хватало, чтобы достойно завершить сегодняшний день.

Стоя лицом к окну, я поднял руки, одновременно взглянув через плечо. Откуда-то снизу ударил поток пыльного электрического света, очертив проем в полу и откинутую крышку люка. В люке возникла фигура в драном свитере и лыжной шапочке.

В следующее мгновение мужчина наклонился, поставил на пол что-то увесистое, затем выбрался сам и тут же щелкнул выключателем.

Под потолком вспыхнула трехрожковая люстра.

Я обернулся. В руках этого невысокого широкоплечего мужчины лет под шестьдесят с коротко подстриженной бородкой и сугубо отечественным носом-картофелиной не было ничего похожего на оружие. На полу стояла неглубокая корзина, наполненная свежими шампиньонами.

— Я же сказал — не двигаться! — рыкнул он. — А я-то, старый козел, слышу — лазит кто-то наверху... Ты кто такой?

— Егор Башкирцев, юрист. Это этим вы в меня собирались стрелять? — кисло поинтересовался я, косясь на корзину.

— Надо будет, и без стрельбы управлюсь, — пообещал мужчина, ухмыляясь в бороду. Ручищи у него были непропорционально длинные, как у примата, только что поднявшегося на задние конечности, а бицепсы — с мое бедро. — Чего это тебя, юрист, сюда занесло? Вроде трезвый...

Больше всего на свете мне сейчас хотелось сесть, вытянуть ноги и закрыть надсадно горящие глаза. И чтоб никаких разговоров. Вместо этого я спросил:

— Вы Копытин будете?

Мужчина грохнул крышкой люка, отчего за стенкой веранды заворочался пес, и, не обращая внимания на мой вопрос, проговорил:

— За грибами, что ли? Так партия будет только ко вторнику. И чего это на ночь глядя?

— Какие грибы? — возмутился я. — Я по поводу вашей матушки.

— Чего? — Копытин оторопел. — По какому, говоришь, поводу?

— По поводу матушки, — повторил я раздраженно.

— Какой же тут может быть повод? — Этот здоровенный мужик вдруг растерялся как младенец. Голос у него сразу осип. Казалось, он вот-вот заплачет. — Какой повод, я тебя спрашиваю, когда она уже месяц с лишним как на кладбище?

— Я знаю.

— Послушай. — Он бегло обшарил взглядом мою физиономию, мятую куртку, джинсы, заляпанные кладбищенской глиной. — Ты что, в самом деле этот... Не из инюрколлегии? Маманя говорила, у нее в Харбине еще до войны кое-какая собственность оставалась... Нет?

Любопытно, как такая идея могла затесаться ему в голову? На работника инюрколлегии я походил не больше, чем на портрет кисти Ван Дейка.

— Нет, — сказал я. — Я занимаюсь совсем другими вопросами. И к вашей покойной матушке они имеют самое отдаленное отношение. Давайте присядем, если не возражаете.

Я опустился на обитый липкой клеенкой диванчик, а Копытин уселся напротив на табурете, запихнув под стол корзину с шампиньонами из подвала.

— Как вас по отчеству? — спросил я закуривая.

— Григорьевич. — Копытин откашлялся.

— Геннадий Григорьевич, когда умерла Екатерина Романовна?

Он как будто ожидал такого вопроса.

— Тридцатого августа. В шесть утра. Свидетельство у меня оформлено. Что-то с пособием?

— Да нет, — отмахнулся я. — Какое там пособие... Вы похоронили ее, насколько мне известно, на поселковом кладбище. Когда это произошло?

— Первого сентября. После часу дня.

— Значит, вы были на кладбище первого... Много народу собралось?

— Человек двадцать.

— И долго вы там находились?

— Ну... не скажу точно. Где-то к трем закончили. В четвертом часу собрались здесь — помянуть, как положено.

— И больше в этот день вы на кладбище не ходили?

— С чего бы это?

— А второго? Второго вы там были? На следующий день?

Я словно вдалбливал в него ответ.

— Как же иначе? — пробасил Копытин. — Надо же было подправить кое-чего, дерну нарезать. Натоптали опять же. Ну и вообще...

— Что — вообще? — спросил я.

— Душно было, — неохотно произнес он. — С утра мужики пришли — допивать, а у меня никакого настроения. Тошно. Дом пустой, хоть волком вой. Нету мамани. Я послонялся туда-сюда да и подался.

— В котором часу?

— После пяти. Солнце уже садилось, немного полегче стало.

— Значит, на кладбище вы были около половины шестого?

— Так выходит.

— И сколько времени там провели?

— Пока не стемнело.

— То есть часов до восьми?

Копытин кивнул и заскреб бороду.

— Видели кого-нибудь, Геннадий Григорьевич?

— Кого? — удивился он. — Я один был.

— Совсем?

— С собакой. Увязался, дурень.

Перед тем как задать следующий вопрос, я заколебался. Совсем ненадолго. Если он сейчас скажет «нет»...

— А машина? Была там машина?

— Это джип, что ли? Белый, японский?

Я едва не подпрыгнул на месте.

— Вы его видели? — хрипло проговорил я, отчаянно боясь спугнуть удачу. — Видели?

— Ну чего же... — Копытин заерзал. — Видел, конечно. А что?

Я перевел дух и откинулся на спинку. Передо мной сидел свидетель защиты. Собственной персоной.

— Вы заметили, когда он появился?

— Через час после меня.

— Вы смотрели на часы?

— Смотрел. Я их снял, когда резал дерн, и вместе с курткой положил в сторону. Когда парень на джипе влетел на кладбище, будто за ним гнались, я сел перекурить, куртку накинул и проверил — тут часы или нет. Ну, заодно и время глянул.

— А почему вы сказали, что на кладбище никого не было?

— Поселковых не было. Своих. А это ж дачники... — В его голосе прозвучало пренебрежение.

— Вам знакома эта машина? Водителя раньше видели?

— Видел. У них дом на Скрябина. Хозяин Александр Семенович, а приезжал его сын, как звать — не помню. Остановился возле седьмого участка, а наше место на втором.

— Что он там делал?

— Не знаю. Да я не особенно интересовался. У них там мать похоронена, профессорша...

Он умолк. Пес на веранде начал ожесточенно чесаться и вздыхать. В пустом доме все звуки отдавались гулко, как в пещере.

— Он вас заметил? — спросил я.

Копытин подумал, скинул вязаную шапку и бросил на стол.

— А фиг его знает. Какой-то он был... вроде не в себе. После того как приехал, я еще минут сорок проколготился. Потом смотрю — мой Рыжий пропал. Свистнул — не идет. Ну, я прошел немного по аллее, смотрю — сидит.

— Кто?

— Этот парень. Даже головы не поднял.

— Вы его хорошо видели?

— Как тебя. Там рядом. А Рыжего нет нигде.

— Это был сын профессора Варшавина?

— Кто же еще? Он.

— И вы сразу ушли?

— Нет. Вернулся за лопатой. Тут и пес откуда-то вылез.

— Восьми еще не было?

— Вроде нет. В восемь уже совсем темно. Без двадцати где-то.

— Значит, владелец джипа оставался на кладбище?

— Да. Только когда я уже подходил к трассе, он меня обогнал. Вывернул с грунта на асфальт и так газанул, что резина задымила.

— Как вы думаете, мог его видеть кто-то еще?

— Откуда мне знать? Может, видел, может, нет.

— Геннадий Григорьевич! — сказал я. — Должен просить вас повторить все, что вы мне сейчас рассказали. Но не здесь.

— То есть? — насупился Копытин. — Это где же?

— В суде. — Я поднялся. — Ваши показания имеют огромную важность.

— Ну ты даешь, юрист! — Он выглядел возмущенным. — Скажи хоть, кого судят-то?

— Его.

— Этого, на джипе?

— Да.

— За что?

— За тройное убийство.

Копытин свистнул.

— И что, он правда убил?

— Нет, — твердо сказал я. — Не он. Это сделал другой. Именно в то время, когда он был на кладбище.

— А судить все равно будут?

— Еще как будут, — пообещал я. — По всей строгости.

И тут я по-настоящему испугался. Что, если с моим единственным и драгоценным свидетелем что-нибудь случится до четверга?

Будь моя воля, я бы упаковал его в сейф вместе с лежавшей там диктофонной кассетой и приставил к нему парочку охранников потолковее.

Вместо этого я усадил Копытина за стол и заставил собственноручно записать свои показания. Иначе говоря — поддался панике, потому что без печати нотариуса или, на худой конец, поселкового начальства им была грош цена.

Затем я взял с него клятвенное обещание пятнадцатого октября, в четверг, в восемь утра, быть в городе и незамедлительно явиться ко мне домой. В случае любых непредвиденных обстоятельств он должен связаться со мной и информировать заранее.

— Пиджак надевать? — почему-то спросил Копытин напоследок, на что я сказал, что уж с этим мы как-нибудь разберемся на месте.

И только тогда я вспомнил про текилу. Вытащил из кармана нагретую бутылку и поставил на стол.

— Вот, — сказал я. — По-моему, у нас с вами образовался повод.

Копытин внимательно изучил этикетку, а когда добрался до слов «произведено в Мексике», выразительно посмотрел на меня.

— Под это дело нужна атмосфера, — заметил он. — Пошли наверх.

Он вернул мне бутылку, кое-что прихватил с собой, и мы поднялись в оранжерею, где я понял, что он имел в виду, говоря «атмосфера».

Там было жарко и сухо, как в Долине Смерти, штат Колорадо. Лампы пылали адским огнем, а вокруг не было ничего, кроме кактусов. Самых причудливых форм, они толпились вдоль стен на подвесных стеллажах, ползли по цементному полу, круглились в горшках и корытцах. Некоторые цвели, сладко благоухая гнилью. Их было так много, что ногу некуда поставить.

Поэтому мы с Копытиным сгрузили текилу и какую-то чахлую закусь на колено дымовой трубы, проходившей через оранжерею, он разлил пойло по граненым стаканам, поднял свой и сказал, сделав круговое движение:

— Помянем. Это все матушкины.

И мы помянули — каждый своих. Стоя, потому что все вокруг было, как мхом, покрыто иголками всех мыслимых калибров. За стеклянными переплетами не было ничего — одна сплошная глянцевитая чернота.

При случае я непременно набью морду тому типу, который сказал, что текила бодрит, особенно натощак. Без четверти одиннадцать мой свидетель, трезвый как стеклышко, доставил меня на платформу и благополучно загрузил в последнюю электричку, следовавшую в город. В вагоне я задремал, а по прибытии на Северный вокзал чувствовал себя как Вий при третьем крике петуха.

Едва передвигая заплетающиеся ноги, я добрался до входа в метро и тут же был задержан милицейским патрулем на предмет выяснения, не имею ли я при себе наркотиков, наркотикосодержащих препаратов, а также сырья для их производства.

При других обстоятельствах я бы немного покуражился и повалял дурака, но тут безропотно предъявил документы и вывернул наизнанку карманы, в которых, не считая трех листков с показаниями Копытина, мелочи, дешевой гелиевой ручки и двух связок ключей, ничего не было.

— Откуда ключи? — подозрительно спросил старший наряда, держа за кольцо связку от варшавинской дачи и сличая мою физиономию с фотографией в документе.

— От «мерседеса», — буркнул я и получил бы по шее, если бы не удостоверение. Из чего следует, что и от моей профессии бывает польза, если ею не злоупотреблять.

— «Пожарник сказал, что дом твой сгорел...» — пропел я отвратительным фальцетом, переступив на следующее утро порог камеры Варшавина. Текила все еще бродила в моих сосудах. — Вам нравятся пожарники, Владимир Александрович? — поинтересовался я вместо приветствия.

Мой клиент посмотрел на меня с легким презрением. Как протестантский священник на загулявшего прихожанина.

— Так-с... — пробормотал я, потирая руки и усаживаясь напротив. — Сегодня наше последнее свидание, любезный Владимир Александрович. Вы еще не готовы поведать мне что-нибудь новенькое?

— Нет, — сухо ответил он. — С какой стати?

— Ну, если вам не дорога собственная жизнь, пожалейте хоть мою... — заметил я. — Ваше дело напоминает мне заброшенное минное поле. Почему вы скрыли от меня, что в тот вечер побывали на могиле матери?

— Я был уверен, что меня никто там не видел... Какой смысл?

— И тем не менее мне об этом стало известно. Откуда, по-вашему?

— Если бы я заявил следствию, что... — Теперь он не отрывал взгляда от моего лица. — Если бы я сказал правду, то они... Повторяю, я категорически против того, чтобы кто-либо совал нос в мою личную жизнь. В том числе и вы, Егор Николаевич.

— Экий вы, право. — Я досадливо поморщился. — Значит, вас там не было... Так и запишем. На суде я, убедившись в неопровержимости выдвинутых против вас обвинений и собственной неспособности вам помочь, вынужден буду стоять на том, что вы совершили непредумышленное убийство трех человек в состоянии аффекта и должны понести соответствующее наказание. Я, разумеется, буду просить суд о смягчении приговора, исходя из того...

— Я никого не убивал, — перебил меня Варшавин.

— Однако при этом вас не устраивает, — продолжал я, повышая голос, — что свидетель, которого я вчера обнаружил, подтвердит в суде, что вы, Варшавин Владимир Александрович, второго сентября сего года находились на сельском кладбище близ поселка «Научный» в интервале между шестью тридцатью и восемью часами пополудни. Этот человек готов чистосердечно поведать суду, что в мужчине, находившемся в ограде могилы, где похоронена жена профессора Варшавина, он опознал его сына. То же самое и с автомобилем — белым «судзуки-витара». С памятью у местных жителей полный порядок. Но если и это вам ни к чему, то мне просто придется извиниться перед хорошим человеком.

— Прекратите, Егор! — воскликнул Варшавин. Что-то изменилось в выражении его лица — замкнутого и упрямого. — Это не липа? Тот человек и в самом деле меня узнал?

— Да.

— И он будет свидетельствовать?

— Выслушайте меня, Владимир Александрович, очень внимательно, — произнес я. — В ходе судебного разбирательства не будет произнесено ни единого слова, касающегося обстоятельств вашей личной жизни и ваших отношений с Кудимовыми. Ничего этого не понадобится. Вы должны абсолютно спокойно — подчеркиваю: без малейших эмоций — выслушать обвинительное заключение. Что бы там ни говорилось о мотивах, толкнувших вас на преступление. Это понятно?

Варшавин кивнул. Пасторская спесь слетела с него без следа.

— Затем, когда будет предоставлено слово защите, я обращусь к суду с заявлением. В нем будет содержаться просьба о приобщении к делу показаний гражданина Копытина Г.Г., открывающих новые обстоятельства, не учтенные обвинением. К этому моменту свидетель уже будет находиться в здании суда, но не думаю, что дело дойдет до допроса. Его показания я вручу суду в письменном виде. После знакомства с ними дело скорее всего вернут на доследование, а вам будет изменена мера пресечения. Вы будете свободны... Может, я им подкину и Соболя, но я еще не решил. У меня достаточно оснований считать, что это дело так и останется нераскрытым.

Варшавин посмотрел на меня и вдруг криво улыбнулся. Как будто ему было жаль, что все так просто закончилось. Он, в полном одиночестве, карабкался на свою Голгофу, а тут ему перебежал дорогу какой-то Копытин. Деревенский дядька, случайно оказавшийся на кладбище, где у обоих лежали матери.

— Ладно, — сказал я. — Ничего сверх этого я для вас, Владимир Александрович, сделать не могу. У нас есть еще пара часов, вы мой должник и теперь просто обязаны все мне рассказать. И тогда, возможно, мы сумеем понять, что же случилось в квартире в проезде Слепцова.

— Это необходимо?

— Да.

— Кому?

— Вам. Мне. Но прежде всего — вам.

Он все еще колебался. Этот законченный мазохист до сих пор сомневался в том, стоит ли собирать заново рассыпавшуюся мозаику его прошлой жизни.

Потому что там оставалась его настоящая вина, которую ему никогда не избыть.

— Ведь вам, Владимир Александрович, — произнес я, — хоть с кем-нибудь нужно поговорить о Геле Кудимовой. Разве не так?

Он наклонил голову. Медленно, будто уступая многократно превосходящей силе.

— А если так, — сказал я, — то почему бы не со мной?

МЕРА ПРЕСЕЧЕНИЯ

...В декабре «Тихуана» никогда не пустовала. Кроме неизменных любителей коктейля «Маргарита», там тусовалась и молодежь — и основном из-за цен, которые хозяин заведения существенно снижал перед новогодними и рождественскими праздниками. Вдобавок он приглашал музыкантов с именем, однако танцевальное шоу крутилось в обычном режиме.

В тот вечер Ангелина на сцену не вышла. Она примостилась в углу среди вороха костюмов, в комнате, служившей гримерной и раздевалкой, — ждала Варшавина ехать домой и вяло потягивала из высокого ресторанного стакана апельсиновый сок. Чувствовала она себя непривычно: физически совершенно разбитой, на грани нервного срыва, а может, и чего похуже.

Ира из оперного возвратилась в комнату вместе с остальными, когда Варшавин еще не появился. Геля, вертя пустой стакан в тонких пальцах, рассеянно следила, как девочки торопливо переодеваются для следующего номера, и ощущала их скрытое недовольство: ей позволялось не выходить на сцену, а им — никогда. Она была девушкой хозяина.

«Ну и дуры», — подумала Ангелина и попросила Ирину побыть с ней.

— Что с тобой происходит? — спросила Ира, как только они остались вдвоем. — Чего ты их дразнишь? Ты же знаешь — мы можем работать в любом составе, но твоих капризов никто терпеть не станет.

— Да плевала я на всех! — раздраженно воскликнула Геля. — Не уходи! Ирка, я беременна...

— Ты ему сказала?

— Нет еще.

— Скажешь?

— Не знаю. Я могла бы сделать так, что он ни о чем не догадается, но мне очень не хочется избавляться от этого ребенка. Ты меня понимаешь?

— Еще бы, — вздохнула Ирина. — Я через это прошла, но все закончилось катастрофой. Во всех смыслах. Включая и то, что детей у меня больше не будет. А ты сообщила Ларисе Борисовне?

— Первое, что я, запаниковав, сделала, — усмехнулась Геля. — Сразу после врача помчалась к ней, а там мама принимает этого жирного женатого гаишника. При виде его наглой физиономии меня чуть не вывернуло. Оказывается, этот боров теперь намерен жить у матери. Временно, как он говорит. Ну ладно, думаю, черт с вами, не ты первый, не ты и последний, и вызываю ее в свою комнату.

— Она была на газу?

— И каком! Я их застукала на горячем, она с ходу набрала обороты. Потребовала, чтобы я немедленно отправлялась на аборт. Я не ждала от собственной матери...

— Геля, а на что ты надеялась? — перебила девушку Ирина. — Я имею в виду — с Варшавиным?

— Ты знаешь, что она мне сказала? — не слушая приятельницу, проговорила Ангелина. — Не ходи моей дорожкой, сказала моя мать. У тебя все равно с ним ничего не получится, зачем обрекать ребенка на страдания? Сделай операцию, брось Варшавина и поезжай работать за границу — тебя давно зовут...

— Что ты ответила, Геля?

— Ну, мы поругались, как обычно... поорали немножко, даже гаишнику досталось... Я понимаю, она устала от моих проблем, она хочет еще чуть-чуть пожить для себя, а я ей мешаю, но знаешь, вся эта жлобская метушня и нищий грязный быт абсолютно несовместимы с тем, что я испытываю в действительности к Володе и к этому ребенку...

— Тогда рожай! — проговорила Ирина. — Доведи хоть что-нибудь до конца.

— Моя мать небось тоже раздумывала перед выбором, оставить меня в живых или нет, — жестко усмехнулась Геля.

— Глупости, она всегда любила тебя. — Ирина поднялась и пошла открывать на короткий стук в дверь, на ходу обернувшись. — Приведи лицо в порядок, Геля. Это Варшавин.

Она пропустила хозяина «Тихуаны» в комнату, а сама сразу же вышла, уже не замечая удивленного взгляда Владимира Александровича, которым он скользнул по ее сутуловатой обнаженной спине.

— Геля, где ты? Поехали, детка, я жутко устал. Меня целый день терзала налоговая. Что с тобой? Ты нездорова?

— Все нормально. — Девушка поднялась, поставила стакан на столик, поправила прическу перед зеркалом и, улыбнувшись через плечо, позволила Варшавину подойти и помочь ей накинуть невесомую норковую шубку — его подарок. Она сразу заметила, какое у него выжатое лицо, и остро пожалела Варшавина; теперь она уже торопилась домой, чтобы там приготовить для них обоих легкий ужин, выпить глоток вина, немного поболтать о пустяках, а затем забраться в постель и забыть на какое-то время все неприятности...

Тридцать первого декабря, в полдень, Варшавин заехал поздравить Ларису Борисовну с Новым годом, а Геля осталась дома наряжать елку. Он вез подарки, шампанское и немного денег для матери Ангелины, которая утром сообщила по телефону, что будет встречать в одиночестве, поскольку ее гаишник возвратился к жене.

— Может, пригласим твою маму к нам? — спросил Варшавин, беря Ангелину за плечи. — Мне кажется...

— Ты с ума сошел! — сказала Геля.

«Она скверно выглядит, — подумал Варшавин, паркуя машину у подъезда Кудимовых. — После Нового года нам обоим следует немного отдохнуть, когда я улажу дела с рестораном...»

Он поднялся на последний этаж и нажал кнопку звонка. За соседской дверью тут же подала голос собака, а через минуту Варшавин уже стоял в прихожей с матерью Ангелины и снимал дубленку, свалив свертки и цветы на тумбу у вешалки.

Лариса Борисовна разглядывала его с полунасмешливой улыбкой. Она была в коротком фланелевом халате, в бигуди под косынкой, без косметики, но выглядела очень молодо.

— А я думала, что это не вы, Владимир Александрович. Понадеялась, что мой обожатель все-таки обо мне вспомнил... Как себя чувствует девочка по имени Ангелина?

— Хорошо, — рассеянно сказал Варшавин. — Я заехал на минутку — только поздравить. Здесь гораздо теплее, чем у нас с Гелей. Что-то плохо топят в эту зиму... Можно пройти?

Женщина пропустила его на кухню и усадила лицом к окну, а когда Варшавин достал сигарету, поставила перед ним пепельницу и вышла в прихожую за цветами.

— Спасибо! — крикнула она уже из ванной. — Чудесные розы... Вы невероятно любезны, Владимир Александрович.

Варшавин поморщился. Он скользил взглядом по стенам кухни — плитка кое-где потрескалась и потускнела, окно было пыльным, незашторенным, на подоконнике с внешней стороны сидели, нахохлившись, голуби.

— Геля бросила курить? — раздался за его спиной голос Ларисы Борисовны.

— Нет. — Он удивился ее вопросу. — По-моему, отказаться от этого ей труднее всего.

— И вы считаете, это нормально в ее положении?

Варшавин, гася сигарету, поднял глаза: Лариса Борисовна, не глядя в его сторону, упрямо пыталась выровнять одну из роз в кувшине, потом нервно вздрогнула, уколовшись, сразу бросила это занятие и села напротив гостя.

— Геля вам что, не сказала?

— О чем?

— У нее будет ребенок...

— Нет, — произнес Варшавин. — Я слышу об этом впервые. От вас.

— В ее стиле, — усмехнулась Лариса Борисовна. — Однако раз вы теперь обо всем узнали, то по крайней мере мы с вами можем поставить в этом деле точку.

— Не понял... Какую точку? — Варшавин видел, что женщина, преодолев первоначальное смущение, начинает раздражаться. Ее миловидное лицо как бы ссохлось, губы брезгливо скривились, а на висках вспыхнули два розовых пятна.

— Все-то вы понимаете! — Лариса Борисовна взметнула подбородок. — Я никогда не вмешивалась в ваши отношения с моей дочерью, но раз так получилось, что мне первой она сообщила о своей беременности, а вам почему-то — нет, то именно я вправе спросить: что вы намерены делать, Владимир Александрович?

— Ничего, — сказал Варшавин. — Если Геля решила скрыть от меня... свое положение, то пусть она сама и решит, как ей поступать дальше.

— Но это же и ваш ребенок!

— Для меня беременность Гели, о которой я узнал от вас, — всего лишь факт ее физиологического состояния...

— Помилуйте, что вы несете! — вскричала женщина. — Моя дочь ждет ребенка, а вы даже не предложили ей узаконить ваши отношения...

— Я этого не говорил!

— Вы, такой положительный, солидный, разумный, жили с моей девочкой как... как с собственностью!.. А теперь она сама должна решать, делать ей аборт или нет?

Варшавин рывком поднялся. От усилия сдержать себя он покачнулся и задел пепельницу, которая со звонким треском взорвалась на полу.

— Я не хочу с вами ссориться, Лариса Борисовна, — внятно и тихо проговорил Варшавин. — Позвольте нам самим решать наши с Гелей проблемы...

— Давайте, валяйте. — Лариса Борисовна внезапно сникла и с ненавистью взглянула на цветы. — И заберите все эти ваши цацки! Мне не требуются подачки!

Это она прокричала уже ему в спину.

Варшавин молча оделся и вышел из квартиры. Спустился, сел в машину, покружил по улицам и, не позвонив Геле, поехал за город, сначала на могилу матери, а затем — протопить дачу, чтобы в одиночестве встретить там Новый год. Ключи у него были, еду и вино он купил по дороге.

На все, что осталось в сегодняшнем утре, он смотрел совершенно трезво: это была та часть жизни, которая совершалась сама по себе, независимо от его воли.

— Геля, — осторожно сказала Лариса Борисовна в телефонную трубку, — Владимира Александровича можно?.. Хочу поздравить с Новым годом. Осталось каких-то пятнадцать минут...

— Мама, Володи нет. С утра уехал в «Тихуану» и больше не появлялся. И не звонил.

— Что ты говоришь, деточка? Не может быть... Не знаю что и думать... В общем... тогда я поздравляю тебя.

— Спасибо.

— Как ты себя чувствуешь?

— Нормально. Ты одна?

— Нет.

— Тогда давай прощаться.

— До свидания, Геля...

Девушка повесила трубку и села за накрытый стол. Она очень хотела лечь и спокойно уснуть после полного хлопот дня. Около полудня она побывала в парикмахерском салоне, затем убрала квартиру и приготовила ужин. Тайком от Варшавина позвонила в «Тихуану» и выспросила у шефа кухни рецепт крабов и фруктового салата. Чуть не сожгла в духовке гуся, испекла торт... Все эти приготовления были затеяны ради Варшавина, которому завтра утром Геля собиралась сообщить о ребенке.

Бой часов в телевизоре она услышала сквозь дремоту, полулежа в кресле в вечернем длинном открытом платье, с погасшей сигаретой в пальцах.

Варшавин позвонил в два пополуночи. Геля услышала его далекий глухой голос сквозь поскрипывание и гул помех.

— Где ты? — спросила она сонно.

— На даче, — ответил Варшавин. — Я напился. Ангелина, почему ты мне не сказала, что у нас будет ребенок?

— Не знаю. Все равно ты на мне не женишься, Володя.

— Не женюсь.

— Так зачем тебе знать?

— ...

— Ты меня слышишь?

— Да.

— Я не могу от тебя уйти. Мама настаивает на том, чтобы я сделала аборт.

— Не нужно никуда уходить, Геля. Что-нибудь придумаем...

— Что?

— Я куплю для тебя и ребенка квартиру.

— И будешь приходить по воскресеньям?

— Да.

— Чему ты радуешься? Ты и в самом деле пьян. Неужели ты не понимаешь, что я не хочу чувствовать себя брошенной женщиной? Не хочу, чтобы кто-либо знал о ребенке... в этом случае.

— Геля, я уже еду домой.

— Володя, оставайся там, — сказала Ангелина. — Тебе не стоит садиться за руль. Все равно я уже сплю. Приезжай завтра. Пообедаем вместе...

— Ладно, — произнес Варшавин. — Буду к обеду. Загляну в «Тихуану», потом домой. У меня и в самом деле будет ребенок?

— Да, — сказала Геля.

— Я тебя люблю.

— Ты всегда так говоришь, — пробормотала девушка, — когда хочешь чего-то добиться для себя. Я уже не уверена, что это правда. И я тебя не люблю.

— Врешь, — засмеялся Варшавин. — Ты всегда так говоришь, когда хочешь мне отомстить. С Новым годом тебя, дорогая...

— Иди к черту! — сказала Геля и швырнула трубку.

***

В конце января Варшавин отвез Гелю в Подмосковье, а в июне она родила девочку и еще немного пожила с ребенком у родственников Владимира Александровича по материнской линии. Он должен был за ними обеими приехать и забрать их оттуда домой. Было решено, что они поедут на машине Варшавина.

Он приехал на новом белом «судзуки» в середине августа вечером — подтянутый, похудевший, совсем не тот Варшавин, которого она знала и не видела уже более полугода. Все это время Геля провела под надзором тетки Владимира Александровича в большом двухэтажном доме, где обитала целая куча народу. Тетка была врачом-ортопедом, и Геля рожала в районной больнице — долго, трудно, со слезами и криками, но ребенок родился здоровым. Рыжеволосая девочка с глазами матери и румянцем Варшавина.

Едва войдя в дом, он сразу кинулся в угловую комнату, но муж тетки его туда не пустил. Геля купала и кормила дочь.

С час Варшавин просидел, разговаривая с родственниками, перед этим мылся в холодном душе, ужинал и курил на крыльце под мохнатыми августовскими звездами.

Наконец Геля вошла, встала у двери, и Владимир Александрович поразился ее одутловатой бледности и сонному виду; она смотрела на него как бы не узнавая, халат был ей тесен, на груди темнели влажные пятна от молока, а волосы были высоко подобраны, открывая неровно загорелую шею — почти все время Геля проводила в саду с ребенком.

— Геля, — сказал Варшавин, поднимаясь из-за стола во внезапно наступившей тишине столовой, — как Анечка? Уснула?

Он не смог приехать, когда у нее начались схватки. С самой зимы Варшавин тяжело работал, выкраивая часы для сна, дважды ездил в Германию, чуть не потерял ресторан, без конца простужался, но они перезванивались, и было решено назвать девочку Аней.

Геля слабо улыбнулась:

— Спит. Идем, Володя, я ее тебе покажу.

Они прошли по тесному коридору в небольшую комнату, и за порогом Варшавин сразу обнял Ангелину.

— Я соскучился, — шепнул он.

— Тебя очень долго не было, — проговорила Геля. — Ты встречался с Ларисой Борисовной? Она тоже все не могла ко мне вырваться... Я, в общем, справляюсь одна, но... мне уже хочется домой.

— Понимаю, — сказал Варшавин, почти не слыша ее и подходя к детской кроватке. — Твоя мать передала письмо и подарок ребенку... О Господи... какое существо... Анечка, радость моя!..

Он склонился над спящим ребенком. Девочка была укрыта легким одеялом, поверх которого лежали крошечные ручки с худыми пальцами; глаза крепко зажмурены, крупный рот, вздернутый нос и рыжеватые влажные волосы над бисеринками пота на выпуклом лбу.

— Почему она мокрая? — испугался Варшавин. — Геля, ты ее слишком укутала, ей жарко!

— Она вообще очень потливая, Володя. С рождения, — сказала Геля подходя. — Врачи говорят, что это пройдет... Я ее на ночь одеваю, потому что уже второй день она покашливает.

— Тетя смотрела?

— Да. — Геля прислонилась плечом к Варшавину. — Я сейчас усну... И детский врач тоже. Это может быть аллергия... на пчелиный мед, к примеру. Тут совсем рядом пасека... Володя, давай спать, мне через три часа снова кормить, она такая прожорливая...

Они собрались быстро и уехали через день. Все это время Варшавин не отходил от ребенка. Он привез новую коляску и возил девочку по саду, пока Геля стирала, готовила еду или просто валялась на раскладушке, молча глядя в пустое пространство неба. Приходил детский врач, средних лет мужчина с прокуренным голосом, и сказал, что ребенок практически здоров, потом обедал с родственниками Варшавина, а когда еще раз взял спящую Аню на руки, как бы прислушиваясь к ее дыханию, Варшавин испугался, что доктор ее уронит, и грубо забрал у него ребенка.

12*

Геля, заметив это, усмехнулась. Наконец-то Варшавин полностью принадлежал ей. Она все еще любила его, а ребенок стал просто крепкой нитью, которая привязала его к ней окончательно. Они договорились, что дома распишутся, без всякого шума, оформят документы ребенка и Варшавин займется поисками новой, большей квартиры.

Ехали они с остановками и, несмотря на внезапное ухудшение погоды, вполне комфортно. В середине пути девочка вновь стала покашливать, и Варшавин, забеспокоившись, начал торопиться.

Дома он, позвонив отцу, сразу отвез Аню к какому-то именитому профессору-педиатру, который лечил еще Александра Семеновича. Старый врач нашел бронхит, прописал лекарства и велел побольше гулять на свежем воздухе, если не будет скачков температуры.

Температура была, но небольшая, — Варшавин неумело измерил ее плачущей девочке. Руки у него тряслись.

На столе лежала записка: «Я убежала к Л. Б., если задержусь — сцеженное молоко в бутылочке в холодильнике, подогрей его, Володя, и накорми Анечку».

Что Варшавин и сделал.

Геля явилась, когда ребенок спал в коляске, потому что старую детскую кровать они оставили у родственников, а новую Варшавин еще не купил.

— Что сказал доктор? — спросила Геля с порога, сбрасывая легкий плащ. — На улице такой холод, наверное, лето кончилось. Я озябла...

— Какого дьявола ты ушла, Ангелина? — сказал Варшавин. — Я тут запутался с этими сосками... Разве твоя мать не могла сама к нам приехать? Этот старый пень ничего не понимает, я ему не доверяю... Он сказал, что у Ани бронхит...

— А что это значит?

— Геля, ты, по-моему, слегка не в форме. А, вы выпили с Ларисой Борисовной, так?

— Глупости. Бокал сухого. — Геля прошла к креслу и забралась в него с ногами, свернувшись клубком. — У мамы, как всегда, были гости... в общем, меня поздравляли, но это и впрямь глупо. Не сердись, дорогой, ты ведь сам не захотел, чтобы я ехала с тобой к доктору... К тому же у меня болит голова.

Геля замолчала, потому что раздался кашель девочки и Варшавин метнулся к коляске на плач ребенка.

— Я сказала маме, что мы скоро поженимся, — донесся до него голос Ангелины.

Он вынул плачущего ребенка из коляски, прижал к себе одной рукой, а другой нащупал в изголовье коляски пустышку.

Геля, изогнув длинную шею, спала, поджав колени к тяжелой, налитой молоком груди. Он положил затихшую Аню обратно, укрыл Ангелину пледом, а сам направился в кухню — ставить чайник. Врач не сказал ему, как давать ребенку лекарство, в аптеке же, переспросив возраст ребенка, предложили еще раз проконсультироваться со специалистом, а пока попоить девочку отваром ромашки.

В то время как Варшавин заваривал траву, девочка снова закашлялась и расхныкалась...

Не прошло и десяти часов, как все закрутилось в бешеном калейдоскопе бессонниц, отчаяния и надежды, врачей, «скорой помощи», палат, больничных коридоров и, наконец, реанимационного отделения детской инфекционной. Все время с того момента, как ребенок был подключен к аппарату искусственного дыхания, а Гелю выпроводили из больницы домой, Варшавин фактически прожил в «Тихуане», потому что к Ангелине невозможно было даже приблизиться. Ему было страшно, пусто и одиноко.

Второго сентября около пяти вечера позвонили из больницы и сказали, что Аня умерла. Он сразу же поехал домой — увидеть Гелю.

Утром ей нездоровилось: у нее прыгала температура, ее знобило, поташнивало — перегорало молоко. Когда Варшавин вошел в дом, разделся, тщательно вымыл, по привычке, руки и, наконец, сказал обо всем, она спросила:

— Ну, ты доволен?

— Я? — поразился он.

— Теперь ты свободен. Ты ведь всегда хотел только этого — быть свободным.

— Прекрати! Как ты можешь?

— А что? Тебе неприятно? — Она смотрела на него сухими воспаленными глазами, скулы ее исхудавшего лица заострились, губы вспухли. — Я знаю. Ты любил девочку, а у тебя ее забрали. Но ты все-таки освободился от Ани, потому что не ты ползал на четвереньках в грязной деревенской больнице и выл от боли, когда она рождалась, не ты боялся взять ее на руки, когда меня привезли в дом твоей чванливой тетки и заперли, как в одиночке, не ты плакал, когда Аня выплевывала мои потрескавшиеся соски, не ты, а я — я ждала, ждала тебя, как самая последняя потаскуха, своего глупого счастья. Девочка для тебя... Да что говорить, уже через день ты все забудешь, а меня она будет преследовать всю оставшуюся жизнь...

— Геля, послушай: может, я и виноват в чем-то, но ведь нельзя так — мне очень больно...

— Не приближайся ко мне! Лучше уйди, возвращайся в свой ресторан... Нет — я уйду. К матери, которую ты так презираешь...

— Ангелина!

— Все, — сказала Геля. — И поставим наконец точку.

В десять вечера, когда он возвратился к себе в пустую развороченную квартиру, раздался телефонный звонок. Хрипловатый низкий голос Ларисы Борисовны произнес:

— Володя, у Гелечки тридцать девять и семь.

— Вызовите врача, — сказал он.

— Уже.

— Я завтра днем заеду, привезу...

— Не нужно, — перебила его женщина. — Геля не хочет вас видеть.

— Так зачем вы звоните?

— Я хотела узнать о похоронах.

— Я обо всем позабочусь. Это мой ребенок, и я все сделаю сам. Единственное — так как мы с вашей дочерью не успели оформить свои отношения, девочка будет похоронена как Аня Кудимова...

— Владимир Александрович!

— Все, — сказал Варшавин. — Завтра вечером я привезу вам вещи Ангелины и деньги, чтобы она смогла оплатить услуги хорошего врача, иметь нормальную еду и привести в порядок свои нервы.

— Володя, вы должны понять ее.

— Это почти невозможно сделать, — произнес Варшавин. — Завтра вечером я у вас буду.

Два года спустя, второго сентября, Лариса Борисовна Кудимова проснулась около шести утра. Из комнаты Ангелины не доносилось ни звука, но она знала, что Лунц поднимется через час и, пока Геля досыпает, будет мыться, бриться, пить кофе, а затем уйдет по своим делам.

Она решила приготовить ему завтрак и снова лечь в постель. Он выйдет из ванной, сядет за стол, развернет газету, которую с вечера не успел дочитать, проглотит остывшую яичницу, салат из помидоров и кусок подсохшего бисквита — и сделает вид, что все это появилось на столе само собой.

Она уже давно стала его тенью. Она все помнила и запретила себе даже думать о том, как это у них происходит с Гелей. У всех — по-разному. У них с Лунцем все было прекрасно, пока дочь вдруг снова не появилась в доме. Но и потом было неплохо, даже тогда, когда Лариса Борисовна догадалась, что Лунц втюрился в Ангелину. Ей бы тогда остановиться и устроить все, как положено у людей, но мысль о том, что с ней покончено, ее вычеркнули и ничего уже не случится, а будут только старость, болезни и плешивые импотенты, ее просто затерзала. И еще эти полторы тысячи долга...

Лунц поел и ушел, а Лариса Борисовна лежала голая на постели и рукой делала то, что уже не могла делать с ним... будь он проклят, пропади все пропадом... скорей же — лишь бы избавиться от этой жгучей тяжести внизу... Гелька стучит кастрюльками и чашками в поисках еды, надо встать, привести себя в порядок, идти в магазин и купить на припрятанные двести рублей еды к обеду...

Женщина громко крикнула, обращаясь к кухне:

— Ангелина, в хлебнице бисквит, внизу в холодильнике остались колбаса и сыр, если Лунц не съел, — позавтракай... И поставь чайник на огонь...

Потом они пили чай, Геля жевала бутерброды, когда позвонила соседка.

— Ларисочка, — пробасила она, — мне, право, неловко, но вы ведь еще вчера обещали...

— Я помню, Вероника Иосифовна, — перебила ее Кудимова, — сегодня мы решим этот вопрос. Окончательно.

— Но я должна спланировать свой день.

— Я сама к вам зайду.

— Когда же?

— В обед. Ведь вы никуда не уходите?

Соседка свернула разговор. Вот вам и начало дня...

Геля курила, прикрыв голубоватые веки, покачиваясь на стуле; кожа на лице розовая, еще упругая, но в уголках красивого большого рта уже прорезались морщинки.

— Ангелина, — сказала Лариса Борисовна,— я схожу в магазин, куплю курицу, еще чего-нибудь. Устроим праздничный обед. Что мы, ей-богу, как бомжи, питаемся объедками... Куплю вина, водочки...

— Это в честь чего? — спросила Геля. — У меня только мелочь на сигареты.

— Будут тебе твои сигареты. Детка, а ты тем временем позвони одному человеку и попроси его к нам приехать. Как можно раньше.

— ...

— Позвони Варшавину. Ты ведь помнишь телефон ресторана?

— Я не буду звонить Володе.

— Позвони, Гелечка, это единственная возможность перезанять и вернуть долг Блох.

— Я не буду, мама.

— Тогда мы погибли. Вероника перегрызет мне горло. Сергей сказал тебе, что у него нет никакой возможности добыть денег?

— Сказал.

— Видишь! А Варшавину это ничего не стоит. Он обеспеченный человек. Он перед тобой в долгу. В конце концов, он виноват в том, что с тобой случилось...

— Мама, Варшавин ни в чем не виноват. Разве ты забыла, что тогда он оставил нам крупную сумму, позволившую мне быстро смотаться отсюда, а тебе еще долго жить без проблем?

— Это в прошлом, детка. А теперь у нас ужасающее положение. И не смотри на меня волком... Я дала эти деньги твоему любовнику.

— А кто тебя просил? — сказала Геля. — Лунц не умеет обращаться с деньгами, и ты об этом хорошо знала.

— Я думала... Геля, родная моя, сделай, как я прошу, и у нас будет передышка. Я уже все перепробовала, но не выходит. Позвонишь?

Девушка молчала.

Лариса Борисовна поняла, что дочь позвонит Варшавину, как поняла и то, что Ангелина будет ждать прихода Владимира Александровича совсем не ради матери и этих проклятых денег. Она наскоро прибралась на кухне и вышла из дома...

Варшавин обещал быть в половине шестого, а в четыре к ним заявилась соседка. До того момента, как Блох позвонила в дверь, Лариса Борисовна была уже как натянутая тетива. Геля, запершись в своей комнате, то ли спала, то ли читала, наотрез отказавшись помочь матери готовить обед, так что ей самой пришлось накрывать на стол. Для поднятия духа Лариса Борисовна откупорила бутылку водки и выпила рюмку, но напряжение не проходило.

Занудливую старую мездру Блох она кое-как спровадила и сразу же постучалась к дочери.

— Идем поедим, Геля!

— Не хочу.

— Что ты устраиваешь демонстрации, Ангелина? Открой немедленно! Вы только на нее посмотрите — жизнь закончилась, что ли?

— Закончилась, — сказала Геля, распахивая дверь. — Разве ты до сих пор не поняла? Ничего уже не будет. Ни хорошего, ни плохого. Будет всегда так, день за днем, ровно и безнадежно: Вероника Иосифовна, ее мопс, вонючий подъезд, застиранные полотенца и головная боль, где взять денег... У тебя будет выпивка, у меня — до поры — развлечения... а в результате — абсолютный нуль.

— Гелечка, брось эти мысли. Дорогая моя, все будет хорошо. Мы отдадим деньги. Я буду работать, а у Лунца дела пойдут получше. Вот... Мы купим все новое. Тебе дубленочку на зиму вместо той шубки, которую ты продала, мне — сапоги...

— Я иногда чувствую, мама, — сказала Геля, проходя на кухню, — что где-то здесь — ошибка... Именно здесь.

— Ангелина! Ты можешь снова уехать. Ненадолго. Заработать на свадьбу, одеться. Потом... Бери хлеб, налей себе минеральной... Давай выпьем за твою будущую семью! Я надеюсь, что Володя...

Девушка швырнула вилку на стол и закричала:

— Замолчи! Чего ты суетишься? Ну даст он тебе денег, а потом? Уехать!.. Тебе рассказать, как там работается? Рассказать? Меня Лунц не отпустит, — сказала она, внезапно успокаиваясь, — он не хочет, чтобы я куда-то ехала...

Она опустила глаза, прикуривая, и не видела, как смотрит на ее руки с подрагивающей сигаретой Лариса Борисовна. Стрела так и не вырвалась наружу, тетива гудела, острие покалывало сердце; женщина потянулась к бутылке, плеснула — немного дочери, себе — полную рюмку. Геля машинально глотнула, закашлялась, на ее скулах вспыхнули алые пятна, а глаза бешено сузились.

В дверь звонили.

Когда Лариса Борисовна пошла открывать, Геля стремительно метнулась в ванную, схватила зубную щетку, выдавила из полупустого тюбика пасту и приблизила полыхающее лицо к воде.

Она слышала далекий лай собаки, заискивающий голос матери, спокойный — Варшавина; не сумев скрыть отчаянной боли и от этого враз возненавидев гостя, она вышла к ним и встала у окна, сведенными лопатками чувствуя холод старой осыпающейся плитки...

Когда за Варшавиным захлопнулась входная дверь, Геля тут же заперлась в своей комнате. Ей было нестерпимо стыдно, она старалась позабыть все, что считанные минуты назад происходило на кухне. Слезы матери, и свою злость, и несдержанность по отношению к Володе она списала на спиртное; она уговорила себя выкинуть из памяти не только его голос, но и прикосновения, когда он трогал ее порезанную руку, запах его туалетной воды, его чисто промытую гладкую кожу на скулах... «Знай свое место, — твердила она себе. — У тебя есть Лунц. Чем он хуже Варшавина? Ну нищий, без царя в голове, так и я такая же. Один нищий плюс еще один — уже кое-что...»

В дверь снова трезвонили.

Геля отвернулась к стене и закрыла лицо подушкой. Через несколько минут она все же встала, одернула топик, встряхнула затекшими кистями рук и прошла на кухню.

Там, прислонившись к мойке и пощелкивая указательным пальцем по головке крана, стоял в своей рыжей куртке Олег Соболь, а перед ним сидела зареванная Лариса Борисовна, вяло ковыряя вилкой в салате. Ее шелковый халат распахнулся, обнажив смуглые тугие колени, но она этого не замечала, как не замечала и того, что волосы ее уже давно растрепались, а под рысьими глазами — черные круги от потекшей туши.

— Ты, Соболь, всегда появляешься вовремя, — сказала девушка. — Так выпьешь с нами?

— Он не хочет, Геля. Брезгует. — Лариса Борисовна отложила вилку и, привстав, потянулась за бутылкой минеральной.

— Все нами брезгуют, мама, — усмехнулась Ангелина, наблюдая, как Соболь, отлепившись от мойки, обошел стол и налил матери воды в фужер.

— А что тут делал Варшавин? — спросил он.

— Тебе-то зачем? — Девушка отобрала у него бутылку и глотнула из горлышка.

— Перестань собачиться, Гелька. Человек спрашивает по-хорошему. — Лариса Борисовна вытерла губы и посмотрела на Соболя, который теперь примостился рядом на стуле. — Ну попросила я Владимира Александровича дать нам взаймы. Подумала: что ему станется, ведь не обеднеет же... Знаешь, сколько в городе людей, которые запросто швыряют деньги на ветер. На девок, на жратву... Может, и ты, Олег, из таких?

— Лариса Борисовна, вы же знаете — я гол как сокол. Если бы у меня водились хоть какие-то бабки, разве я не помог бы вам?.. Значит, Варшавин отказал? Почему?

— Не знаю. — Женщина облизала припухшие ненакрашенные губы. — Он изменился... С тех пор как бросил Ангелину...

— Мама, это не так!

— Так, не так... — Лариса Борисовна пожала круглыми плечами. — Она до сих пор сохнет по нему. Еще бы — как он ее баловал! — Женщина зажмурилась и покачнулась. — Когда они трахались, ничего для нее не жалел... Варшавин был у нее первый, да... Ты разве не знал, Соболь?

— Мама, заткнись! — закричала Геля, выскочила из кухни, ногой распахнула дверь своей комнаты и в ярости, глотая слезы, заметалась по ней.

Когда она докуривала вторую подряд сигарету, в дверь осторожно, но настойчиво постучали.

— Геля, это я... Открой...

Она рывком встала с кровати и распахнула дверь, жестом приглашая Соболя войти.

— Ну и накурено у тебя! — Он прошел к девушке, которая, сбросив шлепанцы, ничком легла на подушку лицом к стене, и сказал: — Можно мне присесть рядом с тобой?

— Чего она там делает? — спросила Геля, переворачиваясь на спину и закидывая руки за голову...

В общем, это была петля. Если Лунц не достанет-таки денег, то эта петля затянется на ее шее окончательно.

Лариса Борисовна знала, что Сергей не в состоянии заработать ни гроша, и поэтому все равно выпутываться предстоит ей одной. Ее бил озноб, лицо горело, и единственным желанием было разнести все, что стояло перед ней на столе, на мелкие осколки. От этих мыслей не удастся уснуть ни теперь, ни ночью — сколько ни глуши себя водкой.

Она поднялась и, покачиваясь, направилась в ванную. Сунула голову под струю холодной воды, затем насухо вытерла лицо и черные слипшиеся кудряшки, поправила халат, глядя на себя в зеркало.

Оно отразило высокие скулы с порозовевшей смуглой кожей, набрякшие веки, тонкие ноздри — все это добро уже увядает, но пока еще ничего. Значит, так... Есть два варианта: первый — обменять эту квартиру на однокомнатную, взяв разницу, затем отправить Ангелину работать. Хоть в ту же Сирию. Соседке обещать проценты, пока она прокрутит всю комбинацию... Второй — заставить Лунца продать его долю в студии. Там хватит, чтобы отдать долг и купить им с Гелей подселенку. Пусть пока поживут вдвоем... Этот вариант был лучше, но гораздо сложнее в исполнении, однако, поднапрягшись, можно было бы Лунца убедить в том, что никакого другого выхода нет. И потерять его. Навсегда.

Она вздрогнула от неожиданности: на пороге кухни стоял Соболь, о котором она начисто забыла, и нагло ощупывал ее своими неподвижными глазами.

— Скучаете, Лариса Борисовна?

— Мне не до этого. Так... размышляю. Геля, наверное, заснула?

— Нет. Она просила принести ей вина. Налейте вон в тот фужер, я загляну к ней и побегу по делам... — Он придвинулся к столу. — Спасибо. Вы ждете Сергея?

— А что? — Женщина подняла руку и поправила еще сыроватые волосы. — Тебе-то зачем знать?..

— Просто интересуюсь, — усмехнулся Соболь. — Геля сказала, что вы всегда ожидаете его с нетерпением. — Соболь приблизился к женщине и негромко спросил: — Кстати, от кого она могла узнать, что вы с Лунцем — давние любовники?

— Это... это она тебе сказала, Олег?

— Кто же еще?

— Веселые новости... Это плохо, что она узнала... — Лариса Борисовна взглянула на Соболя и пробормотала: — Поверь, у нас нет никаких отношений очень давно, с тех пор как Сергей решил жениться на моей дочери. Я смирилась, хотя он был мне очень нужен. Такой как есть... Э, что ты во всем этом смыслишь... Мы обе с ней невезучие...

— Вы можете его вернуть. — Соболь выпрямился.

— Могу! Но зачем? Все равно он никуда не денется. — Лариса Борисовна поднялась со стула, прошла к холодильнику и достала непочатую бутылку водки. — Ох, это жутко неприятно, что Гельке обо всем стало известно... Она страшно ревнива и неумна к тому же...

Женщина вернулась к столу, задумчиво глядя на бутылку, и даже не заметила, как Соболь неслышно покинул кухню. Она не обратила внимания и на захлопнувшуюся входную дверь. Ни звука не доносилось из комнаты дочери. Лариса Борисовна окинула взглядом стол, мутное окно, за которым постепенно смеркалось, и, не зажигая света, отвинтила пробку, налила ровно половину в бокал, вздохнула и тремя судорожными глотками опорожнила его.

«Ничего смертельного, — подумала она. — В конце концов, Лунц сделал выбор. И если он заупрямится, то, значит, я буду вынуждена сказать ему: продай мастерскую, заплати долг, бери Гельку и мотайте отсюда... Может, у вас и получится... Проблемы надо решать по мере их поступления».

Лунц был на подъеме — этот балбес Борисов обещал его познакомить кое с кем из мэрии, кто прямо связан с муниципальной галереей, да и девчонка его — аппетитная прокуда — не зря постреливала своими васильковыми глазками.

Он швырнул ключи в кофр и поставил его в углу прихожей. Запер дверь, носком кроссовки надавил кнопку защелки. Жутко хотелось есть и чуток расслабиться. Сегодня он не пойдет на просмотр к литографу Гончу, куда их с Ангелиной неделю назад пригласили. Тихий вечер в кругу семьи.

В квартире действительно было тихо. Прежде чем отправиться на кухню, он заглянул в туалет. С некоторой натугой помочился, застегнул джинсы и пригладил волосы, перед тем как зайти в их с Гелей комнату и сказать, что они остаются дома, — но наткнулся на запертую дверь.

Лунц слегка изумился и двинулся на кухню.

Там, в темноте, криво сидела на стуле Лариса Борисовна, уткнув лицо в согнутую в локте и лежащую среди тарелок голую руку.

Она показалась ему неживой, и Лунц испуганно включил свет.

Женщина с тихим присвистом дышала. Он мельком взглянул на ее безвольно раздвинутые в коленях ноги, подошел к плите, включил газ, поставил чайник, а сам сел сбоку за стол; потянулся к бутылке, налил, нагрузил полную тарелку еды, затем залпом махнул водку и начал медленно, с видимым удовольствием закусывать.

Лариса Борисовна пошевелилась, подняла голову, тряхнула кудряшками и негромко вскрикнула:

— Черт! Ты давно здесь? Почему не разбудил?

— Не хотел вас беспокоить, мадам, — игриво ответил Лунц. — Вы так славно почивали... Пренебрегая приличиями.

Она взглянула на его горбоносое небритое жующее лицо, которое ей так нравилось, и возмущенно-фальшиво прошептала:

— Ну и наглец ты, Сережа...

Лунц развернулся и, улыбаясь, посмотрел на женщину. Глазами хмельной ядовитой ящерицы. Лариса Борисовна почувствовала, как у нее гулко забилось сердце.

— Выпьешь со мной, Лара?

— Да, — ответила она пересохшими губами. — Дорогой мой... у нас проблемы...

— Тихо. — Лунц бросил взгляд в сторону коридора. — Геля дома? Спит?

— Наверное...

— Давно?

— Не знаю... Я так и не смогла достать денег.

— Почему она заперлась? Нет, давай сначала выпьем. За удачу! Жизнь надо украшать, а не сокращать.

— Ты любишь Гелю, Сережа?

— Конечно! О чем речь?

— Тогда это не мои проблемы, а ваши с ней. Я уже слишком старая, чтобы их решать.

— Ты еще о-го-го, дорогуша! — засмеялся Лунц, косясь на чайник, кипевший на плите. — Проблемы приходят и уходят... У нас есть кофе? Я что-то немного косею...

Женщина резко поднялась, на ходу приоткрыла окно, наполовину подняв жалюзи, сняла чайник с плиты, плеснула немного воды в джезве и за спиной Лунца открыла шкафчик, отыскивая молотый «Якобс». Лунц наклонился вместе со стулом назад и потерся затылком о спину женщины пониже лопаток.

— Иди ко мне, — пробормотал он.

— Я сварю тебе кофе, дурачок, — сказала Лариса Борисовна, отодвинулась и шагнула к плите.

Лунц поднялся, щелкнул выключателем, погружая кухню в серую мглу, подобрался к женщине, взял ее за плечи и развернул к себе.

— Давай, — шепнул он, — ну же, быстрее...

— Ты все-таки сумасшедший!

— Выключи газ, все равно эта бурда сбежала, — сказал он и, пока женщина, изогнувшись, поворачивала вентиль, ловким движением сдернул с ее бедер розовые шелковые трусики...

Геля стояла на пороге кухни и, сонно мигая в полумраке, пыталась отлепить промокший пластырь от пальца.

Лунц оттолкнул Ларису Борисовну и метнулся к выключателю, едва не сбив девушку с ног. Затем выскочил в ванную комнату.

— Мама! — позвала Геля. — У меня что-то с этим порезом. Вся подушка в крови... Надо перевязать потуже...

Насвистывая, Лунц вышел из ванной, хлопнув дверью.

Лариса Борисовна тяжело опустилась на стул, будто ноги враз отказали ей. Халат распахнулся, открывая выпуклый, гладкий, как потемневшая слоновая кость, живот с темной дорожкой волос, спускающейся к выбритому лобку.

Не отрывая глаз от наготы матери, Геля сказала:

— У вас кофе сбежал... Сережа, захвати в аптечке пластырь и тюбик с мазью...

Поймав взгляд дочери, Лариса Борисовна судорожно запахнула полы халата, нащупала пояс, болтающийся в петле, и прыгающими пальцами затянула узел.

Лунц вернулся в ванную и принес что просили.

— Привет! — сказал он, появляясь в проеме кухонной двери. — Ты на самом деле спала? А я решил — ну его на фиг, этого Гонча... Может, мы, как люди, посидим дома, а?

Он наклонился, чтобы коснуться губами ее затылка, но Геля, все еще стоявшая лицом к матери, отодвинулась.

— Положи на стол, — сказала она. — Иди. Мы сами.

Лунц повернулся и исчез в коридоре. Было слышно, как в прихожей он подхватил кофр и зачем-то понес в большую комнату. Затем включил телевизор, прошелся по всем каналам и выключил.

Геля наконец справилась с пластырем и щелчком отправила в раскрытое окно окровавленный клочок ткани.

— Помоги мне, — попросила она, пытаясь одной рукой отделить от тугого рулончика свежую полоску. — Возьми нож. Я подержу.

Порез оказался более глубоким, чем показалось сначала, и продолжал кровоточить. Словно загипнотизированная, Лариса Борисовна следила, как вязкая темно-вишневая струйка скользит по лунке ногтя и набухает на кончике пальца дочери в тугую подрагивающую каплю.

— Я... Ты же знаешь, что я... боюсь.

— Чепуха, мама! Возьми нож и помоги мне...

Лариса Борисовна нашарила вслепую на столе десертный ножик с коротким закругленным лезвием, которым обычно намазывали масло на хлеб.

— Господи! — раздраженно проговорила Геля. — Он же тупой, как... как...

Держа руку на отлете, она шагнула к окну, где на подоконнике так и оставался тот, которым она пыталась открыть бутылку, — тяжелый, накануне отточенный Лунцем.

Взяв его двумя пальцами за лезвие, она обернулась:

— Вот, возьми.

Теперь Геля стояла прямо перед матерью, протягивая ей нож рукоятью вперед. Вишневая капля оторвалась и тяжело шлепнулась на колено женщины.

Лариса Борисовна вздрогнула, как от ожога, зажмурилась и изо всех сил оттолкнула от себя эту окровавленную руку. Не открывая глаз, она вскочила и бросилась в ванную, успев услышать, как дочь позади нее удивленно и коротко проговорила: «А!»

Это был низкий горловой звук, очень странный, но сейчас ей было не до того, чтобы вникать. Сухой спазм стискивал в ком все внутренности, мышцы лица окаменели, сердце беспорядочно плюхало в груди. Вцепившись обеими руками в раковину, она сгорбилась над ней, ожидая облегчения и твердя про себя: «Господи, Гос-по-ди, сделай так, чтобы она ничего не заметила!..»

Ангелина неподвижно стояла на месте, следя за тем, как узкий рулончик пластыря катится по подоконнику. Уклон был наружу. Достигнув края, он на секунду задержался, чуть изменил направление, скользнул за окно и канул в пустоту.

Больше всего на свете сейчас она боялась опустить глаза. Потому что немного правее выступающей косточки ее бедра из нежной впадинки, где кожа становится почти прозрачной и видно, как упруго пульсируют голубоватые тени сосудов, теперь торчало широкое, холодно поблескивающее лезвие. От толчка нож без усилия пробил два слоя джинсовой ткани и на треть ушел вглубь.

Она ничего не почувствовала, и тем труднее было поверить в случившееся. Она едва заметно изменила позу, рукоять ножа дрогнула — и сейчас же внизу живота разлилось странное, чужое тепло. Из ванной доносились сдавленные звуки.

Ангелина переступила с ноги на ногу — тепло превратилось в нестерпимое жжение.

— Эй! — крикнул из комнаты Лунц. — Вы что это там затаились? Водку без меня дуете?

Ангелина услышала, как под ним скрипнули пружины дивана ее матери. Сейчас он будет здесь...

Почему-то это ее испугало больше, чем все остальное. Сцепив зубы, болезненно морщась, она нащупала склизкую рукоять ножа, а затем коротким движением — вниз и от себя — вырвала его из раны, глухо застонав.

Все в порядке. Никто ничего не увидит.

Она попробовала выпрямиться, но волна боли, взявшейся неизвестно откуда, на секунду парализовала ее, и она так и осталась стоять лицом к окну, сжимая в правой руке окровавленный нож и все еще не решаясь взглянуть на него.

Лунц не шел. Скорее всего просто поленился встать.

Тупая боль, похожая на стократно усиленную боль накануне месячных, нарастала, раскручиваясь, как свихнувшаяся пружина.

Ангелина сделала шаг в сторону ванной, поскользнулась, взмахнув руками, и с удивлением обнаружила, что ее левая босая ступня оказалась в темной вязкой лужице, расплывающейся на линолеуме.

Только теперь она почувствовала, что ее белье насквозь промокло, а теплая струйка, обвивая бедро, торопливо бежит вниз, напитывая влагой край джинсов.

У нее резко закружилась голова. Свет на секунду померк.

Шлепая по разлитой на полу жидкости, Ангелина добралась до двери ванной и вцепилась в ручку, ловя равновесие.

Дверь рывком распахнулась.

Лариса Борисовна уже почти овладела собой. Она включила воду и, пока сильная струя хлестала по гладкой поверхности раковины, смывая следы ее слабости, снова взглянула в зеркало.

Лицо все еще было испуганным, узкие глаза слегка косили, губы приобрели синюшный оттенок. Под глазами — набрякшие полукружия.

Она глотнула воды, повернула вентиль и взяла с подзеркальника помаду: «Розовый бриллиант», стойкая — именно то, что ей сейчас требовалось.

Как только она коснулась губ, все остальное будто исчезло. Лицо женщины приняло сосредоточенное, почти молитвенное выражение, брови поднялись, глаза расширились и потемнели.

Когда дверь позади нее распахнулась, Лариса Борисовна вздрогнула, но не обернулась.

В глубине зеркала за ее спиной всплыло, покачиваясь, лицо дочери. Не отрываясь от своего занятия, Лариса Борисовна отметила, какое у него странное выражение: упрямое, как в детстве, когда она лупила свою Гельку бельевой веревкой за мелкие грешки, и в то же время почти нежное.

— Дурочка, — проговорила Лариса Борисовна, облизывая губы и вытягивая шею. — Ты подумала, что я... Кто тебе наплел этих глупостей? Кто? И ты, конечно, всему поверила... Еще бы!

В крохотной ванной висел едкий запах перегоревшего алкоголя и пищи. Скомканные розовые трусики лежали на крышке корзины с грязным бельем.

— Ма! — низким, изменившимся голосом сказала Ангелина. — Посмотри на меня!

— Подожди, — отмахнулась Лариса Борисовна, прорисовывая карминным карандашом чувственный изгиб полной нижней губы. — Вечно ты в самый ответственный момент... Сережа говорит...

— Посмотри на меня... — снова сказала Геля. В потной мути зеркала было видно, как в одно мгновение изменилось ее лицо.

Лариса Борисовна застыла, а затем начала медленно, как во сне, поворачиваться. Но не успе...

...Измазанные кровью ступни липли к холодному кафелю. Голова кружилась все сильнее. Вдобавок начала мерзнуть спина.

Что она тут делает? Что она тут делает, когда, Господи, так больно, так больно?..

На секунду перед глазами всплыло лицо Соболя. Неподвижное, как маска, каким в жизни оно никогда не бывало. Губы беззвучно зашевелились. Геля сделала усилие — и вдруг поняла то, что он хотел ей сказать...

Она кивнула, соглашаясь, и попыталась улыбнуться, но вместо улыбки вышла судорожная гримаса, будто лицо окоченело на ледяном ветру.

— Посмотри на меня, мама!.. — проговорила Геля, плохо слыша сама себя. Не дожидаясь, пока Лариса Борисовна обернется, она шагнула вперед, выставив перед собой правую руку с ножом, левой схватилась за пояс халата матери и одним движением рванула на себя ее небольшое, горячее, пахнущее косметикой и потом тело.

И едва удержалась на ногах. Колодка ножа тупо ударила ее в живот, и свет плафона над зеркалом сделался изумрудно-зеленым, как молодая трава.

Она так и не увидела лица матери. Лариса Борисовна глухо охнула — и сейчас же рука Ангелины вместе с ножом рванулась обратно. Девушка попятилась и уперлась спиной в дверной косяк, не отводя глаз от пятна, расплывающегося на светлом халате на ладонь ниже правой лопатки матери.

Какое-то мгновение Лариса Борисовна стояла совершенно неподвижно вполоборота к дочери, потом внезапно выбросила ладонь, зацепив зеркало, пошатнулась и начала заваливаться влево, цепляясь обеими руками за пластиковую душевую занавеску.

Кронштейн, удерживающий ее, рухнул, и тело, потеряв опору, сползло в ванну, тупо ударившись затылком о чугунную закраину.

Ангелина отвернулась, толкнула плечом дверь, перенесла через порожек собственную многотонную тяжесть — и оказалась лицом к лицу с Лунцем.

Он стоял в двух шагах от девушки в тесном коридорчике, ведущем в кухню, в линялых джинсах и футболке, плотно обтягивающей выпуклую, густо заросшую светлой шерстью грудь, и не отрываясь смотрел на лезвие ножа, по-прежнему зажатого у нее в руке. Ставшего теперь как бы ее продолжением.

— П-подожди... — сказал он отступая. — Спокойно... Что ты делаешь? Что случилось? Где...

Взгляд его прыгнул вверх — и за спиной Ангелины, в глубине, он увидел то, что лежало в ванне. Зрачки Лунца превратились в аспидно-черные точки.

— Ты!.. — начал он, заплетающимся языком. — Ты... Сучка, что ты сделала! — вдруг взвизгнул он. — Ты спятила, спятила, да? Брось нож!.. Слышишь — брось!

Глядя на прыгающее и кривляющееся лицо мужчины, девушка осторожно двинулась боком, огибая открытую дверь, чтобы вернуться в кухню. Только сейчас Лунц заметил, что джинсы Ангелины насквозь пропитаны кровью.

Когда она остановилась у плиты, он приблизился, лицо его стало жалким.

— Пожалуйста... пожалуйста... — торопливо забормотал он. — С тобой нехорошо... Я сейчас вызову «скорую» — тебе нужна помощь. Детка, брось, брось эту штуку — хочешь, я встану на колени? Хочешь? Геля!..

Звук его голоса причинял боль. Сейчас она хотела только одного — чтобы было тихо. Чтобы никто не двигался, потому что сама она стала слишком хрупкой, и ей причинял боль даже звук.

На мгновение она опустила отяжелевшие веки, справляясь с головокружением.

В ту же секунду Лунц прыгнул.

Она видела сквозь сетку слипающихся ресниц, как он оступился в темной, быстро густеющей лужице на полу, потерял равновесие и изогнулся, запрокидываясь назад.

Это было как замедленная съемка, и она успела обеими руками сжать рукоять ножа, вскинуть его и сверху, из-за головы, нанести удар в оставшееся незащищенным, вздувшееся от напряжения горло мужчины.

Что-то слабо хрустнуло, лезвие плавно, без сопротивления скользнуло в ямку между ключицами, и в то же мгновение тело мужчины конвульсивно рванулось, опрокинув табурет и отшвырнув ее в сторону вместе с ножом.

Пол кухни с его протертым линолеумом, ведром под раковиной, размазанными липкими полосами и стоящим на четвереньках Лунцем начал стремительно уходить вверх, грозя обрушиться на нее, пока окончательно не вырвался из-под ног. Мимо пронеслась ослепительно сияющая в радужном ореоле лампочка.

Последнее, что почувствовала Ангелина Кудимова — тупой удар и треск лопающейся на затылке кожи. После чего наступила совершенная тишина и темнота.

Лунц пошевелился на полу, пытаясь подняться на ноги, а когда убедился, что ничего не выходит, сдавленно просипел: «Блин, ну и облом!..»

Лучше бы он этого не делал, потому что вместе со словами рот его наполнился жижей, которую он тут же выплюнул, с изумлением обнаружив, что это черная комковатая кровь.

Он так испугался, что закричал бы, если б мог. Вместо этого, повинуясь инстинкту, он пополз, медленно, по сантиметру продвигая вдруг ставшее чужим и неповоротливым тело по коридорчику в прихожую и удивляясь, почему все время приходится ползти в гору.

Когда он достиг входной двери, ему и в голову не пришло, что он мог бы попытаться открыть ее и выбраться наружу. Он продолжал двигаться прямо, время от времени останавливаясь, чтобы отдышаться и освободить горло от скопившихся сгустков.

Все, что ему нужно, — добраться до телефона. Во что бы то ни стало. Каких-нибудь пять-шесть метров — и он у цели...

В большой комнате Лунц зацепился за край ковра и закашлялся, уткнувшись лицом в пол. Вместе с кашлем вылетали брызги крови — и вдруг он понял, что, пожалуй, может не успеть.

У него все-таки хватило сил, чтобы добраться до стеклянного столика, где стоял аппарат, ухватиться за провод и дернуть его к себе. Вместе с аппаратом на пол рухнула незакрепленная крышка столика, рассыпавшись тысячей осколков, но он будто и не заметил этого.

Телефон уцелел. Лунц перевалился на бок, пододвинул поближе лежащую на ковре и гудящую пустотой трубку и сосредоточился. В голове не было ни единой цифры.

Он мучительно напряг память — но там было чисто, будто только что выметено.

Очень осторожно, словно от этого зависела еще чья-то жизнь, он опустил трубку на место, решив немного передохнуть, чтобы потом все вспомнить. По порядку, с самого начала...

Когда телефон зазвонил, Лунц еще дышал, однако этот звонок уже не имел отношения к его погружающемуся в сумрак сознанию.

Телефон звонил долго и требовательно, пока окончательно не умолк, и в квартире установилась тишина, которую нарушали только едва слышные хрипы, доносившиеся из груди мужчины. Но и они скоро прекратились.

Теперь здесь не было ни души.

Все трое оставались на тех местах, где их настигла смерть — или тот продолжительный сон, который мы по привычке называем смертью.

Бодрствовал только четвертый. Тот, кто убил их и кого я, Егор Башкирцев, безмозглый зеленый адвокатишка, так настойчиво пытался вычислить, суетясь и потея от усердия, как туповатый школяр.

Тот, чье имя никогда не попадается в кроссвордах.

1999 г.

Литературно-художественное издание

Климова Светлана

Голодный демон

Художественный редактор О.Н. Адаскина
Компьютерный дизайн: Н.В. Пашкова
Технический редактор О.В. Панкрашина
Младший редактор Е.А. Лазарева

Подписано в печать 05.04.2000.
Формат 84×108 1/32. Усл. печ. л. 21,00.
Тираж 10000 экз. Заказ № 715.

Налоговая льгота — общероссийский классификатор продукции
ОК-00-93, том 2; 953000 — книги, брошюры

Гигиенический сертификат
№ 77.ЦС.01.952.П.01659.Т.98 от 01.09.98 г.

ООО «Издательство АСТ»
лицензия ИД № 00017 от 16.08.99 г.
366720, Республика Ингушетия,
г. Назрань, ул. Кирова, д. 13.
Наши электронные адреса:
WWW.AST.RU
E-mail: astpub@aha.ru

Отпечатано с готовых диапозитивов в типографии издательства
"Самарский Дом печати"
443086, г. Самара, пр. К. Маркса, 201.

Качество печати соответствует предоставленным диапозитивам.